新版

あなただけの
イタリア語
家庭教師

Clover
クローバー出版

LE LEZIONI PRIVATE DELLA LINGUA ITALIANA

音声ファイルをダウンロード！

🎧マークの箇所のイタリア語は、
ネイティブによる音声を聴いて学習
できます。PC、スマホ、タブレッ
トからダウンロード可能です。

http://cloverpub.jp/go/italy.htm

僕、マルコと一緒に始めようか。
愛と美に満ちた由緒ある国の言葉。
それがイタリア語。
さあリラックスして始めよう。
マルコって気楽に呼んでくれよ。

氏名	マルコ・ビアンキ
年齢	36歳（独身）
出身地	ローマ
趣味	代々続く由緒ある名家に生まれ育った生粋のローマっ子。少年時代、サッカーやバイクレースに熱中し、高校時代に旅行した日本に魅せられ大学で日本語を習得。ユーモアに満ちた3枚目キャラ。自宅でパスタを作るという凝り性の側面も。
好きな言葉	「イタリア語は一日にして成らず？」
特技	遊び心と茶目っ気あふれるローマっ子流にイタリア語を楽しくレクチャー。
職業	もちろん「あなただけのイタリア語家庭教師」サ。

※本書は㈱国際語学社で刊行された『あなただけのイタリア語家庭教師』の新版です

ようこそ!!
イタリア語の世界へ。

Piacere! （ドウモハジメマシテ）

あなたのイタリア語学習を一手に引き受けるのは、
この私、マルコ・ビアンキ。よろしく。
外国語、日本人苦手ですね。
みなさんのなかにも、英語やほかの言葉にTRYして、
結局、ザセツしちゃった人も多いかもしれません。

でも外国語を独学で学ぼうとしているあなた。
本当に素敵です。
チャレンジング・スピリット、
それは成功の源デスネ。

今ちょっと不安になったりしていますか？
「イタリア語がちゃんと身につくのかな？ 」とか、
「途中でいやになっちゃうかも …」とか、
「独学で理解できるだろうか …？ 」とか、

このマルコが答えるよ。
"心配いらないよ" と。

Step by Step!
あせらずにマイペースでネ。

僕が手取り足取り教えるよ！

1

独学に最適なオールインワン
辞書もノートもこれ一冊に。

挫折させるかぁっ!!

独学で頑張るあなたに最適。
マルコも全面的に
サポートします*!!*

1 ノート不要！
メモしたいことをどんどん書き込んで
あなただけの一冊の出来上がり！

きちんと理解しながら学習を進めていくために、書き込めるノートスペースを設けました。重要な箇所や間違えやすいところ、また、自分なりのポイントをたくさん書き込んでください。あなただけの学習ノートが出来上がります。

2 巻末折込の「活用一覧表」を広げて
学習すれば、活用がひと目で見渡せ、
わざわざ表を探す手間が省けます。

授業に出てきた活用表は巻末に全てまとめました。折込み式なので活用一覧を開きながら授業を進行できます。学習済みの活用を忘れても、ページを戻らずに表を参照できます。

③ 辞書を引く必要なし！
学習途中に出てきた単語はすべて、
ノートのなかの単語帳におさめました。

本格的にイタリア語を学んでいくなら、もちろん辞書は不可欠です。ですが、この本では、もっと気楽にイタリア語を学んでいただくために、途中で出てくる単語を単語帳としてまとめました。巻末には掲出単語すべてを、アルファベット順にリストアップしました。

④ 独学に大事なアウトプットの作業。
チェックテストで実力の定着度をチェック。

独学だと自分の実力がどのくらいついているのか、なかなか測れないものです。また記憶できていると自分で思っていても、実際に「使える」語学力を身に付けるにはアウトプットの作業が必要です。

⑤ 音源でネイティブの発音を耳から学習。

トラック番号のマークのある部分は音声録音されています。実際に発音できるようになるには、聴く事が必要です。繰り返し何度も聴いてイタリア語のニュアンスをつかみとって下さい。

本編以外にもイタリア語学習を
サポートするあれこれを用意。

① ややこしい「活用」は、テキストと同時に
　 見られる３つ折ページにまとめました。

　 活用に関する章の学習では、活用表をその都度暗記していたのでは、
　 授業が止まってしまいます。活用表は巻末にまとめ、授業を受けな
　 がらでも参照できるよう、ページを引き出して確認できます。

② 「問題を解く」ことでつく実力。

　 授業ではたくさんのチェックテストを用意しました。答えがあってい
　 るかよりも、考えて答える過程が、実力の定着には大事なのです。

③ 音源でネイティブの発音を耳から学習。

　 トラック番号のマークのある部分は音声録音されています。実際に
　 発音できるようになるには、聴く事が必要です。繰り返し何度も聴
　 いてイタリア語のリズムをつかんで下さい。

マンマ ミーア！
このリアルなネイティブの発音。
ローマっ子のお気に入り、ナヴォーナ広場の
喧騒を思い出すヨ。

1

(文法早見表／Grammar reference charts — 不定冠詞・定冠詞・動詞 essere・指示形容詞 quello／questo・所有形容詞・前置詞と定冠詞の結合・動詞 avere・-are 動詞・直接目的語代名詞・間接目的語代名詞・-ire 動詞・-ire 動詞(-isc 型)・過去分詞の例・再帰動詞 ほか)

2

さあ、ここで確認の練習問題をしておこう。名詞の性と数に注意して、( )内の形容詞を適切に語尾変化させてみてね。( )の中の形容詞はすべて基本形で書いてある。
あと問題を解き終えたら、他の形容詞を使って練習してみよう。

❶ una torta (buono)
「美味しいケーキ」 ➡
[cattivo（まずい）, grande（大きい）, piccolo（小さい）, dolce（甘い）]

❷ lo zaino (pesante)
「重いリュック」 ➡
[leggero（軽い）, nuovo（新しい）, vecchio（古い）, robusto（丈夫な）]

❸ le gonne (rosso)
「赤いスカート」 ➡
[nero（黒い）, bianco（白い）, verde（緑の）, giallo（黄色い）, azzurro（青い）, grigio（灰色の）, celeste（水色の）]

❹ i pantaloni (lungo)
「長いズボン」 ➡
[corto（短い）, larga（ゆるい）, stretto（きつい）]

❺ una persona (gentile)
「親切な人」 ➡
[simpatico（感じのいい）, antipatico（感じの悪い）, intelligente（聡明な）]

❻ una signora (alto)
「背の高い婦人」 ➡
[basso（背の低い）, grasso（太った）, magro（痩せた）, giovane（若い）]

❼ le ragazze (francese)
「フランスの少女」 ➡
[italiano（イタリアの）, tedesco（ドイツの）, americano（アメリカの）, spagnolo（スペインの）, inglese（英国の）, giapponese（日本の）]

❽ la cucina (milanese)
「ミラノの料理」 ➡
[romano（ローマの）, bolognese（ボローニャの）, fiorentino（フィレンツェの）, napoletano（ナポリの）, veneziano（ヴェネツィアの）, genovese（ジェノバの）]

❾ l'albergo (comodo)
「快適なホテル」 ➡
[economico（経済的な）, moderno（近代的な）, elegante（エレガントな）]

❿ i libri (noioso)
「退屈な本」 ➡
[interessante（面白い）, famoso（有名な）, antico（古風な）]

Vocabulary:

- buono ❶「美味しい」
- cattivo「まずい」
- grande ❶「大きい」
- piccolo ❶「小さい」
- dolce ❶「甘い」
- pesante ❷「重い」
- leggero ❷「軽い」
- nuovo ❷「新しい」
- vecchio ❷「古い」
- robusto ❷「丈夫な」
- rosso ❸「赤い」
- nero ❸「黒い」
- bianco ❸「白い」
- verde ❸「緑の」
- giallo ❸「黄色い」
- azzurro ❸「青い」
- celeste ❸「水色の」
- pantalone ❹「ズボン」
- corto ❹「短い」
- largo ❹「幅広い」
- stretto ❹「狭い」
- persona ❺「人」
- gentile ❺「親切な」
- antipatico ❺「感じの悪い」
- intelligente ❺「聡明な」
- signora ❻「婦人」
- alto ❻「背の高い」
- basso ❻「低い」
- grasso ❻「太った」
- magro ❻「痩せた」
- giovane ❻「若い」
- francese ❼「フランス(人)の」
- tedesco ❼「ドイツ(人)の」

どうだった？ ❼は -ghi と例外的な語尾変化をする形容詞だったけどできたかな？

基本的な形容詞をたくさん挙げておいたから、これらの語彙をなるべく多く使って覚えていこうね。

目次と音声トラック表

🎧 マークの箇所のイタリア語は、ネイティブによる音声を聴いて学習できます。PC、スマホ、タブレットからダウンロード可能です。

http://cloverpub.jp/go/italy.htm

1 イタリア語を始めよう ……… 10　（1-6）
◆イタリア語のアルファベット◆イタリア語の母音◆二重母音◆イタリア語の子音◆イタリア語の音節の分け方◆単語のアクセントの位置◆イタリア語のあいさつ表現

2 名詞の性・数と語尾変化 ……… 30　（7-10）
◆名詞の性◆不定冠詞◆定冠詞◆名詞の複数形◆数詞（1～10）

3 品質形容詞と動詞 essere ……… 50　（11-13）
◆形容詞◆動詞 essere ◆否定文◆疑問文◆ "There is" "There are" にあたる表現◆数詞（11～20）

4 所有形容詞と動詞 avere ……… 68　（14-16）
◆指示形容詞◆所有形容詞◆動詞 avere ◆数詞（21～30 他）

5 -are 動詞の現在形と前置詞 ……… 88　（17-20）
◆ -are 動詞◆前置詞◆前置詞と定冠詞の結合◆数詞（100～10 億）◆序数

6 -ere 動詞、-ire 動詞の現在形と疑問詞 ……… 106　（21-24）
◆ -ere 動詞◆ -ire 動詞◆疑問詞◆前置詞＋疑問詞の疑問文◆時間をあらわす表現

7 不規則動詞 ……… 128　（25-30）
◆ -are 動詞の不規則活用◆補助動詞の不規則活用◆その他の -ere 動詞不規則活用◆ -ire 動詞の不規則活用

8 目的語人称代名詞 ················ 146
◆直接目的語代名詞◆間接目的語代名詞◆間接目的語＋直接目的語の結合形

9 近過去 ····················· 164
◆過去分詞の形◆助動詞に avere をとる動詞◆助動詞に essere をとる動詞◆補助動詞＋不定詞の近過去◆助動詞に avere, essere の両方をとる動詞

10 再帰動詞 ···················· 178
◆再帰動詞◆相互的再帰動詞◆再帰動詞の近過去

11 半過去・大過去 ················· 188
◆半過去◆半過去の活用語尾◆不規則活用の半過去◆大過去

12 未来形・条件法 ················· 200
◆未来形の活用語尾◆不規則な未来形◆条件法の活用語尾◆条件法過去

13 接続法 ····················· 220
◆接続法現在形の活用◆接続法現在形（不規則）◆接続法過去の形態◆接続法半過去の活用◆接続法半過去（不規則）◆接続法大過去

14 命令法 ····················· 242
◆命令法の活用（規則動詞）◆不規則活用の命令法（代表的なもの）◆否定の命令法◆再帰動詞の命令法◆目的語代名詞と一緒に使われる場合の命令法

さあ！ はじめるよ。
準備はイイかい？

イタリア語を始めよう

Lezione 1

今日は最初のレッスンということで、イタリア語の"文字"と"発音"を勉強するよ。

いいかい、今日のレッスンが終わるころには、君はもうイタリア語が正しく発音できるようになっている。英語や他の外国語に比べて、イタリア語の発音はずっと簡単なんだ。

さあ、ホワイトボードを見て！ イタリア語のアルファベットは英語のそれと基本的に同じだよ。
ただ、発音が英語とはまったく違うよね。音声を聴いて確認してみようか。一緒に発音してくれると嬉しいな。

イタリア語のアルファベット

文字	発音		文字	発音	
A/ a	［a］	ア	N/ n	［énne］	エンネ
B/ b	［bi］	ビ	O/ o	［o］	オ
C/ c	［tʃi］	チ	P/ p	［pi］	ピ
D/ d	［di］	ディ	Q/ q	［ku］	ク
E/ e	［e］	エ	R/ r	［érre］	エッレ
F/ f	［éffe］	エッフェ	S/ s	［ésse］	エッセ
G/ g	［dʒi］	ジ	T/ t	［ti］	ティ
H/ h	［ákka］	アッカ	U/ u	［u］	ウ
I/ i	［i］	イ	V/ v	［vu］	ヴ
L/ l	［élle］	エッレ	Z/ z	［dzé:ta］	ゼータ
M/ m	［émme］	エンメ			

10

　イタリア語のアルファベットは全部で"21文字"！ 実は英語よりすこし少ないんだ。

　どの文字が抜けているか気づいたかな？ そう、J/ j, K/ k, W/ w, X/ x, Y/ y の5文字がないよね。本来のイタリア語ではこの5文字は使わない。でも、外来語や固有名詞などを書く場合に用いることはあるんだよ。

外来語や固有名詞の表記に使われる5つの文字

J/ j	［illúŋgo］	イッルンゴ
K/ k	［káppa］	カッパ
W/ w	［dóppjovu］ **or** ［vuddóppjo］	ドッピオヴ／ヴッドッピオ
X/ x	［iks］	イクス
Y/ y	［ípsilon］ **or** ［iggrɛ̀ːko］	イプスィロン／イッグレーコ

さあ、次は実際に単語を発音していこうか。
大丈夫！ ローマ字読みだから！

でもその前に、"母音" と "子音" について説明しておくよ。

イタリア語で母音をあらわす文字は a, e, i, o, u の 5 つ、英語と同じだね。発音も日本語の「ア、エ、イ、オ、ウ」とほとんど同じなんだけど、口の動きを大きくして、お腹の中から声を出すことがポイントかな。

細かいことを言うと、e と o に関しては、口をまるく開いて発音する開口音と、口をせまく閉じ気味に発音する閉口音とがあるんだけど、それほど気にする必要はないよ。実を言うと、イタリアでも地域によっては区別しないところもあるしね。

> さあ、ホワイトボードを見て、母音の音に注意しながら単語を読んでいこう！
> いいかい、僕とのレッスンでは、恥ずかしがらずに大きな声を出すこと。約束だよ！

②

イタリア語の母音

a
日本語の「ア」より口を大きめに開けて発音してね。

例　［a］**ア**　amore「愛」／ pane「パン」
（アモーレ／パーネ）

e
日本語の「エ」に近い母音だけど、口をやや閉じぎみに発音する閉口音の［e］と、口を開き気味に発音する開口音の［ɛ］があるよ。

例　［e］**エ**　mela「りんご」／ sera「夕方」
（メーラ／セーラ）

例　［ɛ］**エ**　sette「7」／ bello「美しい」
（セッテ／ベッロ）

i
日本語の「イ」より両唇を横長に広げて発音してね。

例　［i］**イ**　amico「友達」／ vino「ワイン」
（アミーコ／ヴィーノ）

o

　日本語の「オ」に近い母音だけど、口をやや閉じぎみに唇を丸く突き出して発音する閉口音の［o］と、口を開き気味に発音する開口音の［ɔ］があるよ。

例　［o］オ　<ruby>limone<rt>リモーネ</rt></ruby>「レモン」／<ruby>onda<rt>オンダ</rt></ruby>「波」

例　［ɔ］オ　<ruby>notte<rt>ノッテ</rt></ruby>「夜」／<ruby>rosa<rt>ローザ</rt></ruby>「バラ」

u

　日本語の「ウ」より両唇をすぼめて前に突き出すように発音してね。

例　［u］ウ　<ruby>uno<rt>ウーノ</rt></ruby>「1つの」／<ruby>musica<rt>ムーズィカ</rt></ruby>「音楽」

二重母音

　1つの音節の中で母音が2つ重なるとき、一方の母音の発音が短くなって、これを半母音っていうんだけど、もう一方の母音とくっつけて発音することがあるんだ。いくつか例を出すよ。

例

<ruby>uovo<rt>ウォーヴォ</rt></ruby>「卵」／<ruby>piatto<rt>ピャット</rt></ruby>「皿」／
<ruby>miele<rt>ミエーレ</rt></ruby>「はちみつ」／<ruby>ufficio<rt>ウッフィチョ</rt></ruby>「事務所」

母音が2つ重なっているところでは、2つ目の音がそれぞれ弱い音に変化しているのがわかるよね。
音声を何度も聴いて確認してごらん。

次に**子音**を見ていこう。さっき話したアルファベットの中で母音 a, e, i, o, u を除いたものが"子音"だよ。イタリア語の音は、母音単独か、この**"子音＋母音"**の組み合わせで作られているんだ。発音は、さっきも言ったようにほとんどが**ローマ字読みで OK** だよ。何といっても"ローマ"は"イタリア"の首都だからね。

> ただ、いくつかの子音やスペリングでは、ローマ字とは異なる音になる場合があるんだ。今から子音を順番に見ていくけど、そうした例外の部分に特に注意して、一緒に発音してみよう。

イタリア語の子音

b ［b］

ba「バ」／**be**「ベ」／**bi**「ビ」／**bo**「ボ」／**bu**「ブ」

例

<ruby>ba<rt>バ</rt></ruby><ruby>nana<rt>ナーナ</rt></ruby>「バナナ」／<ruby>bo<rt>ボ</rt></ruby><ruby>rsa<rt>ルサ</rt></ruby>「かばん」

　日本人にとって b と v の発音や聴き取りの区別は難しいと聞いたけど本当？　この b の音は、日本語の「バ行」と同じだよ。

c ［k］

ca「カ」／**che**「ケ」／**chi**「キ」／**co**「コ」／**cu**「ク」

c ［ʧ］

cia「チャ」／**ce**「チェ」／**ci**「チ」／**cio**「チョ」／**ciu**「チュ」

例

<ruby>ca<rt>カ</rt></ruby><ruby>ne<rt>ネ</rt></ruby>「犬」／<ruby>chi<rt>キ</rt></ruby><ruby>ave<rt>アーヴェ</rt></ruby>「鍵」／<ruby>for<rt>フォル</rt></ruby><ruby>che<rt>ケ</rt></ruby><ruby>tta<rt>ッタ</rt></ruby>「フォーク」／<ruby>cia<rt>チャ</rt></ruby><ruby>o<rt>オ</rt></ruby>「やあ」／<ruby>ce<rt>チェ</rt></ruby><ruby>na<rt>ーナ</rt></ruby>「夕食」／<ruby>cal<rt>カル</rt></ruby><ruby>cio<rt>チョ</rt></ruby>「サッカー」

　この c で始まる音に関しては少し注意が必要だよ。まず、母音と組み合わせて「カ、キ、ク、ケ、コ」の音を作るんだ。

ローマ字なら「カ行」は k を使うけど、ほら覚えてる？ 本来のイタリア語では k の文字は使わなかったよね？ その代わりに c を使うんだ。そして、さらに注意が必要なのは、「ケ」と「キ」の音を表すスペリング！ この c と母音との間に h が入っているよね。つまり、che で「ケ」、chi で「キ」という音になるんだ。ローマ字とは違う発音になるから注意してね。

d ［d］

da「ダ」／ de「デ」／ di「ディ」／ do「ド」／ du「ドゥ」

例
di**vano**「ソファー」（ディヴァーノ）／ do**lce**「菓子」（ドルチェ）

f ［f］

fa「ファ」／ fe「フェ」／ fi「フィ」／ fo「フォ」／ fu「フ」

例
fa**me**「空腹」（ファーメ）／ fe**sta**「パーティー」（フェスタ）

このあたりは、ローマ字読みで発音できるから簡単だよね。ただ f の発音のときは、上の歯を下唇に軽く当てて息を出すように意識してね。

g ［g］

ga「ガ」／ ghe「ゲ」／ ghi「ギ」／ go「ゴ」／ gu「グ」

g ［dʒ］

gia「ジャ」／ ge「ジェ」／ gi「ジ」／ gio「ジョ」／ giu「ジュ」

例
ga**tto**「猫」（ガット）／ spa**ghetti**「スパゲッティ」（スパゲッティ）／ ghi**accio**「氷」（ギアッチョ）／
Gia**ppone**「日本」（ジャッポーネ）／ ge**lato**「アイスクリーム」（ジェラート）／ gio**rnale**「新聞」（ジョルナーレ）

この g で始まる音についても注意が必要だ。ローマ字と同じように母音と組み合わせて「ガ行」の音を作るんだけど、「ゲ」と「ギ」の場合には、さっき話した「ケ」と「キ」の場合と同じように、この g と母音との間に h を入れる必要がある。つまり ghe「ゲ」、ghi「ギ」となるんだ。

そして、この 2 つのスペリングから h を除いた ge, gi はそれぞれ「ジェ」「ジ」と発音するよ。日本語の「ジャ、ジェ、ジ、ジョ、ジュ」という音をイタリア語で表すと gia, ge, gi, gio, giu となる。そういえば j の文字も本来のイタリア語では使わなかったよね。

gl ［gl］

gla「グラ」／ gle「グレ」／〈gli「グリ」〉／ glo「グロ」／ glu「グル」

gl ［ʎ］

－ ／ － ／ gli「リ」／ － ／ －

例

gloria「栄光」／ inglese「イギリスの」／ famiglia「家族」／
figlia「娘」／ biglietto「切符」

それから、gl と子音が 2 つ続いた後に母音がくる場合も注意が必要だ。gla, gle, glo, glu に関しては、g を「グ」と発音して、それぞれ「グラ、グレ、グロ、グル」となるんだけど、問題は gli のスペリング！ 実は日本語にも英語にもない音になるんだ。ちょっと日本語で「ニ」って発音してみて。そう。舌の真ん中ぐらいが口の上あごに触れるのがわかるかな。そのまま舌の中央を上あごに押し付けた状態で、唇を左右に開いて、舌の両側から息を出すように「リ」と発音してみるんだ。そうするとこの gli という音になるよ。日本語の「リ」と「ギ」が混ざったような音と言えばいいのかな。難しいよね。

とりあえずは、日本語の「リ」と同じように発音してもちゃんと通じるから、あまり気にしすぎないで。でも、君には美しいイタリア語を話してほしいから、僕が吹き込んだ音声を聴いて、一緒に練習してほしいな。

　今度は gn の後に母音がくる場合の発音だ。これは日本語の「ニ」や「ニャ行」に近い音になるよ。くれぐれも「グナ」とか「グネ」とか読まないでね。

gn　[♪]

gna「ニャ」／gne「ニェ」／gni「ニ」／gno「ニョ」／gnu「ニュ」

例
montagna「山」（モンターニャ）／bagno「浴室、トイレ」（バーニョ）／agnello「子羊」（アニェッロ）

h　[-]

ha「ア」／　−　／　−　／ho「オ」／　−

例
ho「私は持っている」（オ）／ah「ああ」（アー）

イタリア語の h の文字はとても面白いんだよ。
スペリングでは書かれていても発音されないんだ。
最初にアルファベットを 1 文字ずつ読んだときは「アッカ」って発音したけど、実際に単語の中で出てきても発音されない。たとえば hotel（ホテル）は「オテル」、Hiroshima（広島）は「イロシマ」と発音されるんだ。

そうかと思えば、さっきは che「ケ」や chi「キ」、ghe「ゲ」や ghi「ギ」の音を表す時に母音の前に置かれていたし、ほんとに変わった子音だよね。

17

l [l]

la「ラ」／ le「レ」／ li「リ」／ lo「ロ」／ lu「ル」

例

libro「本」／ luna「月」
<small>リーブロ ルーナ</small>

　lとrも日本人にとっては発音や聴き取りが難しいよね。どちらの子音も一番近い日本語の音で表すと「ラ行」になるし、日本語の文字にはそれ以上の音の区別はないからね。でも、練習するときれいに発音できるようになるよ。このlの音は、舌先を上の歯ぐきのあたりにしっかりつけて、息を舌の両側から送り出して発音するんだ。

m [m]

ma「マ」／ me「メ」／ mi「ミ」／ mo「モ」／ mu「ム」

例

macchina「車」／ mela「リンゴ」
<small>マッキナ メーラ</small>

n [n]

na「ナ」／ ne「ネ」／ ni「ニ」／ no「ノ」／ nu「ヌ」

例

nave「船」／ nuvola「雲」／ nonno「祖父」
<small>ナーヴェ ヌーヴォラ ノンノ</small>

p [p]

pa「パ」／ pe「ペ」／ pi「ピ」／ po「ポ」／ pu「プ」

例

penna「ペン」／ ponte「橋」
<small>ペンナ ポンテ</small>

> このあたりは、ローマ字読みで発音できるから簡単だよね。さあ、次に行くよ。

q ［k(w)］

qua「クワ」／que「クェ」／qui「クイ」／quo「クォ」／qu「ク」

例

<ruby>qua<rt>クワ</rt></ruby><ruby>derno<rt>デルノ</rt></ruby>「ノート」／<ruby>ac<rt>アック</rt></ruby><ruby>qua<rt>ワ</rt></ruby>「水」／<ruby>qui<rt>クイ</rt></ruby><ruby>ndici<rt>ンディチ</rt></ruby>「15」

　子音 q の後には必ず母音の u がきて、qu とセットで使われるんだ。そのあとに母音がつくと必ず二重母音になるから、後の母音の発音が少し変化するよ。音声でそのあたりを確かめてみて。

r ［r］

ra「ラ」／re「レ」／ri「リ」／ro「ロ」／ru「ル」

例

<ruby>Ro<rt>ロー</rt></ruby><ruby>ma<rt>マ</rt></ruby>「ローマ」／<ruby>re<rt>レ</rt></ruby><ruby>galo<rt>ガーロ</rt></ruby>「プレゼント」／<ruby>bi<rt>ビ</rt></ruby><ruby>rra<rt>ッラ</rt></ruby>「ビール」

> ここまでに日本語の「リ」に近い音が 3 つ出てきたよね。そう、gli と li と ri だね。発音の区別は難しいし、今すぐ完全にマスターする必要もないけど、僕たちイタリア人にとっては、3 つの別々の音だということは意識しておいてほしいな。
> この r の音は、舌先を 1 回以上震わせる、いわゆる巻き舌の発音になるよ。rr と連続する場合は、多めに舌先を震わせてみて。

S [s]

sa「サ」／se「セ」／si「スィ」／so「ソ」／su「ス」

S [z]

sa「ザ」／se「ゼ」／si「ズィ」／so「ゾ」／su「ズ」

例
<ruby>sedia<rt>セーディア</rt></ruby>「いす」／<ruby>signore<rt>スィニョーレ</rt></ruby>「〜さん（男性への敬称）」／<ruby>sole<rt>ソーレ</rt></ruby>「太陽」
<ruby>chiesa<rt>キエーザ</rt></ruby>「教会」／<ruby>vaso<rt>ヴァーゾ</rt></ruby>「花瓶」／<ruby>sbaglio<rt>ズバッリョ</rt></ruby>「間違い」

> 　子音 s の発音に関しては、「サ行」（清音）の発音
> になることもあれば、「ザ行」（濁音）の発音になる
> こともあるんだ。

　たとえば、s が母音に挟まれると濁音で発音されることが多く
なるとか、特定の子音 (b, d, g, l, m, n, r, v) の前では必ず濁音にな
るとか、いくつか規則はあるんだけど、ややこしいし、これも地域
によって発音が変わったりするから、今の段階で覚える必要はな
いよ。これからイタリア語にたくさん触れていく中で、少しずつ覚
えていけばいい。

SC [sk]

sca「スカ」／sche「スケ」／schi「スキ」／sco「スコ」／scu「スク」

SC [ʃ]

scia「シャ」／sce「シェ」／sci「シ」／scio「ショ」／sciu「シュ」

例
<ruby>scala<rt>スカーラ</rt></ruby>「階段」／<ruby>schiena<rt>スキエーナ</rt></ruby>「背中」／<ruby>scuola<rt>スクオラ</rt></ruby>「学校」
<ruby>sciarpa<rt>シャルパ</rt></ruby>「スカーフ」／<ruby>pesce<rt>ペッシェ</rt></ruby>「魚」／<ruby>sciopero<rt>ショーペロ</rt></ruby>「ストライキ」

　この sc から始まる音に関しては、必ずスペリングと音の対応を覚えてほしいな。さっき、子音 c で始まる音について教えたとき、「カ行」(ca, che, chi, co, cu) と「チャ行」(cia, ce, ci, cio, ciu) の2種類の発音になるって話したよね。左のホワイトボードを見てごらん。ここでは、その「カ行」と「チャ行」のそれぞれのスペリングの頭に子音 s をつけたらどういう発音になるのかを確かめていくよ。

　まず、「カ行」の頭に s の音が加わる場合は、単純に s を「ス」と発音して、sca, sche, schi, sco, scu は「スカ、スケ、スキ、スコ、スク」となるんだ。これは簡単だよね？

　問題は「チャ行」の頭に s の音が加わる場合。「スチャ、スチ……」とはならずに、scia, sce, sci, scio, sciu で「シャ、シェ、シ、ショ、シュ」と「シャ行」の音に変化するんだ。

　そのときに日本語の場合よりも舌先の摩擦を強くすると、よりイタリア語に近い発音になるよ。これも音声を聴いて一緒に練習してみよう。

t ［t］

ta「タ」／ te「テ」／ ti「ティ」／ to「ト」／ tu「トゥ」

例

<ruby>ta<rt>ターヴォラ</rt></ruby>vola「テーブル」／ <ruby>te<rt>テ レーフォノ</rt></ruby>lefono「電話」

v ［v］

va「ヴァ」／ ve「ヴェ」／ vi「ヴィ」／ vo「ヴォ」／ vu「ヴ」

例

<ruby>vi<rt>ヴィーノ</rt></ruby>no「ワイン」／ <ruby>ve<rt>ヴェルドゥーラ</rt></ruby>rdura「野菜」

　この2つもローマ字読みで発音できるから、それほど難しくないよね。ただ、子音の v を発音する場合、必ず上の歯を下唇に軽く当てて息を出すように意識してね。そう f の場合と同じだよ。

z ［ts］

za「ツァ」／ ze「ツェ」／ zi「ツィ」／ zo「ツォ」／ zu「ツ」

z ［dz］

za「ザ」／ ze「ゼ」／ zi「ズィ」／ zo「ゾ」／ zu「ズ」

例

<ruby>gra<rt>グラッツィエ</rt></ruby>zie「ありがとう」／ <ruby>pi<rt>ピッツァ</rt></ruby>zza「ピッツァ」
<ruby>za<rt>ザイノ</rt></ruby>ino「リュックサック」／ <ruby>ze<rt>ゼブラ</rt></ruby>bra「シマウマ」／ <ruby>bron<rt>ブロンゾ</rt></ruby>zo「ブロンズ」

さあ、ついにアルファベットも最後まで来たよ。
子音 z の発音は基本的には s の発音と同じで、前後の音との関わりで清音「ツァ、ツェ、ツィ、ツォ、ツ」になったり、濁音「ザ、ゼ、ズィ、ゾ、ズ」になったりするし、また地域によって発音が変わってくることもあるんだ。だから、これもゆっくり覚えていけばいいよ。

　さあ、これで母音と子音の発音はすべて終わったよ。どうだった？ ちょっと難しかったかな？ 確かにローマ字読みと異なる発音になるスペリングは要注意だね！ さっきも言ったけど、今回はスペリングと音との対応関係をしっかり覚えてほしい。英語とは違って、同じスペリングなのに違う発音になることは絶対にないから、文字と発音の対応関係さえ覚えてしまえば、どんなイタリア語だって読めるはずだよ。

　でも、せっかくイタリア語が発音できても、棒読みじゃつまらないし、気持ちも伝わりにくいよね。イタリア語は、音楽的で流れるように響く豊かな言葉なんだ。君には美しいイタリア語を話してほしい。さっきもそう言ったよね。

　それじゃ次のステップだ！ イタリア語のリズムや抑揚を生みだす"音節"と"アクセント"について説明するよ。

① **単独の子音や語頭にある子音連続は次に来る母音と1つの音節を作る。**

例 <ruby>ca-sa<rt>カ ー サ</rt></ruby>「家」／ <ruby>ta-vo-la<rt>ターヴォーラ</rt></ruby>「テーブル」／ <ruby>stra-da<rt>ストゥラー ダ</rt></ruby>「道」

② **語中の子音連続は、原則として前後に分かれる。**

例 <ruby>caf-fè<rt>カッフェ</rt></ruby>「コーヒー」／ <ruby>gat-to<rt>ガット</rt></ruby>「猫」／ <ruby>ac-qua<rt>アックワ</rt></ruby>「水」

＊ただし、"gn"、"gl"、"sc" と＜子音＋r, l＞、＜s＋子音＞は途中で区切らない。

例 <ruby>ba-gno<rt>バーニョ</rt></ruby>「浴室、トイレ」／ <ruby>fa-mi-glia<rt>ファ ミッ リャ</rt></ruby>「家族」／
<ruby>pe-sce<rt>ペッシェ</rt></ruby>「魚」

③ **二重母音の場合は途中で音節を区切らない。**

例 <ruby>uo-vo<rt>ウォーヴォ</rt></ruby>「卵」／ <ruby>mie-le<rt>ミェーレ</rt></ruby>「はちみつ」／ <ruby>uf-fi-cio<rt>ウッフィーチョ</rt></ruby>「事務所」

"音節"というのは、単語を構成する音の最小単位って言ったらいいのかな。ひと続きに発音したほうがいいまとまりなんだ。たとえば strada って単語は「ス・トゥ・ラ・ダ」と4拍で発音するのではなく、「ストゥラー・ダ」と2拍のリズムで発音すると美しく聞こえるよ。

　理屈で考えると難しく感じるかもしれないけど、CD に合わせて一緒に発音していくうちに、自然とリズムが身についていくから心配はいらないよ。

今回、このややこしい音節の話をしたのは、実は単語のアクセントの位置を見分けるときに、この音節が関係してくるからなんだ。単語のアクセントの位置は大きく分けて次の3つのパターンに分かれるよ。

単語のアクセントの位置

① **最も多いのは後ろから 2 番目の音節にアクセントがある単語。**

例　li-bro「本」／ a-mi-co「友達」／ ge-la-to「アイスクリーム」

② **最後の音節にアクセントがある単語は、必ず語末の母音にアクセント記号を付ける。**

例　caf-fè「コーヒー」／ cit-tà「街」／ u-ni-ver-si-tà「大学」

③ **後ろから 3 番目の音節にアクセントがある単語もある。これは 1 つずつ覚えよう。**

例　ta-vo-la「テーブル」／ mac-chi-na「車」／ ca-me-ra「部屋」

どう？ 英語に比べるとかなりシンプルでしょ？ 3 つのパターンを覚えさえすればいいんだ。なかでも、①のパターンが最も多いから、もしアクセントの位置が分からない単語の場合は、とりあえず後ろから2 番目の音節を強く長めに発音してみたらいいよ。でも、それと同時に、後ろから 3 番目の音節にアクセントがある単語に関しては、出てくるたびに覚えるようにしてね。

それから、最後の音節にアクセントがある単語はすぐにわかるよね。必ずアクセント記号がついているはずだからね。でも、逆に注意しなければいけないのは、君がそういう単語を書く場合も、**必ずアクセント記号を付けなきゃいけない**ってことだよ。**左上から右下に下がる**アクセント記号を覚えておこう！

今回の授業で、君はイタリア語がおおよそ発音できるようになったはずだよ。あとは、音声を何度もよく聴いて、実際に自分でも声に出す癖をつけるんだ！さっき約束したこと覚えてる？ 僕とのレッスンでは、恥ずかしがらずに大きな声を出すこと。そうだったよね。それじゃ最後に、イタリア語のあいさつ表現を大きな声で一緒に発音してみようか。

イタリア語のあいさつ表現

ブォン ジョルノ
Buon giorno.

おはよう。／こんにちは。／さようなら。

ブ オ ナ セーラ
Buona sera.

こんばんは。／さようなら。

チャオ
Ciao.

やあ。／こんにちは。／さようなら。

ブ オ ナ ノッテ
Buona notte.

おやすみなさい。

　日本語の「こんにちは」や「こんばんは」と違うのは、Buon giorno や Buona sera, Ciao は、人と出会ったときにも別れるときにも使えるということだよ。Ciao は他の 2 つのあいさつと比べてくだけた言い方で、親しい間柄で使う表現なんだ。もちろん、僕と君とのあいさつも Ciao で Ok さ！

コ メ ティ キ アーミ　　コ メ スィ キ アーマ
Come ti chiami? /Come si chiama?

お名前は何ですか？

ミ キ アーモ
Mi chiamo …

私の名前は～です。

コメ スタイ　コメ スタ
Come stai? /Come sta?

お元気ですか？

ベー ネ グラッツィエ エ トゥ　レーイ
Bene, grazie e (tu / Lei)?

元気です、ありがとう。君は／あなたは？

　名前を尋ねる言い方とそれにこたえる言い方、そして相手が元気かどうか尋ねる会話の表現だよ。疑問表現が２つずつあるのは、最初のほうが親しい間柄で使う"親称"、後のほうが目上の人に対して使う"敬称"の表現だよ。
　ところで君は Come stai?

グラッツィエ
Grazie. ありがとう。

プレーゴ
Prego. どういたしまして。

アッリヴェデルチ
Arrivederci. さようなら。

チ ヴェディアーモ
Ci vediamo. じゃ、またね。

ア プレスト
A presto. 近いうちに。

大きな声で上手に発音できたね。
今日の授業はここまでだよ。
Ci vediamo a presto, ciao!

今日から一緒に
文法を学んでいこう。

まずは、イタリア語の"名詞"について
説明するよ。

日本語と違って、イタリア語の名詞には男
性・女性といった性の区別や、単数・複数
といった数の区別があるんだ。その区別を
語尾の母音の変化で表すんだよ。

そして、こうした名詞の性と数の変化に応
じて、名詞の前につける"冠詞"も形が
変わってくるんだ。

さあ、さっそく始めようか！

名詞の性・数と語尾変化

　最初にいきなり大事なことを言うよ。イタリア語の名詞はすべて "男性" か "女性" に分かれるんだ。この "名詞の性" というのは、日本語や英語にはない考え方だよね。どういうことだろう？

　たとえば、padre「父親」や fratello「兄弟」が "男性名詞"、madre「母親」や sorella「姉妹」が "女性名詞" ということは何となく予想がつくよね。そう。人間や動物に関係する名詞で、自然の性別をはっきりと示しているような場合は、それに従えばいいんだ。

　でも、たとえば、今ここにある机とか椅子とか、本や鉛筆、君のそのブラウスや僕のネクタイのような、生命をもたない "モノ" にまで男性と女性の区別があるんだよ。不思議でしょ？

> そんな不安そうな顔をしないで。男性名詞か女性名詞かの見分け方はそんなに難しくないから。
> ちょっとホワイトボードを見てごらん。

【男性名詞】		【女性名詞】	
ジェラート gelato	アイスクリーム	ピッツァ pizza	ピッツァ
パニーノ panino	サンドイッチ	トルタ torta	タルト
コルネット cornetto	クロワッサン	フルッタ frutta	果物
カップッチーノ cappuccino	カプチーノ	チョッコラータ cioccolata	ココア
ヴィーノ vino	ワイン	ビッラ birra	ビール

イタリアの <ruby>bar<rt>バール</rt></ruby> で飲食できる"モノ"を男性名詞と女性名詞に分けてみたよ。何か気づくことはないかい？ そう、単語の語尾を見比べてみて。

> "男性名詞"はすべて"-o"で終わり、"女性名詞"はすべて"-a"で終わっているよね？ これがイタリア語の名詞を男性と女性に分類する上で、最も簡単な見分け方なんだ。

イタリア語の名詞の性別 ➡ 名詞の語尾母音に注意！

語尾が"-o"で終わる名詞 ➡ ほぼ男性名詞

語尾が"-a"で終わる名詞 ➡ ほぼ女性名詞

どう。簡単だよね？ いくつか例外はあるんだけど、語尾が"-o"で終わる名詞は"男性名詞"、語尾が"-a"で終わる名詞は"女性名詞"。とりあえず、そう覚えておこう。

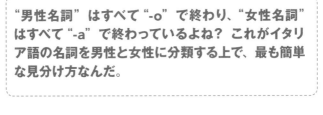

padre バードレ
名男 「父親」

fratello フラテッロ
名男 「兄弟」

madre マードレ
名女 「母親」

sorella ソレッラ
名女 「姉妹」

gelato ジェラート
名男 「アイスクリーム」

panino パニーノ
名男 「サンドイッチ」

cornetto コルネット
名男 「クロワッサン」

cappuccino カップチーノ
名男 「カプチーノ」

vino ヴィーノ
名男 「ワイン」

pizza ピッツァ
名女 「ピッツァ」

torta トルタ
名女 「ケーキ」

frutta フルッタ
名女 「果物」

cioccolata チョッコラータ
名女 「ココア」

birra ビッラ
名女 「ビール」

それじゃ、ここでちょっと確認の練習問題をしておくよ。次の名詞の語尾をよく見て、男性か女性か答えてみて。

❶ mela「リンゴ」　　　　　　［ 男性 ／ 女性 ］

❷ amico「友達」　　　　　　［ 男性 ／ 女性 ］

❸ borsa「カバン」　　　　　 ［ 男性 ／ 女性 ］

❹ musica「音楽」　　　　　　［ 男性 ／ 女性 ］

❺ calcio「サッカー」　　　　［ 男性 ／ 女性 ］

❻ gatto「猫」　　　　　　　 ［ 男性 ／ 女性 ］

❼ montagna「山」　　　　　 ［ 男性 ／ 女性 ］

❽ biglietto「切符」　　　　　［ 男性 ／ 女性 ］

答え　① 女性 ② 男性 ③ 女性 ④ 女性 ⑤ 男性 ⑥ 男性 ⑦ 女性 ⑧ 男性

OK！ 全部できたね。

　いいかい、名詞の語尾母音を見れば、男性名詞か女性名詞かは簡単に見分けられるんだ。でも、実はイタリア語の名詞がすべて"-o"か"-a"で終わるわけじゃないんだ。ここがやっかいなところ。さっき bar にある食べ物や飲み物を紹介したけど、僕が1日に 3,4 杯は飲む caffè（コーヒー）も、あとでブレイクのときに一緒に楽しもうと思っている tè（紅茶）や dolce（お菓子）も入ってなかったよね。これらの言葉の語尾母音を見てごらん。そう"-e"で終わっているよね。イタリア語の名詞には、"-e"で終わるものも少なくないんだ。

メーラ
mela
図女「リンゴ」

アミーコ
amico
図男「男友達」

ボルサ
borsa
図女「カバン」

ムーズィカ
musica
図女「音楽」

カルチョ
calcio
図男「サッカー」

ガット
gatto
図男「猫」

モンターニャ
montagna
図女「山」

ビッリエット
biglietto
図男「切符」

カッフェ
caffè
図男「コーヒー」

今度は"-e"で終わる名詞を男性と女性とに分類してみたよ。

【男性名詞】		【女性名詞】	
カッフェ caffè	コーヒー	ノッテ notte	夜
フィオーレ fiore	花	キアーヴェ chiave	鍵
マーレ mare	海	ナーヴェ nave	船
ストゥデンテ studente	学生	スタツィオーネ stazione	駅
ペッシェ pesce	魚	カルネ carne	肉

さあ、今度は男性と女性をどこで見分ければいいかわかるかな？
……ゴメン！ ちょっと意地悪な質問しちゃったね。実は"-e"で
終わる名詞は、形の上での区別は出来ないんだ。

じゃあどうすればいいかって？ 僕のレッスンで使う
名詞に関しては、ホワイトボードにちゃんと男性か
女性かも書いておくから心配しなくていいけど、本
当は辞書を引いて性別を確認して、ひとつひとつ覚
えていかなくちゃいけないんだ。大丈夫！ 無理に覚
えようとしなくても、イタリア語にたくさん触れてい
たら、そのうちに覚えるよ。

イタリア語の名詞の性別 ➡ 名詞の語尾母音に注意！

語尾が"-e"で終わる名詞 ➡ 男性名詞の場合も女性名詞の場合も
ある。要確認！

フィオーレ
fiore
名男「花」

マーレ
mare
名男「海」

ストゥデンテ
studente
名男
「（男子）学生」

ペッシェ
pesce
名男「魚」

ノッテ
notte
名女「夜」

キアーヴェ
chiave
名女「鍵」

ナーヴェ
nave
名女「船」

スタツィオーネ
stazione
名女「駅」

カルネ
carne
名女「肉」

ここまでのところをおさらいするよ。イタリア語の名詞には"男性"と"女性"の区別があって、語尾が"-o"で終わる場合は男性名詞、"-a"で終わる場合は女性名詞。そして"-e"で終わる場合は男性名詞の場合も女性名詞の場合もある。そういうことだったね。

　そこまではいいとして、名詞が男性と女性とに分かれることによって、何か違いが出てくるのかな？ 実は、この名詞の性の違いが他の文法事項にも大きく影響してくることになるんだ。具体的に言うと、"冠詞の形"と"形容詞の語尾"が変わってくる。

> 形容詞については次回のレッスンに回すとして、今日は"冠詞"について、少し説明するよ。

　英語を勉強したとき、冠詞について習ったのを覚えてる？ "This is a book."とか "The book is interesting." という文の、"a"や"the"にあたるのが冠詞だったよね。

> イタリア語でも、名詞は基本的に冠詞とセットで使われるんだ。そのときに、男性名詞に付く冠詞と女性名詞に付く冠詞とで形が変わってくるというわけ。まずは"不定冠詞"から見てみよう。

⑧

不定冠詞「1つの～／ある～」

【男性名詞に付く不定冠詞】_{ウン} un		【女性名詞に付く不定冠詞】_{ウナ} una	
ウン リーブロ un libro	1冊の／ある本	ウナ ペンナ una penna	1本の／あるペン
ウン ラガッツォ un ragazzo	1人の／ある少年	ウナ ラガッツァ una ragazza	1人の／ある少女
ウン トゥレーノ un treno	1台の／ある電車	ウナ ナーヴェ una nave	1艘の／ある船
ウン フィオーレ un fiore	1輪の／ある花	ウナ キアーヴェ una chiave	1本の／ある鍵
ウン カッフェ un caffè	1杯のコーヒー	ウナ ピッツァ una pizza	1枚のピッツァ

"不定冠詞" って言うのは、「1つの〜／ある〜」と訳し、初めて
その話題を持ち出すときなど、まだ聞き手がはっきりとは知らない
漠然とした1つの物事を表す場合に使う冠詞なんだけど、左のホワ
イトボードを見てごらん。男性名詞に付く場合には "un" に、女
性名詞に付く場合には "una" になっているよね？ これが不定冠
詞の基本形なんだ。まずは、この2つの不定冠詞を覚えてほしい。

　次に少し "例外的な形" を説明するよ。またホワイトボードを
見てくれる？

不定冠詞「1つの〜／ある〜」

【男性名詞に付く不定冠詞】uno		【女性名詞に付く不定冠詞】un
uno zaino	「リュック」	un amica 「女友達」
uno zio	「伯父・叔父さん」	un università 「大学」
uno stadio	「スタジアム」	un isola 「島」

　今度は男性名詞に付く不定冠詞が "un" ではなく、"uno" に、
女性名詞に付く不定冠詞が "una" ではなく、"un" になってい
るよね。
　不定冠詞は、そのあとに続く名詞がどんな音で始まるか、つま
り語頭の文字によっても変化するんだ。男性名詞の場合 "z" ある
いは "s+ 子音" で始まるとき、それに付く不定冠詞は "uno"
に変わる。

左側単語リスト

libro 名男「本」
ragazzo 名男「少年」
treno 名男「電車」
penna 名女「ペン」
ragazza 名女「少女」
zaino 名男「リュック」
zio 名男「おじ」
stadio 名男「スタジアム」
amica 名女「女友達」
università 名女「大学」
isola 名女「島」

zで始まる男性名詞については説明はいらないよね？"zaino"とか"zio"とか。もう1つの"s+ 子音"で始まる男性名詞なんだけど、これは名詞の最初の2文字を見なくてはダメなんだ。たとえば、"stadio"とか"studente"は"s"の次に子音の"t"が来ているから"s+ 子音"で始まる男性名詞と言えるけど、同じ"s"で始まっている男性名詞でも、"supermercato"は"s"の次が母音の"u"だから、"s+ 子音"で始まる男性名詞にはならないよね。だから、この場合は基本形のままの un supermercato でいいんだよ。

女性名詞の方はもっとシンプルだよ。**"母音" で始まる女性名詞の場合には、不定冠詞が "un" になるんだ。**そしてこの場合発音にも注意すること！ 母音で始まる名詞の場合、冠詞と名詞とをつなげて発音するんだ。だから "un' amica" は「ウナミーカ」、"un' isola" は「ウニーゾラ」と発音するといいよ。

> 少し混乱してきたかな？
> ここで不定冠詞についてまとめておくよ。

不定冠詞

男性	ウン un	基本形。	ウン リーブロ ウン フィオーレ un libro, un fiore
	ウノ uno	z, s+ 子音で始まる男性名詞の前で。	ウノ ザイノ ウノ スターディオ uno zaino, uno stadio
女性	ウナ una	子音で始まる女性名詞の前で。	ウナ ペンナ ウナ キアーヴェ una penna, una chiave
	ウン, un'	母音で始まる女性名詞の前で。	ウ゛ナミーカ ウニーゾラ un' amica, un' isola

さあ、次は英語の "the" にあたる定冠詞だ。**"定冠詞" は「その〜／例の〜」と訳し、話し手、聞き手ともにすでに了解している物事を表す場合に使う冠詞だ。**たとえば、僕が君に「昨日、僕はある映画 (film) を見に行ったんだけど、その映画のストーリーがとても面白くてね……」って話をするとして、最初の「ある

映画」という時点では、初めて持ち出した話題だし、まだ君には僕がどんな映画のことを話そうとしているか、はっきりとは分からないよね？ だから不定冠詞を使って"un film"となるわけ。

でも、次の「その映画のストーリーが……」というときには、僕が昨日見た映画のことを指しているということが分かるよね？ だからこの場合は定冠詞を使って"il film"となるんだ。不定冠詞と定冠詞の基本的な違いは大体わかったかな？

この定冠詞も男性名詞に付くか、女性名詞に付くか、そして後に続く名詞がどんな音で始まるか、つまり母音か子音か、あるいは"z"や"s+子音"などの特定の子音なのか、といったことに応じて形が変化するんだ。今度は先にまとめておくよ。次頁のホワイトボードを見て。

スーペルメルカート
supermercato
名 男
「スーパーマーケット」

フィルム
film
名 男 「映画」

定冠詞

<table>
<tr><td rowspan="3">男性</td><td>il _{イル}</td><td>基本形。</td><td>il libro, il fiore
イル リーブロ イル フィオーレ</td></tr>
<tr><td>lo _ロ</td><td>z, s+ 子音で始まる男性名詞の前で。</td><td>lo zaino, lo stadio
ロ ザイノ ロ スターディオ</td></tr>
<tr><td>l' _ル</td><td>母音で始まる男性名詞の前で。</td><td>l'amico, l'ospedale
ラミーコ ロスペダーレ</td></tr>
<tr><td rowspan="2">女性</td><td>la _ラ</td><td>子音で始まる女性名詞の前で。</td><td>la penna, la chiave
ラ ペンナ ラ キアーヴェ</td></tr>
<tr><td>l' _ル</td><td>母音で始まる女性名詞の前で。</td><td>l'amica, l'isola
ラミーカ リーゾラ</td></tr>
</table>

　まず基本形は、男性名詞に付く定冠詞が "il"、女性名詞に付く定冠詞が "la" だよ。まず、ここまではしっかり覚えてね。それから不定冠詞のときに例外形の "uno" を付けた男性名詞を覚えてる？　そう、"z" や "s+ 子音" から始まる男性名詞だったね。そうした男性名詞に定冠詞を付けるときには "lo" になるんだ。

　それから定冠詞では、男性名詞でも女性名詞でも母音で始まる場合は "l'" を付けるんだよ。不定冠詞では母音で始まる "女性" 名詞だけがアポストロフィを付けるんだったね。

それじゃ、ここまで説明してきた不定冠詞と定冠詞について、確認の練習問題をしてみるよ。❶〜❻までは"不定冠詞"を、❼〜⓬までは"定冠詞"を入れてみてくれるかな?

❶（　　　　）cappuccino 〔カップッチーノ〕　「1杯のカプチーノ」

❷（　　　　）borsa 〔ボルサ〕　「1個のカバン」

❸（　　　　）arancia 〔アランチャ〕　「1個のオレンジ」

❹（　　　　）albergo 〔アルベルゴ〕　「1軒のホテル」

❺（　　　　）studente 〔ストゥデンテ〕 *男性　「1人の（男子）学生」

❻（　　　　）sciarpa 〔シャルパ〕　「1枚のスカーフ」

❼（　　　　）tavola 〔ターヴォラ〕　「そのテーブル」

❽（　　　　）regalo 〔レガーロ〕　「そのプレゼント」

❾（　　　　）orologio 〔オロロージョ〕　「その時計」

❿（　　　　）zucchero 〔ツッケロ〕　「その砂糖」

⓫（　　　　）aula 〔アウラ〕　「その教室」

⓬（　　　　）stazione 〔スタツィオーネ〕 *女性　「その駅」

答え ① un ② una ③ un' ④ un ⑤ uno ⑥ una ⑦ la ⑧ il ⑨ l' ⑩ lo ⑪ l' ⑫ la

どうだった? 冠詞って日本人には難しいと思うけど、イタリア語の名詞は常に冠詞とセットで使うから、しっかり覚えてほしいな。

オスペダーレ
ospedale
名男「病院」

アランチャ
arancia
名女「オレンジ」

アルベルゴ
albergo
名男「ホテル」

シャルバ
sciarpa
名女「スカーフ」

ターヴォラ
tavola
名女「テーブル」

レガーロ
regalo
名男「プレゼント」

オロロージョ
orologio
名男「時計」

ツッケロ
zucchero
名男「砂糖」

アウラ
aula
名女「教室」

それじゃ、今日のもう1つの重要なテーマに入ろうか。

それは"名詞の複数形"だよ。日本語の名詞には単数形／複数形の違いはないよね。英語は名詞を複数形にするときは語尾に"-s"や"-es"をつけた。じゃあ、イタリア語では名詞を複数形にするときにはどうすればいいだろう?

実は、語尾の母音を変化させるんだ!

さっき、男性名詞と女性名詞を見分けるときにも名詞の語尾母音で判断したよね? こんな風にイタリア語の名詞の語尾には様々な情報が含まれているんだ。男性か女性か、そして単数か複数か?

だから、イタリア語を話すときには語尾まではっきりと発音しなければダメだよ。

単数形から複数形へ変化するときの、基本的な語尾変化の規則は次のようになるよ。

1～10までの数詞と合わせて練習してみよう。

	単数形	複数形	単数形	複数形	
男性	-o ➡	-i	ウン リーブロ un libro ➡	ドゥエ リーブリ due libri	「本」
	-e ➡	-i	ウン フィオーレ un fiore ➡	トゥレ フィオーリ tre fiori	「花」
女性	-a ➡	-e	ウナ ボルサ una borsa ➡	ドゥエ ボルセ due borse	「カバン」
	-e ➡	-i	ウナ キアーヴェ una chiave ➡	トゥレ キアーヴィ tre chiavi	「鍵」

数詞（1～10）

1	ウーノ uno	2	ドゥーエ due	3	トゥレ tre	4	クワットロ quattro	5	チンクェ cinque
6	セーイ sei	7	セッテ sette	8	オット otto	9	ノーヴェ nove	10	ディエーチ dieci

単数形が"-o"で終わる男性名詞は複数形になると語尾が"-i"に変わり、単数形が"-a"で終わる女性名詞は"-e"に変わる。

そして男性、女性とも単数形が"-e"で終わる名詞は複数形になると語尾が"-i"に変わるんだ。

チッタ
città
名女「街」

バール
bar
名男「バール」

アウトブス
autobus
名男「バス」

パルコ
parco
名男「公園」

ボスコ
bosco
名男「森」

フンゴ
fungo
名男「キノコ」

メーディコ
medico
名男「医者」

アスパーラゴ
asparago
名男「アスパラガス」

テオーロゴ
teologo
名男「神学者」

ただし、この単数形から複数形へ変化するときの語尾変化にはいくつかの例外があるんだ。結構複雑だから時間をかけて少しずつ覚えていけばいいけど、一応説明しとくね。

◆複数形の例外

① 単数形と複数形が同じ形の名詞

最後の音節にアクセントのある名詞、子音で終わる外来語などは複数形に変わっても語尾変化が起こらない。

9

単数形	複数形	
ウン カッフェ un caffè	➡	ドゥエ カッフェ due caffè 「コーヒー」
ウナ チッタ una città	➡	トゥレ チッタ tre città 「都市」

単数形	複数形	
ウン バール un bar	➡	ドゥエ バール due bar 「バール」
ウン ナウトブス un autobus	➡	トゥレ アウトブス tre autobus 「バス」

② 語尾が -co, -go で終わる男性名詞

複数形にするとき、語尾母音の前に "h" が入り、-chi, -ghi となる場合がある。

9

-chi, -ghi と変化する場合

単数形	複数形	
パルコ parco	➡	パル キ parchi 「公園」
ボスコ bosco	➡	ボス キ boschi 「森」

単数形	複数形	
フンゴ fungo	➡	フン ギ funghi 「きのこ」
アルベルゴ albergo	➡	アルベル ギ alberghi 「ホテル」

-ci, -gi と変化する場合

単数形	複数形	
アミーコ amico	➡	アミーチ amici 「男友達」
メーディコ medico	➡	メーディチ medici 「医者」

単数形	複数形	
アスパーラゴ asparago	➡	アスパーラジ asparagi 「アスパラガス」
テオーロゴ teologo	➡	テオーロジ teologi 「神学者」

-chi, -ghi となるか、-ci, -gi となるかは、その名詞のアクセントの位置などとの関係によって決まるんだけど、とりあえずはよく使う名詞から覚えていこう。

ちなみに -ca, -ga で終わる女性名詞に関しては、すべて -che, -ghe と "h" が入るんだ。

-ca, -ga ➡ -che, -ghe

単数形		複数形	
<ruby>ami<rt>アミーカ</rt></ruby>ca	➡	<ruby>ami<rt>アミー</rt></ruby><ruby>che<rt>ケ</rt></ruby>	「女友達」
<ruby>ban<rt>バンカ</rt></ruby>ca	➡	<ruby>ban<rt>バン</rt></ruby><ruby>che<rt>ケ</rt></ruby>	「銀行」

単数形		複数形	
<ruby>acciu<rt>アッチューガ</rt></ruby>ga	➡	<ruby>acciu<rt>アッチュー</rt></ruby><ruby>ghe<rt>ゲ</rt></ruby>	「アンチョビー」
<ruby>botte<rt>ボッテーガ</rt></ruby>ga	➡	<ruby>botte<rt>ボッテー</rt></ruby><ruby>ghe<rt>ゲ</rt></ruby>	「工房」

　今日はとりあえず「友達」という名詞から覚えようか。男友達の場合は複数形になっても "h" は入らないけど、女友達の場合は "h" が必要になるんだ。

	単数		複数
男性の友人	amico	➡	amici
女性の友人	amica	➡	amiche

③ 語尾が -io で終わる男性名詞と、 語尾が -cia, -gia で終わる女性名詞

-io で終わり、-i にアクセントがない男性名詞の複数形は -i になる。

-cia, -gia で終わり、-i にアクセントがない女性名詞の複数形は -ce, -ge になる。

i にアクセントがないとき

単数形		複数形	
<ruby>stad<rt>スターディオ</rt></ruby>io	➡	<ruby>stad<rt>スターディ</rt></ruby>i	「スタジアム」
<ruby>bac<rt>バーチョ</rt></ruby>io	➡	<ruby>bac<rt>バーチ</rt></ruby>i	「キス」

(× stadii, bacii)

i にアクセントがあるとき

単数形		複数形	
<ruby>z<rt>ズィーオ</rt></ruby>io	➡	<ruby>z<rt>ズィーイ</rt></ruby>ii	「叔父／伯父」

i にアクセントがないとき

単数形		複数形	
アランチャ arancia	➡	アランチェ arance	「オレンジ」
ピオッジャ pioggia	➡	ピオッジェ piogge	「雨」

(× arancie, pioggie)

i にアクセントがあるとき

単数形		複数形	
ブジーア bugia	➡	ブジーエ bugie	「うそ」
ファルマチーア farmacia	➡	ファルマチーエ farmacie	「薬局」

どう？ 複数形の例外については、今の段階で無理に覚えることはないよ。何度も言うけど、イタリア語にたくさん触れているうちに、自然と身に付いていくものってあるからね。だからできるだけ、イタリア語をたくさん聴いて、たくさん話してほしいな。

バンカ
banca
名女「銀行」

アッチューガ
acciuga
名女
「アンチョビー」

ボッテーガ
bottega
名女「工房」

バーチョ
bacio
名男「キス」

ピオッジャ
pioggia
名女「雨」

ブジーア
bugia
名女「うそ」

ファルマチーア
farmacia
名女「薬局」

さあ、今日のレッスンもあと１つ片付けたらおしまいだよ。最後は **"定冠詞の複数形"** だ！　さっき、不定冠詞と定冠詞について話したよね？　不定冠詞には「１つの〜」って意味があるから、単数形の名詞にしか付けないんだけど、定冠詞は複数形の名詞にも付けるんだ。勿論その場合も、後に続く名詞の性別や音に応じて形が変化するのは同じだよ。さっきホワイトボードに書いた定冠詞の表にちょっと書き加えるよ。

定冠詞

	単数	複数	後に続く名詞	例	
				単数	**複数**
男性	<ruby>il<rt>イル</rt></ruby>	<ruby>i<rt>イ</rt></ruby>	基本形。	<ruby>il libro<rt>イル リーブロ</rt></ruby>	<ruby>i libri<rt>イ リーブリ</rt></ruby>
				<ruby>il fiore<rt>イル フィオーレ</rt></ruby>	<ruby>i fiori<rt>イ フィオーリ</rt></ruby>
	<ruby>lo<rt>ロ</rt></ruby>	<ruby>gli<rt>リ</rt></ruby>	z, s+ 子音で始まる男性名詞の前で。	<ruby>lo zaino<rt>ロ ザイノ</rt></ruby>	<ruby>gli zaini<rt>リ ザイニ</rt></ruby>
				<ruby>lo stadio<rt>ロ スターディオ</rt></ruby>	<ruby>gli stadi<rt>リ スターディ</rt></ruby>
	<ruby>l'<rt>ル</rt></ruby>		母音で始まる男性名詞の前で。	<ruby>l'amico<rt>ラミーコ</rt></ruby>	<ruby>gli amici<rt>リ アミーチ</rt></ruby>
				<ruby>l'ospedale<rt>ロスペダーレ</rt></ruby>	<ruby>gli ospedali<rt>リ オスペダーリ</rt></ruby>
女性	<ruby>la<rt>ラ</rt></ruby>	<ruby>le<rt>レ</rt></ruby>	子音で始まる女性名詞の前で。	<ruby>la penna<rt>ラ ペンナ</rt></ruby>	<ruby>le penne<rt>レ ペンネ</rt></ruby>
				<ruby>la chiave<rt>ラ キアーヴェ</rt></ruby>	<ruby>le chiavi<rt>レ キアーヴィ</rt></ruby>
	<ruby>l'<rt>ル</rt></ruby>		母音で始まる女性名詞の前で。	<ruby>l'amica<rt>ラミーカ</rt></ruby>	<ruby>le amiche<rt>レ アミーケ</rt></ruby>
				<ruby>l'isola<rt>リーゾラ</rt></ruby>	<ruby>le isole<rt>レ イーゾレ</rt></ruby>

　名詞の複数形に付ける定冠詞は全部で３種類だよ。今度はシンプルな女性名詞から始めようか。

　女性名詞の単数形に付ける定冠詞は、その名詞が子音から始まるか母音から始まるかに応じて "la" と "l" の２種類があったよね？　でも、**女性名詞が複数形になると、子音から始まろうが母音から始まろうが、すべて定冠詞は "le" になる**んだ。簡単でしょ？

　次に男性名詞。単数形に付ける定冠詞は基本形の "il" と、後に続く名詞が "z" や "s+子音" といった特殊な子音から始まる場合の "lo"、そして名詞が母音から始まる場合の "l'" の 3 種類があったよね？ それらの名詞が複数形になった場合、まず基本形の定冠詞 "il" は "i" に変わる。そして残りの 2 つ "lo" と "l'" はいずれも "gli" に変わるんだ。

　そうだ、この "gli" のスペリング覚えてる？ 前回発音について話したときに出てきたよね？ 日本語にも英語にもない特殊な発音を要求するスペリングだ。famiglia とか biglietto とか。このやっかいな音が、実は定冠詞としても出てくるんだ。音声を聴いて、発音をもう 1 回復習しておいてね。

ファミッリャ
famiglia
名女「家族」

さあ、今日のレッスンの最後に確認の練習問題をしておこう。次の定冠詞付きの名詞を複数形にしてみてね。定冠詞の形も変わるし、勿論名詞自体も語尾変化するよ。ゆっくりでいいから、これまでやったことをおさらいしながらチャレンジしてみてね。

❶ <ruby>la porta<rt>ラ ポルタ</rt></ruby>　　「門、ドア」　　➡

❷ <ruby>il gelato<rt>イルジェラート</rt></ruby>　「アイスクリーム」➡

❸ <ruby>lo scaffale<rt>ロ スカッファーレ</rt></ruby>「本棚」＊男性　➡

❹ <ruby>l'aula<rt>ラウラ</rt></ruby>　　「教室」　　　➡

❺ <ruby>il caffè<rt>イルカッフェ</rt></ruby>　「コーヒー」＊男性➡

❻ <ruby>la camera<rt>ラ カーメラ</rt></ruby>　「部屋」　　　➡

❼ <ruby>l'esame<rt>レザーメ</rt></ruby>　　「試験」＊男性　➡

❽ <ruby>la canzone<rt>ラ カンツォーネ</rt></ruby>「歌」＊女性　➡

❾ <ruby>l'albergo<rt>ラルベルゴ</rt></ruby>　「ホテル」　　➡

❿ <ruby>il film<rt>イルフィルム</rt></ruby>　「映画」　　　➡

⓫ <ruby>l'occhio<rt>ロッキオ</rt></ruby>　「目」　　　　➡

⓬ <ruby>il ponte<rt>イルポンテ</rt></ruby>　「橋」　　　　➡

答え ① le porte ② i gelati ③ gli scaffali ④ le aule ⑤ i caffè ⑥ le camere ⑦ gli esami ⑧ le canzoni ⑨ gli alberghi ⑩ i film ⑪ gli occhi ⑫ i ponti

　どうだったかな？❶,❷は基本形の女性名詞、男性名詞だよね？❸は“s+子音”で始まっている男性名詞だから例外的な定冠詞になるよ。❹は母音で始まる女性名詞だ。❺はひっかからなかったかな？最後の音節にアクセントが付いているから、複数形になっても名詞の形は変わらないよ。❻は基本形の女性名詞で❼は母音から始まる男性名詞、❽は -e で終わっている女性名詞だ。❾は母音で始まる男性名詞。語尾が -go で終わっていることにも注意だよ。複数形にすると -ghi になるよ。❿は外来語で子音で終わるから複数形にしても語尾は変わらないよ。⓫は -io で終わり、i にアクセントが落ちないパターンだよ。そして最後は -e で終わっている男性名詞。

　定冠詞の変化と名詞を複数形に変えるときの語尾変化の２つに

注意しなければいけないから、難しかったかもしれないね。例外も多かったしね。でも、もし間違いがあったとしても、気にしないで、1つずつ訂正して理解していけばいいよ。僕の書いたホワイトボードを何度でも見直してくれたら嬉しいな。

さあ、イタリア語の2回目のレッスンはどうだった？今日から文法に入ったね。
今日のポイントは名詞の性・数とそれを示す語尾母音の変化、それと不定冠詞、定冠詞。かなり盛りだくさんな内容だったから、大変だったかな？ 前にも言ったけど、1度に全部覚えようと無理をする必要はないよ。間違えながら1歩ずつ進んでいけばいい。僕も君と同じペースですぐそばを歩いているからね。じゃあ、今回のレッスンはここまで。

あっ、説明に夢中になりすぎてブレイクの時間を取るのを忘れてたね。せっかく美味しいティラミス買ってきたのに。じゃあ今からお茶しようか。

ポルタ
porta
名女「ドア」

スカッファーレ
scaffale
名男「本棚」

カーメラ
camera
名女「部屋」

エザーメ
esame
名男「試験」

カンツォーネ
canzone
名女「歌」

オッキオ
occhio
名男「目」

ポンテ
ponte
名男「橋」

今日はまず
形容詞を説明するよ。

「大きい」とか「美しい」とか、モノの性質や種類を表す"品質形容詞"だ。

前回、名詞には性と数の区別があることを教えたけど、その名詞を修飾する形容詞にも性と数に応じた形の変化があるんだ。

それから今日は1つだけ動詞も勉強しよう。英語の be 動詞にあたる"essere"を紹介するよ。その時に、とても大事なこと、"動詞の活用"についても説明するからね。

しっかり聞いててね。

品質形容詞と動詞 essere
（エッセレ）

Ciao, come stai?
今日で3回目のレッスンだね。

前回のレッスンでやった"名詞"はちゃんと復習して
くれたかな？ えっ？ 少し難しかった？ まだ覚え
切れてないところがあるって？ そんなの当たり前だ
よ。言葉なんて使いながら覚えていくものだからね。
とにかく今一番大事なことはイタリアを好きになるこ
と。そのためにいろいろなイタリアの文化にも触れ
てほしいな。

ほら、今、街の美術館ではイタリア絵画展をやって
いて、美しい絵がたくさん展示されているし、この
前僕が持ってきたティラミス、あれも美味しかった
でしょ？
そんな風に身の回りにあるイタリアに、いつもアン
テナを張っていてほしいな。

　さあ、今日のテーマは"形容詞"だ！
　今の僕たちの会話の中でもいくつか形容詞が出てきていたよ。
"難しい"とか"美しい"とか"美味しい"とか。こうした人や
物事の性質や種類、形や色などを表す形容詞を特に"品質形容
詞"というんだ。

　"形容詞"の働きは"名詞"を修飾することだよね。そして
その名詞には、男性と女性、単数と複数の区別があり、語尾母音
の変化でそれを表すということを前回僕たちは勉強した。

　実は、形容詞も修飾する名詞の性と数に応じて語尾母音が変化
するんだ。

50

形容詞の形には大きく分けて2種類ある。
基本形（辞書に出ている形）の語尾が"-o"で終わるタイプのものと、"-e"で終わるタイプのものだ。

それぞれ修飾する名詞の性と数に応じて、次のような語尾変化をするよ。ホワイトボードを見て。

① "-o" で終わるタイプの形容詞

性と数に応じて -o, -i, -a, -e と4種類の語尾変化

基本形 italiano「イタリア（人）の」

	単数	複数
男性	イル ラ ガッツォ イタリアーノ il ragazzo italiano 「イタリア人の少年」	イ ラ ガッツィ イタリアーニ i ragazzi italiani 「イタリア人の少年たち」
女性	ラ ラガッツァ イタリアーナ la ragazza italiana 「イタリア人の少女」	レ ラガッツェ イタリアーネ le ragazze italiane 「イタリア人の少女たち」

② "-e" で終わるタイプの形容詞

単数か複数かで -e, -i と2種類の語尾変化

基本形 giapponese「日本（人）の」

	単数	複数
男性	イル ラ ガッツォ ジャッポネーゼ il ragazzo giapponese 「日本人の少年」	イ ラ ガッツィ ジャッポネーズィ i ragazzi giapponesi 「日本人の少年たち」
女性	ラ ラガッツァ ジャッポネーゼ la ragazza giapponese 「日本人の少女」	レ ラガッツェ ジャッポネーズィ le ragazze giapponesi 「日本人の少女たち」

イタリアーノ
italiano
形
「イタリア（人）の」

ジャッポネーゼ
giapponese
形「日本（人）の」

基本形が -o で終わるタイプの形容詞の場合には、修飾する名詞が男性か女性か、単数か複数かに応じて-o, -i, -a, -e と 4 種類の語尾変化があるけど、基本形が -e で終わるタイプの方は、修飾する名詞が男性か女性かは関係ないんだ。名詞が単数なら -e、複数になると -i に変化するんだ。

> 形容詞の語尾変化でも、名詞の場合と同じように不規則な変化をするものがいくつかあるよ。一応説明しておくけど、これも今はそれほど気にしなくていいよ。練習問題や僕との会話のなかで出てきたら、そのつど指摘していくからね。

①基本形の語尾が -co で終わる形容詞

　男性名詞複数形を修飾するとき、語尾が -ci になる場合と、"h" が入って -chi になる場合がある。ちなみに女性名詞複数形を修飾するときは必ず "h" が入って-che となる。

基本形 simpatico「感じのいい」　⑪

"-co. -ci, -ca, -che" と変化する。

	単数	複数
男性	イルラ ガッツォ スィンパーティコ il ragazzo simpatico 「感じのいい少年」	イ ラ ガッツィ スィンパーティチ i ragazzi simpatici 「感じのいい少年たち」
女性	ラ ラガッツァ スィンパーティカ la ragazza simpatica 「感じのいい少女」	レ ラガッツェ スィンパーティケ le ragazze simpatiche 「感じのいい少女たち」

基本形 franco「率直な」　⑪

"-co. -chi, -ca, -che" と変化する。

	単数	複数
男性	イルラ ガッツォ フランコ il ragazzo franco 「率直な少年」	イ ラ ガッツィ フラン キ i ragazzi franchi 「率直な少年たち」
女性	ラ ラガッツァ フランカ la ragazza franca 「率直な少女」	レ ラガッツェ フランケ le ragazze franche 「率直な少女たち」

＊実はこの違いは形容詞のアクセントの位置に関係があるんだ。後ろから2番目の音節にアクセントのある形容詞では"-chi"となるタイプが多いんだ。

②**基本形の語尾が -go で終わる形容詞**
　　男性名詞複数形を修飾するとき、語尾は必ず"h"が入って -ghi になる。

基本形 lungo「長い」…… "-go. -ghi, -ga, -ghe"と変化する。

	単数	複数
男性	イルヴェスティート ルンゴ il vestito lungo 「長い衣服」	イ ヴェスティーティ ルンギ i vestiti lunghi 「長い衣服」
女性	ラ ゴンナ ルンガ la gonna lunga 「長いスカート」	レ ゴンネ ルンゲ le gonne lunghe 「長いスカート」

スィンパーティコ
simpatico
形「感じのいい」

フランコ
franco
形「率直な」

ルンゴ
lungo
形「長い」

ヴェスティート
vestito
名男「衣服」

ゴンナ
gonna
名女「スカート」

③基本形の語尾が -io あるいは -cio, -gio で終わる形容詞

-io で終わり、-i にアクセントがない場合、男性複数形は -i になる。
-cio, -gio で終わる形容詞は、男性複数形が -ci, -gi、女性複数形
が -cie (-ce), -gie (-ge) になる。

基本形 serio「まじめな」……"-io, -i, -ia, -ie"と変化する。

	単数	複数
男性	イルラ ガッツォ セーリオ il ragazzo serio 「まじめな少年」	イ ラ ガッツィ セーリ i ragazzi seri (× serii) 「まじめな少年たち」
女性	ラ ラガッツァ セーリア la ragazza seria 「まじめな少女」	レ ラガッツェ セーリエ le ragazze serie 「まじめな少女たち」

基本形 grigio「灰色の」……"-gio, -gi, -gia, -gie(-ge)"と変化する。

	単数	複数
男性	イル ヴェスティート グリージョ il vestito grigio 「灰色の衣服」	イ ヴェスティーティ グリージ i vestiti grigi (× grigii) 「灰色の衣服」
女性	ラ ゴンナ グリージャ la gonna grigia 「灰色のスカート」	レ ゴンネ グリージェ le gonne grigie (grige) 「灰色のスカート」

54

これで形容詞の語尾変化もバッチリだよね？
それから、言い忘れてたけど、品質形容詞を置く場所のことだけど、ここまでホワイトボードを見てきたからわかるかな？
形容詞は普通は名詞の後ろに置かれるんだ！
"il ragazzo italiano"（名詞＋形容詞）

ただし、日常よく使われる形容詞で形が短いものは、名詞の前に置かれることもあるよ。
"Buona sera"「こんばんは（＝よい夕べ）」、
"una bella giornata"「すばらしい一日」、
"un caro amico"「親愛なる友人」などがその例だよ。

セーリオ
serio
形「まじめな」

グリージョ
grigio
形「灰色の」

さあ、ここで確認の練習問題をしておこう。名詞の性と数に注意して、（　）内の形容詞を適切に語尾変化させてみてね。（　）の中の形容詞はすべて基本形で書いてあるよ。

あと問題を解き終えたら、他の形容詞を使って練習してみよう。

❶ <ruby>una<rt>ウ ナ</rt></ruby> <ruby>torta<rt>トルタ</rt></ruby> <ruby>(buono)<rt>フォーノ</rt></ruby>

　　「美味しいケーキ」　➡

　　[<ruby>cattivo<rt>カッティーヴォ</rt></ruby>（まずい）、<ruby>grande<rt>グランデ</rt></ruby>（大きい）、<ruby>piccolo<rt>ピッコロ</rt></ruby>（小さい）、<ruby>dolce<rt>ドルチェ</rt></ruby>（甘い）]

❷ <ruby>lo<rt>ロ</rt></ruby> <ruby>zaino<rt>ザイノ</rt></ruby> <ruby>(pesante)<rt>ペザンテ</rt></ruby>

　　「重いリュック」　➡

　　[<ruby>leggero<rt>レッジェーロ</rt></ruby>（軽い）、<ruby>nuovo<rt>ヌオーヴォ</rt></ruby>（新しい）、<ruby>vecchio<rt>ヴェッキオ</rt></ruby>（古い）、<ruby>robusto<rt>ロブスト</rt></ruby>（丈夫な）]

❸ <ruby>le<rt>レ</rt></ruby> <ruby>gonne<rt>ゴンネ</rt></ruby> <ruby>(rosso)<rt>ロッソ</rt></ruby>

　　「赤いスカート」　➡

　　[<ruby>nero<rt>ネーロ</rt></ruby>（黒い）、<ruby>bianco<rt>ビアンコ</rt></ruby>（白い）、<ruby>verde<rt>ヴェルデ</rt></ruby>（緑の）、<ruby>giallo<rt>ジャッロ</rt></ruby>（黄色い）、<ruby>azzurro<rt>アズッロ</rt></ruby>（青い）、<ruby>grigio<rt>グリージョ</rt></ruby>（灰色の）、<ruby>celeste<rt>チェレステ</rt></ruby>（水色の）]

❹ <ruby>i<rt>イ</rt></ruby> <ruby>pantaloni<rt>パンタローニ</rt></ruby> <ruby>(lungo)<rt>ルンゴ</rt></ruby>

　　「長いズボン」　➡

　　[<ruby>corto<rt>コルト</rt></ruby>（短い）、<ruby>largo<rt>ラルゴ</rt></ruby>（ゆるい）、<ruby>stretto<rt>ストゥレット</rt></ruby>（きつい）]

❺ <ruby>una<rt>ウ ナ</rt></ruby> <ruby>persona<rt>ペルソーナ</rt></ruby> <ruby>(gentile)<rt>ジェンティーレ</rt></ruby>

　　「親切な人」➡

　　[<ruby>simpatico<rt>スィンパーティコ</rt></ruby>（感じのいい）、<ruby>antipatico<rt>アンティパーティコ</rt></ruby>（感じの悪い）、<ruby>intelligente<rt>インテッリジェンテ</rt></ruby>（聡明な）]

❻ <ruby>una<rt>ウ ナ</rt></ruby> <ruby>signora<rt>スィニョーラ</rt></ruby> <ruby>(alto)<rt>アルト</rt></ruby>

　　「背の高い婦人」　➡

　　[<ruby>basso<rt>バッソ</rt></ruby>（背の低い）、<ruby>grasso<rt>グラッソ</rt></ruby>（太った）、<ruby>magro<rt>マーグロ</rt></ruby>（痩せた）、<ruby>giovane<rt>ジョーヴァネ</rt></ruby>（若い）]

<ruby>buono<rt>フォーノ</rt></ruby>
形「美味しい」

<ruby>cattivo<rt>カッティーヴォ</rt></ruby>
形「まずい」

<ruby>grande<rt>グランデ</rt></ruby>
形「大きい」

<ruby>piccolo<rt>ピッコロ</rt></ruby>
形「小さい」

<ruby>dolce<rt>ドルチェ</rt></ruby>
形「甘い」

<ruby>pesante<rt>ペザンテ</rt></ruby>
形「重い」

<ruby>leggero<rt>レッジェーロ</rt></ruby>
形「軽い」

<ruby>nuovo<rt>ヌオーヴォ</rt></ruby>
形「新しい」

<ruby>vecchio<rt>ヴェッキオ</rt></ruby>
形「古い」

<ruby>robusto<rt>ロブスト</rt></ruby>
形「丈夫な」

<ruby>rosso<rt>ロッソ</rt></ruby>
形「赤い」

<ruby>nero<rt>ネーロ</rt></ruby>
形「黒い」

<ruby>bianco<rt>ビアンコ</rt></ruby>
形「白い」

<ruby>verde<rt>ヴェルデ</rt></ruby>
形「緑の」

<ruby>giallo<rt>ジャッロ</rt></ruby>
形「黄色い」

<ruby>azzurro<rt>アズッロ</rt></ruby>
形「青い」

<ruby>celeste<rt>チェレステ</rt></ruby>
形「水色の」

pantalone（パンタローネ）
名男「ズボン」

corto（コルト）
形「短い」

largo（ラルゴ）
形「幅広い」

stretto（ストゥレット）
形「狭い」

persona（ペルソーナ）
名女「人」

gentile（ジェンティーレ）
形「親切な」

antipatico（アンティパーティコ）
形「感じの悪い」

intelligente（インテッリジェンテ）
形「聡明な」

signora（スィニョーラ）
名女「婦人」

alto（アルト）
形「高い」

basso（バッソ）
形「低い」

grasso（グラッソ）
形「太った」

magro（マーグロ）
形「痩せた」

giovane（ジョーヴァネ）
形「若い」

francese（フランチェーゼ）
形「フランス（人）の」

tedesco（テデスコ）
形「ドイツ（人）の」

❼ le ragazze (francese)（レ ラガッツェ フランチェーゼ）

「フランスの少女」 ➡

[italiano（イタリアーノ）（イタリアの）、tedesco（テデスコ）（ドイツの）、americano（アメリカーノ）（アメリカの）、spagnolo（スパニョーロ）（スペインの）、inglese（イングレーゼ）（英国の）、giapponese（ジャッポネーゼ）（日本の）]

❽ la cucina (milanese)（ラ クチーナ ミラネーゼ）

「ミラノの料理」 ➡

[romano（ロマーノ）（ローマの）、bolognese（ボロニェーゼ）（ボローニャの）、fiorentino（フィオレンティーノ）（フィレンツェの）、napoletano（ナポレターノ）（ナポリの）、veneziano（ヴェネツィアーノ）（ヴェネツィアの）、genovese（ジェノヴェーゼ）（ジェノバの）]

❾ l'albergo (comodo)（ラルベルゴ コーモド）

「快適なホテル」 ➡

[economico（エコノーミコ）（経済的な）、moderno（モデルノ）（近代的な）、elegante（エレガンテ）（エレガントな）]

❿ i libri (noioso)（イ リーブリ ノイオーゾ）

「退屈な本」➡

[interessante（インテレッサンテ）（面白い）、famoso（ファモーゾ）（有名な）、antico（アンティーコ）（古風な）]

どうだった？ ❹は -ghi と例外的な語尾変化をする形容詞だったけどできたかな？

基本的な形容詞をたくさん挙げておいたから、これらの語彙をなるべく多く使って覚えていこうね。

さあ、これで僕たちはイタリア語の名詞と形容詞を学んだわけだ。これで、あと動詞さえあれば、もう文を作ることができるはずだね。今日は１つだけ動詞をやってみようか？

　英語の be 動詞にあたる "essere" という動詞を今日は教えようと思うんだけど、イタリア語の動詞全般について、１つとても重要なことを言っておくよ。それはイタリア語の動詞には "活用" があるということなんだ！

　"活用"って何だろう？　一言でいうと活用とは "主語が変わると動詞の形まで変わる" ってことなんだ。たとえば "ピザを食べる"という表現を例にとるよ。

　日本語では「私は／彼は／私たちはピザを食べる」と主語が変わっても、"食べる"という動詞の形自体は変わらないよね？　でも、イタリア語ではそれぞれ、"mangio una pizza"（私が食べる）、"mangia una pizza"（彼が食べる）、"mangiamo una pizza"（私たちが食べる）となるんだ。"食べる"という動詞部分の形が、主語に応じて変化しているのがわかるよね？　これが活用なんだ。

　中学校の英語の時間には "活用" という言葉は使わなかったと思うけど、実は英語の be 動詞も活用しているんだ。だって、一口に be 動詞って言っても、主語が I のときは am、you のときは are、he のときは is と形が変わるでしょう？　イタリア語の難しいのは、すべての動詞でこの活用という現象が起こるということなんだ。今日はともかく英語の be 動詞にあたる "essere" という動詞を見ていくよ。ホワイトボードを見てごらん。

アメリカーノ
americano
形
「アメリカ（人）の」

スパニョーロ
spagnolo
形
「スペイン（人）の」

イングレーゼ
inglese
形
「イギリス（人）の」

クチーナ
cucina
名女「料理」

ロマーノ
romano
形
「ローマ（人）の」

ボロニェーゼ
bolognese
形
「ボローニャ（人）の」

フィオレンティーノ
fiorentino
形
「フィレンツェ（人）の」

ナポレターノ
napoletano
形
「ナポリ（人）の」

ヴェネツィアーノ
veneziano
形
「ヴェネツィア（人）の」

動詞 essere「ある、いる、〜です」 ⑫

	単数		複数	
1人称	私は io	sono	私たちは noi	siamo
2人称	君は tu	sei	君たちは voi	siete
3人称	彼は lui 彼女は lei あなたは Lei	è	彼らは loro 彼女らは	sono ※敬称の複数としては現在使われない

　色のついた部分が実は動詞 essere（不定詞＝原形）の活用形なんだけど、主語に応じて形が全く変わっているよね？

　io, tu, lui, lei …というのが英語の I や you, he, she にあたる主語を表す代名詞なんだ。

　ここで注意してほしいのが "tu"「君は」と "Lei"「あなたは」の使い分け。同じように2人で話す場合でも、親しい人に対して使う形（親称）と目上の人に対して使う形（敬称）では、使う動詞の形が変わってくるんだ！

> ほら、初めてのレッスンであいさつ表現を勉強した時のことを覚えてる？ 親しい人に「元気？」って尋ねるときは "Come stai?" だったけど、目上の人に「お元気ですか？」と尋ねるときは "Come sta?" と形が変わったよね？ これが親称と敬称の違いなんだ。

　あともう1つ注意してほしいのは、敬称の Lei「あなたは」と3人称の lei「彼女は」は全く同じ発音で同じ活用になるということだ。一般に敬称の Lei の場合は、文中にあっても L を大文字で書くよ。

genovese
形「ジェノヴァ（人）の」

comodo
形「快適な」

economico
形「経済的な」

moderno
形「近代的な」

elegante
形「エレガントな」

noioso
形「退屈な」

interessante
形「面白い」

famoso
形「有名な」

antico
形「古風な」

essere
動「ある、いる、〜です」

59

さあ、実際にこの動詞 essere と名詞や形容詞を組み合わせて文を作ってみようか。いくつかのポイントを確認しながら見ていこう。

イオ ソーノ ダヴィデ ソーノ イタリアーノ
Io sono Davide, sono italiano.

私はダヴィデです。イタリア人です。

トゥ セイ ジャッポネーゼ セイ モルト ブラーヴァ
Tu sei giapponese, sei molto brava.

君は日本人です。とても優秀です。

> **主語代名詞 "io" や "tu" を言うときと、省略しているときがあるよね。イタリア語では動詞の形を見れば主語が特定できるので、状況から主語がわかる場合は主語を省略できるんだ。**

マーリオ エ イタリアーノ　　ルチーア エ イタリアーナ
Mario è italiano. / Lucia è italiana.
［男性単数］　　　　　　　　［女性単数］

マーリオ／ルチーアはイタリア人です。

タロウ エ ジャッポネーゼ　　ハ ナ コ エ ジャッポネーゼ
Taro è giapponese. / Hanako è giapponese.
［男性単数］　　　　　　　　［女性単数］

タロウ／ハナコは日本人です。

イオ エ マーリオ スィアーモ ロマーニ
Io e Mario siamo romani.
［男性複数］

私とマーリオはローマ生まれです。

ダニエーラ エ スィルヴィア ソーノ ロマーネ
Daniela e Silvia sono romane.
［女性複数］

ダニエーラとシルヴィアはローマ生まれです。

形容詞を essere 動詞と一緒に用いる場合、その形容詞は主語の性と数に応じて語尾変化するんだ。

51頁
参照

主語が男性か女性か、あるいは単数か複数かに合わせて、"-o" で終わるタイプの形容詞は 4 種類、"-e" で終わるタイプの形容詞は 2 種類の語尾変化があるよ。ちなみに主語が男女混合の場合は、必ず "男性複数" の形になるんだ。僕はレディーファーストをモットーにしているけどイタリア語はそうじゃないみたいだね。

あっそうそう、アクセント記号を付けない "e" は、英語の "and" の意味になるよ。だから動詞 essere の 3 人称単数形の "è" の場合は必ずアクセント記号を付けてね。

ラ ピッツァ エ ブォーナ　　　リ スパゲッティ ソーノ ブォーニ
La pizza è buona. / Gli spaghetti sono buoni.
［女性単数］　　　　　　［男性複数］

ピザ／スパゲッティは美味しい。

主語になるのは「人」とは限らないよね？「物事」が主語になる場合、動詞の活用形は 3 人称の単数形または複数形になるんだ。

ブラーヴォ
bravo
形「優秀な」

モルト
molto
副「とても」

ここでイタリア語の否定文と疑問文の作り方も教えておくよ。

ジョヴァンニ ノ ネ ディリジェンテ エ ピーグロ
Giovanni non **è diligente. È pigro.**

ジョヴァンニは勤勉ではない。怠け者です。

パオロ エ フランチェスカ ノン ソーノ フェリーチ
Paolo e Francesca non **sono felici.**

パオロとフランチェスカは幸せではない。

イタリア語では、動詞の前に "non" を置くことによって否定文を作ることができるよ。簡単でしょ？ あと注意してほしいのは non の後に母音で始まる語が続くと、つなげて発音されるよ。

例 "non è"（ノネ）（×ノン　エ）

セイ トゥリステ スィ ソーノ モルト トゥリステ
Sei triste? - Sì, sono molto triste.

君は悲しいの？　―はい、とても悲しいです。

スィエーテ イタリアーニ ノ ノン スィアーモ イタリアーニ スィアーモ スパニョーリ
Siete italiani? - No, **non siamo italiani. Siamo spagnoli.**

君たちはイタリア人ですか？

―いいえ、私たちはイタリア人ではありません。スペイン人です。

イタリア語の疑問文を作るときには、特に文の形を変える必要はないよ。ただ、文末を上げて発音すればいいんだ。そして答える場合、「はい」なら Sì、「いいえ」なら No となるよ。
注意してほしいのは、「はい」のときの Sì では、iの上にアクセントが落ちるんだ。勿論アクセント記号も付けなくてはダメだよ。

せっかく英語の be 動詞にあたる essere 動詞を勉強したから、英語の "There is" "There are" にあたる表現も教えておくね。

　ブロント　　チェ　ルチーア　　スィ　チェ
Pronto? C' è Lucia? - Sì, c'è.
　　　　　　　［単数名詞］

もしもし、ルチーアはいますか？　　―はい、います。

　チェ　ウナ　バンカ　クィ ヴィチーノ　　ノ　ノンチェ
C' è una banca qui vicino? - No, non c'è.
　　　　　［単数名詞］

この近くに銀行はありますか？　　―いいえ、ありません。

　チ ソーノ　タンティ ム ゼ ー イ ア フィレンツェ
Ci sono tanti musei a Firenze.
　　　　　　　［複数名詞］

フィレンツェには多くの美術館があります。

　イタリア語では、『～ (人) がいます』『～ (物事) があります』という場合、"c' è ＋単数名詞" "ci sono ＋複数名詞" という表現を使うんだよ。勿論、この場合の "è" や "sono" は essere 動詞だよ。

動品
詞質
es形
se容
re詞
・

ディリジェンテ
diligente
形「勤勉な」

ピ ー グ ロ
pigro
形「怠け者の」

フェリーチェ
felice
形「幸せな」

トゥリステ
triste
形「悲しい」

ブ ロ ン ト
pronto
形
「準備のできた」

ク ィ
qui
副「ここに」

ヴィチーノ
vicino
副「近くに」

タ ン ト
tanto
形「多くの」

ム ゼ ー オ
museo
名男「美術館」

さあ、ここで確認の練習問題をしておこう。例を参考に主語の性と数に合わせて動詞 essere を活用し、また形容詞の語尾を変化させて文を完成させてね。

主語	形容詞（基本形）		文
例 Maria マリーア	alto アルト	➡	Maria è alta. マリーア エ アルタ
❶ Anna アンナ	intelligente インテッリジェンテ	➡	
❷ I fiori イ フィオーリ	bello ベッロ	➡	
❸ Il caffè イルカッフェ	amaro アマーロ	➡	
❹ Tu e Paolo トゥ エ パーオロ	fiorentino フィオレンティーノ	➡	
❺ I compiti イ コンピティ	difficile ディッフィーチレ	➡	
❻ Anna e Franca アンナ エ フランカ	simpatico スィンパーティコ	➡	
❼ Le scarpe レ スカルペ	bianco ビアンコ	➡	
❽ Lo stadio ロ スターディオ	grande グランデ	➡	
❾ La macchina ラ マッキナ	veloce ヴェローチェ	➡	
❿ Io e marito イオ エ マリート	lieto リェート	➡	

答え ① Anna è intelligente. ② I fiori sono belli. ③ Il caffè è amaro. ④ Tu e Paolo siete fiorentini. ⑤ I compiti sono difficili. ⑥ Anna e Franca sono simpatiche. ⑦ Le scarpe sono bianche. ⑧ Lo stadio è grande. ⑨ La macchina è veloce. ⑩ Io e mio marito siamo lieti.

どうだった？ ポイントは2つだよ！ まずは動詞 essere の活用だね。❹や❿を間違った人はいないかな？「私」や「君」を含んでいたら、当然「私たち」「君たち」となるよね。あとは "物事" が主語の場合、動詞は3人称。これも覚えておいてね。そしてもう1つのポイントが形容詞の語尾変化。基本形の語尾が "-o" で終わるタイプなのか、"-e" で終わるタイプなのかをしっかり見極めて語尾変化できたかな？

それじゃ、今日のレッスンの最後にまた数字を覚えるよ。前回は 10 までの数字を覚えたね。今回は 11 から 20 までだよ。実はイタリア語の数詞は 1 から 20 までを覚えてしまえば、21 〜 100 まではわりと簡単に覚えることができるんだ。それはまた次回話すからね。

数詞（11 〜 20）

11	ウンディチ undici	12	ドーディチ dodici	13	トゥレディチ tredici	14	クワットルディチ quattordici	15	クインディチ quindici
16	セーディチ sedici	17	ディチャッセッテ diciassette	18	ディチョット diciotto	19	ディチャンノーヴェ diciannove	20	ヴェンティ venti

どうだい？ まだイタリア語を初めて 3 回目のレッスンだけど、君はもう文が作れるようになったよ。勿論、単語を並べただけでも、いや、笑顔と伝えたい気持ちさえあればコミュニケーションは充分図れるけど、文法を 1 つずつ学んでいけば、もっと上手に君の気持ちを伝えることができるようになる。
今日は語彙がたくさん出てきたね。レッスンを復習しながら、いろんな語彙を使って文を作ってみて。

ベッロ
bello
形「美しい」

アマーロ
amaro
形「苦い」

ディッフィーチレ
difficile
形「難しい」

スカルペ
scarpe
名女複「靴」

ヴェローチェ
veloce
形「速い」

ミーオ
mio
形「私の」

マリート
marito
名男「夫」

リェート
lieto
形「嬉しい」

前回に引き続いて 形容詞を学んでいくよ！

今日は "この" 服や "あの" 友だちといったように、人やモノを指し示すときに使う "指示形容詞" と「私の」ノート、「君の」学校といった所有や所属を表すときに使う "所有形容詞" を勉強しよう。

これらも "形容詞" だから修飾する名詞の性と数に合わせた語尾変化がポイントになるよ。

それから今日紹介する動詞は「持つ、持っている」という意味の "avere"。

これも大事な動詞だから、しっかり活用を覚えていこうね。

所有形容詞と
動詞 avere

Ciao, come stai? "僕たちの" レッスンも 4 回
目になるけど、今まであまり個人的なことは話して
なかったよね。

今日は "僕の" 家族や友だち、生まれた街のこと
を君に知ってほしくて、写真を何枚か持ってきたよ。
まずは "この" 写真を見て。赤ちゃんを抱いて笑っ
ている "この女性" が "僕の" 最愛のマンマで、
横にいるのが妹のエレナと "彼女の" ご主人のパ
オロ、マンマが抱いているミケリーノは "彼らの"
子どもなんだ。

そして、右端に写っていて、恥ずかしそうにちょっと
横を向いている、そう、"それ" が "僕の" パパ。
結構ダンディーだと思わない?

それから、"その" 写真が僕の生まれたローマの
写真だよ……。今度は "君の" 家族や友人、お気
に入りの写真を僕にも見せてね。

　さあ、そろそろ今日の授業に入ろうか。前回は、人や物事の性質、
種類などを表す品質形容詞と動詞 essere を勉強したよね。今日
は、まず品質形容詞とは異なるタイプの形容詞をいくつか見ていく
ことにしようか。今僕は君に写真を見せながら、"これ" はマンマ、
"あれ" はパパ、"この" 赤ちゃんはエレナの子ども……って具
合に指で示していったよね? そう、英語の "this" や "that" にあ
たる表現からスタートしよう。

　"この写真" とか "あの人" のように、人や物事を指すときに
使う "この" とか "あの" のことを "指示形容詞" って言うんだ。

勿論、形容詞だから、前回学んだように、修飾する名詞の性と数に合わせて語尾変化が起こるよ。

　まず、「この／これらの」にあたる指示形容詞 "questo" の語尾変化から見てみよう。

⑭

指示形容詞　questo「この／これらの」

	単数	複数
男性	questo libro　「この本」	questi libri　「これらの本」
女性	questa rivista「この雑誌」	queste riviste「これらの雑誌」

　これは前回やった "-o" で終わるタイプの形容詞の語尾変化と全く同じだから簡単だよね？ ただ、母音で始まる単数形の語の前に付くときには "quest" としてもいいんだよ。
（例　quest' anno「今年」, quest' opera「この作品」）

　これに対して語尾変化が複雑になるのが、「あの／あれらの」にあたる指示形容詞 "quello" の場合だよ。これについては説明をする必要があるけど、まずはホワイトボードを見て。

questo
形「この」

quello
形「あの、その」

rivista
名女「雑誌」

指示形容詞 quello「あの（その）／あれらの（それらの）」 ^{クェッロ}

⑭

	語頭の文字		単数		複数
男性	基本形	(il)	クエル リーブロ quel libro 「あの本」	(i)	クエイ リーブリ quei libri 「あれらの本」
	z や s+ 子音	(lo)	クエッロ ザイノ quello zaino 「あのリュック」	(gli)	クエッリ ザイニ quegli zaini 「あれらのリュック」
	母音	(l')	クエッラン ノ quell'anno 「あの年」	(gli)	クエッリ アンニ quegli anni 「あれらの年」
女性	子音	(la)	クエッラ リヴィスタ quella rivista 「あの雑誌」	(le)	クエッレ リヴィステ quelle riviste 「あれらの雑誌」
	母音	(l')	クエッロー ベ ラ quell'opera 「あの作品」	(le)	クエッレ オーペレ quelle opere 「あれらの作品」

　一目見ただけで、語尾変化が多様でややこしそうなのが分かるよね？ 実は指示形容詞の quello が名詞の直前に置かれるときには、定冠詞と同じような語尾変化をするんだ。つまり、名詞がどんな音で始まるか、母音か子音か、あるいは "z" や "s+ 子音" といった特殊な音なのかによって形が変わってくるよ。これは最初のうちは難しいと思うけど、使いながら覚えていけばいいよ。

> 　ちなみに品質形容詞の bello が名詞の直前に置かれる場合も、同じように語尾変化するんだ。これもよく使う形容詞だからまとめておくね。

品質形容詞 bello「美しい、素晴らしい」 ⑭

	語頭の文字		単数		複数
男性	基本形	(il)	bel paese「美しい国」	(i)	bei paesi「美しい国々」
	z や s+ 子音	(lo)	bello spettacolo「素敵なショー」	(gli)	begli spettacoli「素敵なショー」
	母音	(l')	bell'attore「美しい俳優」	(gli)	begli attori「美しい俳優たち」
女性	子音	(la)	bella musica「美しい音楽」	(le)	belle musiche「美しい音楽」
	母音	(l')	bell'attrice「美しい女優」	(le)	belle attrici「美しい女優たち」

名男「年」

opera
名女「作品、オペラ」

paese
名男「国、村」

spettacolo
名男「ショー」

attore
名男「俳優」

attrice
名女「女優」

ここまでは「この〜」「あの〜」のように、名詞を修飾する"形容詞"としての questo, quello を見てきたけど、「これはペンです」とか「あれは私の車です」のように、人や物事を指して、questo やquello が"主語"になる場合があるよね? この用法の questo や quello を"指示代名詞"って言うんだ。この指示代名詞の場合も、それが指す名詞の性と数に合わせて語尾変化が起こるんだ。

例文を使って説明するよ。

クエスト　クエッロ　エ ウン ドルチェ イタリアーノ
Questo [**Quell**o] **è un dolce italiano.**
〔男性単数〕

これは（あれは）イタリアのお菓子です。

クエスティ　クエッリ　ソーノ イ ヴィーニ トスカーニ
Questi [**Quell**i] **sono i vini toscani.**
〔男性複数〕

これらは（あれらは）トスカーナのワインです。

クエスタ　クエッラ　エ ウナ マッキナ テデスカ
Questa [**Quell**a] **è una macchina tedesca.**
〔女性単数〕

これは（あれは）ドイツの車です。

クエステ　クエッレ　ソーノ レ キエーゼ ゴーティケ
Queste [**Quell**e] **sono le chiese gotiche.**
〔女性複数〕

これらは（あれらは）ゴシックの教会です。

　これは、さっきの指示形容詞の場合よりもシンプルだよね。questo や quello が指している名詞が男性か女性か、単数か複数かで、語尾が "-o, -i, -a, -e" と変化するだけだね。
　特に "quello" の形の変化は、さっきやった指示形容詞の場合とは違うので注意してね。

トスカーノ
toscano
形
「トスカーナ地方の」

キエーザ
chiesa
名女「教会」

ゴーティコ
gotico
形
「ゴシック様式の」

クワデルノ
quaderno
名男「ノート」

72

さあ、ここで今日最初の練習問題をしておこうか。
訳を参考にして、（　　）の中に"questo"か
"quello"を適切な形にして入れてみて。
指示形容詞としての用法（「この」「あの」等）と
指示代名詞としての用法（「これ」「あれ」等）を
しっかり区別してね。

❶ （　　） ボルサ エ モルト ペザンテ
borsa è molto pesante.　　このカバンはとても重い。

❷ （　　） リーブリ ソーノ インテレッサンティ
libri sono interessanti.　　あれらの本は面白い。

❸ （　　） キアーヴィ ソーノ ヌオーヴェ
chiavi sono nuove.　　これらの鍵は新しい。

❹ （　　） イーゾラ エ モルト グランデ
isola è molto grande.　　あの島はとても大きい。

❺ （　　） スペッターコロ エ モルト ベッロ
spettacolo è molto bello.　　あのショーはとても美しい。

❻ （　　） ソーノ イ クワデルニ ディ パオロ
sono i quaderni di Paolo.　　これらはパオロのノートだ。

❼ （　　） エイル トゥレーノ ペル ミラーノ
è il treno per Milano.　　あれはミラノ行きの電車です。

❽ （　　） エラ フォンターナ ディ トレヴィ
è la Fontana di Trevi.　　あれはトレヴィの泉です。

❾ （　　） ソーノ レ リヴィステ ストゥラニエーレ
sono le riviste straniere.　　これらは外国の雑誌です。

❿ （　　） エ エーレナ ミーア ソレッラ
è Elena, mia sorella.　　これがエレナ、僕の妹だよ。

答え① Questa ② Quella ③ Queste ④ Quell'⑤ Quello ⑥ Questi ⑦ Quello ⑧ Quello ⑨ Queste ⑩ Questa

どうだった？
やっぱり"quello"を指示形容詞として使う場合が
難しかったかな？ 形がいろいろ変わるけど、基本は
定冠詞型の変化だと覚えておけばいいよ。
あと、今の練習問題はカッコの部分だけではなく、
文全体をもう1度よく見てほしいな。essere 動詞
の変化やその後につづく形容詞の語尾変化といった
前回の復習も含まれているからね。

ディ
di
前「〜の」

ペル
per
前「〜行きの」

フォンターナ
fontana
名女「泉、噴水」

ストゥラニエーロ
straniero
形「外国の」

さあ、次は "所有形容詞" だ!

　所有形容詞というのは、"私の" "君の" といった所有や所属を表すときに使う形容詞だよ。たとえば、さっきの練習問題の❿を見てごらん。「僕の妹」って出てきたでしょう? それから❻で「パオロのノート」ってあるけど、パオロを代名詞にすると「彼のノート」ってなるよね? これが所有形容詞なんだ。英語では "my" や "his" といった代名詞の所有格で表現するけど、イタリア語ではこれを "形容詞" で表すんだ。

> 形容詞だから、当然今までに見てきたように、修飾する名詞の性と数に合わせてこれも語尾変化が起こる。ホワイトボードにまとめておいたよ。

所有する人＼所有の対象	[男性名詞]		[女性名詞]	
	単数	複数	単数	複数
私の	ミオ mio	ミエイ miei	ミア mia	ミエ mie
君の	トゥオ tuo	トゥオイ tuoi	トゥア tua	トゥエ tue
彼・彼女・あなたの	スオ suo	スオイ suoi	スア sua	スエ sue
私たちの	ノストロ nostro	ノストリ nostri	ノストラ nostra	ノストレ nostre
君たちの	ヴォストロ vostro	ヴォストリ vostri	ヴォストラ vostra	ヴォストレ vostre
彼ら・彼女らの	ローロ loro	ローロ loro	ローロ loro	ローロ loro

　男性名詞単数形のモノを所有する場合に使う基本形さえ覚えてしまえば、後は基本的には "-o" で終わるタイプの形容詞と同じように "-o, -i, -a, -e" と語尾変化するだけだよ。

トゥオ
tuo
形「君の」

ス オ
suo
形「彼の、彼女の、あなたの」

ノストロ
nostro
形「私たちの」

ヴォストロ
vostro
形「君たちの」

ロ ー ロ
loro
形
「彼らの、彼女らの」

アッパルタメント
appartamento
名男「アパート」

あと大事なことは、この所有形容詞は名詞の前に置かれ、ふつうは冠詞をつけて用いるということなんだ。つまり、"（定）冠詞＋所有形容詞＋名詞"の語順になるね。

クエスト エイル ミ オ リーブロ
Questo è il mio libro.

これは私の本です。

クエッラ エ ラ トゥア マッキナ
Quella è la tua macchina?

あれは君の車ですか？

クエスティ ソーノ イ スオイ ヴェスティーティ
Questi sono i suoi vestiti.

これらは彼の（彼女の）洋服です。

イルノ ストロ アッパルタメント エ ピッコロ
Il nostro appartamento è piccolo.

私たちのアパートは小さい。

イヴォストリ アミーチ ソーノ スィンパーティチ
I vostri amici sono simpatici.

君たちの友人たちは感じがいい。

レ ロ ーロ フィッリェ ソーノ カリーネ
Le loro figlie sono carine.

彼らの娘たちはかわいらしい。

また所有形容詞は、それが修飾する名詞が明らかな場合、その名詞を省略して"定冠詞＋所有形容詞"の形で、「私のモノ」「君のモノ」と代名詞の役割も果たすよ。

クエスト エイルミ オ オンブレッロ イルトゥオ エ クエッロ
Questo è il mio ombrello, il tuo è quello.

これは私の傘です。君のはあれだよ。

コ メ スタンノイ トゥオイ
Come stanno i tuoi?

君の家族は元気ですか？

＊所有形容詞の男性複数形は、しばしば「家族、両親」などの意味になります。

フィッリャ
figlia
名女「娘」

カリーノ
carino
形「かわいらしい」

オンブレッロ
ombrello
名男「傘」

コ メ
come
副「どんなふうに」

スターレ
stare
動「（ある場所・状況に）いる、ある」

ここで所有形容詞に関して、いくつか注意する点を挙げておくね。

① "彼ら・彼女らの" の "loro" には語尾変化がない。 また、"私の" "君の" "彼・彼女・あなたの" の男性複数形（miei, tuoi, suoi）は語尾変化が不規則。

ラ ローロ マッキナ
la loro macchina「彼らの車」／
イ ローロ フィッリ
i loro figli「彼らの息子たち」
イ ミエイヴェスティーティ
i miei vestiti　「私の洋服」／
イ トゥオイ ジェニトーリ
i tuoi genitori「君の両親」

② 所有者の性別によって語尾変化が起こるのではなく、所有されるモノの性・数に合わせて語尾変化する。 つまり、英語の his / her とは異なり、"彼の" と "彼女の" の違いはない。

イル スオ カッペッロ
il suo cappello「彼の／彼女の帽子」／
ラ スア ジャッカ
la sua giacca「彼の／彼女のジャケット」

③ 所有形容詞（loro の場合を除く）＋単数の親族名詞の場合は、定冠詞を付けない。

ラ ミア アミーカ
la mia amica「私の女友だち」／
ミオ パードレ
mio padre「私の父親」
［親族名詞ではない］ ［親族名詞・単数］

トゥア ソレッラ
tua sorella「君の姉（妹）」／
ノストロ クジーノ
nostro cugino「私たちのいとこ」
［親族名詞・単数］ ［親族名詞・単数］

レ トゥエ ソレッレ
le tue sorelle「君の姉妹たち」／
［親族名詞・複数］

イ ノストリ クジーニ
i nostri cugini「私たちのいとこたち」
［親族名詞・複数］

※親族名詞が複数になると定冠詞が必要になるよ。

76

④定冠詞と名詞との間に所有形容詞が入ると、"lo" "gli" "l'"
などの特殊な定冠詞は、普通の定冠詞に変化する。

ロツィーオ　　　イルミオツィーオ　　　ラミーカ　　　ラ　スア　アミーカ
lo zio ➡ il mio zio ／ **l'**amica ➡ la sua amica ／

リ　アミーチ　　　イミエイ　アミーチ
gli amici ➡ i miei amici

44頁
参照

フィッリョ
figlio
名男「息子」

ジェニトーリ
genitori
名男複「両親」

カッペッロ
cappello
名男「帽子」

ジャッカ
giacca
名女「ジャケット」

クジーノ
cugino
名男「いとこ」

さあ、所有形容詞の注意点も説明したところで、確認の練習問題をやってみるよ。例にならい、訳を参考にして（　　　）の中に適切な定冠詞と所有形容詞を入れてみてね。

例 Questo è (il suo) libro.
クエスト エ　イルスオ　　　　リーブロ
これは彼の本です。

❶ Questa è (　　　　　) camera.
クエスタ エ　　　　　　　　カーメラ
これは私の部屋です。

❷ (　　　　　) amici sono bravi.
アミーチ ソーノ ブラーヴィ
君の友人たちは優秀だ。

❸ Quelle sono (　　　　　) scarpe?
クエッレ ソーノ　　　　　　スカルペ
それは彼女の靴ですか？

❹ Dove sono (　　　　　) zaini?
ドーヴェ ソーノ　　　　　　ザイニ
君たちのリュックはどこですか？

❺ (　　　　　) moglie è molto bella.
モッリェ エ モルト ベッラ
君の奥さんはとても美しい。

❻ (　　　　　) nonno è molto giovane.
ノンノ エ モルト ジョーヴァネ
私たちの祖父はとても若々しい。

❼ Questi sono (　　　　　) fratelli.
クエスティ ソーノ　　　　　フラテッリ
この人たちは私の兄弟たちです。

❽ (　　　　　) figlia è intelligente.
フィッリャ エ インテッリジェンテ
彼らの娘は聡明だ。

答え ① la mia ② i tuoi ③ le sue ④ i vostri ⑤ Tua ⑥ Nostro ⑦ i miei ⑧ La loro

どうだった？ ❺❻は所有形容詞の後に単数形の親族名詞が来ることになるので、定冠詞は必要ないよ。間違えなかったかな？ それに対して❼は親族名詞が複数形だし、❽は所有形容詞が3人称複数形の"loro"を使っているから、定冠詞が必要になるんだ。

さあ、これで形容詞は終わりだよ。前回の品質形容詞と今日学んだ指示形容詞、所有形容詞のすべてに共通することは、修飾する名詞の性と数に合わせて語尾変化することだね。これはしっかり覚えておいてね。

dove
ドーヴェ
副「どこに、どこへ」

moglie
モッリェ
名女「妻」

nonno
ノンノ
名男「祖父」

じゃあ次に、今日も1つだけ動詞をやってみようか。前回は英語の be 動詞にあたる動詞 essere を勉強したよね？ そのときに君に大事なことを1つ話したんだけど覚えてる？

そう"活用"のこと。イタリア語の動詞はすべて活用する。つまり、主語が変わると動詞の形も変わるんだったよね？そこまでは復習できてるかな？

じゃあ今日は "avere"「持つ」という動詞を覚えていこう。英語の "have" に相当する動詞で、あとで過去形を作るときにも出てくる大切な動詞だよ。

動詞 avere「持つ、持っている」

	単数		複数	
1人称	私は	<ruby>io<rt>イオ</rt></ruby> — <ruby>ho<rt>オ</rt></ruby>	私たちは	<ruby>noi<rt>ノイ</rt></ruby> — <ruby>abbiamo<rt>アッビアーモ</rt></ruby>
2人称	君は	<ruby>tu<rt>トゥ</rt></ruby> — <ruby>hai<rt>アイ</rt></ruby>	君たちは	<ruby>voi<rt>ヴォイ</rt></ruby> — <ruby>avete<rt>アヴェーテ</rt></ruby>
3人称	彼は 彼女は あなたは	<ruby>lui<rt>ルイ</rt></ruby> <ruby>lei<rt>レイ</rt></ruby> — <ruby>ha<rt>ア</rt></ruby> <ruby>Lei<rt>レイ</rt></ruby>	彼らは 彼女らは	<ruby>loro<rt>ローロ</rt></ruby> — <ruby>hanno<rt>アンノ</rt></ruby>

この動詞もそれぞれの活用形を見ると、不定詞の "avere" とは形がかなり変わっているよね。こればっかりは丸暗記してもらわなきゃいけないんだ。

それから発音にも注意して！ 初めてのレッスンのときに "h" の文字は発音されないって言ったよね？まさにこの活用形の発音は "h" を読まずに「オ、アイ、ア……アンノ」となるんだ。

それじゃ、実際に例文を作ってみるよ。

ホ オ ウ ナ ペンナ マルコ アイ ウン クワデルノ
Ho una penna. Marco, hai un quaderno?

私はペンを 1 本持っています。マルコ、君はノートを持っているかい？

ルチーア ア ウン カーネ エ ドゥエ ガッティ
Lucia ha un cane e due gatti.

ルチーアは犬を 1 匹と猫を 2 匹飼っています。

アッビアーモ ウナ ヴィッラ イン モンターニャ
Abbiamo una villa in montagna.

私たちは山に別荘を持っています。

アヴェーテ ウナ カーメラ リーベラ コン バーニョ
Avete una camera libera con bagno?

（ホテルで）バス付の空室はありますか？

もう主語代名詞の "io" や "tu" などは省略したよ。この方が自然な表現だからね。イタリア語では動詞の形を見れば主語が特定できるんだったね。

アヴェーレ
avere
動
「持つ、所有する」

カーネ
cane
名男「犬」

ヴィッラ
villa
名女「別荘」

リーベロ
libero
形「あいた、自由な」

バーニョ
bagno
名男
「浴室、トイレ」

ここまでは、具体的なモノを「持っている、所有している」という意味で使っていたけど、動詞 "avere" は、その他にも年齢や感情・感覚、体調などを表すときにも使うんだよ。そうした場合には "avere" の後の定冠詞は省略されることが多いよ。

クワンティ アンニ アイ　　　　オ ヴェンティ アンニ
Quanti anni hai? - Ho venti anni.

君は年はいくつ？　　－私は 20 歳です。

クワンティ フラテッリ ア スィルヴィア　　　ア トゥレ フラテッリ
Quanti fratelli ha Silvia? - Ha tre fratelli.

シルヴィアは何人兄弟がいますか？　　－ 3 人です。

スィニョーラ ア ファーメ　　ノ ノ ノ ファーメ マ オ セーテ
Signora, ha fame? - No, non ho fame, ma ho sete.

［発音注意］

奥様、お腹がすいていますか？　　－いいえ、お腹はすいていないけど、のどが渇いたわ。

アヴェーレ ファーメ 　　　　　　 セーテ 　　　　　　 ソンノ
[avere + fame（空腹）、sete（のどの渇き）、sonno（眠い）、
フレッタ　　　　　　カルド　　　　　フレッド
fretta（急いでいる）、caldo（暑い）、freddo（寒い）]

> ここでも、会話にすぐに使える
> ように役に立つ語彙を多く挙げ
> ておいたよ。

アッビアーモ イル ラッフレッドーレ
Abbiamo il raffreddore.

私たちは風邪をひいています。

アヴェーレ イル ラッフレッドーレ　　　　 ラ トッセ　　　　　ラ フェッブレ
[avere +il raffreddore（風邪）、la tosse（咳）、la febbre（熱）]

コーザ アイ　　　　　オ マル ディ テスタ
Cosa hai? - Ho mal di testa.

どうしたの？　　－私は頭が痛いんです。

アヴェーレ マル ディ テスタ　　　　　 ゴーラ　　　　デンティ
[avere mal di + testa（頭痛）、gola（のど痛）、denti（歯痛）、
パンチャ　　　　　ストーマコ　　　　　スキエーナ
pancia（腹痛）、stomaco（胃痛）、schiena（腰痛）]

クワント
quanto
形「いくつの」

ファーメ
fame
名女「空腹」

セーテ
sete
名女
「のどの渇き」

ソンノ
sonno
名男「眠り、眠気」

フレッタ
fretta
名女「急ぐこと」

カルド
caldo
名男「暑さ」

フレッド
freddo
名男「寒さ」

ラッフレッドーレ
raffreddore
名男「風邪」

トッセ
tosse
名女「咳」

フェッブレ
febbre
名女「熱」

コーザ
cosa
代「何を」

アヴェーレ マル ディ
avere mal di
＋ 体の部位
／「～が痛い」

それじゃ、動詞"avere"の活用を定着させるために、すぐに練習問題をするよ。（　　）に"avere"を活用させて入れてね。さっきの活用表を見ながらやってもいいよ。

❶ Quanti anni (　　) tuo padre?
<small>クワンティ アンニ　　　　　　　トゥオ パードレ</small>

君のお父さんは年はいくつ？

❷ I signori Rossi (　　) due macchine.
<small>イ スィニョーリ ロッシ　　　　ドゥエ マッキネ</small>

ロッシ夫妻は2台車を持っている。

❸ Ragazzi, (　　) fame?
<small>ラガッツィ　　　ファーメ</small>

ねえ君たち、お腹すいてる？

❹ Paolo, (　　) un po' di tempo?
<small>パオロ　　　ウン ポ ディ テンポ</small>

パオロ、ちょっと時間ある？

❺ Noi non (　　) da mangiare.
<small>ノイ ノン　　　ダ マンジャーレ</small>

私たちは食べるものがない。

答え ① ha ② ha ③ hanno ④ avete ⑤ hai ⑥ abbiamo

どうだった？ そんなに難しくないよね？

少しだけ補足しておくと、❶のように疑問詞を使う疑問文では主語が動詞の後に来るので注意だよ。あと❹の"un po' di + 名詞"は「少しの〜」となり、❺の"avere + da + 不定詞"は「〜するべきことがある」となるよ。

Ho un po' di soldi.　私はお金を少し持っている。
<small>オ ウン ポ ディ ソルディ</small>

Ho molto da fare.　私はするべきことがたくさんある。
<small>オ モルト ダ ファーレ</small>

testa
<small>テスタ</small>
名女「頭」

gola
<small>ゴーラ</small>
名女「のど」

dente
<small>デンテ</small>
名男「歯」

pancia
<small>パンチャ</small>
名女「おなか」

stomaco
<small>ストーマコ</small>
名男「胃」

schiena
<small>スキエーナ</small>
名女「背中、腰」

un po' di =
<small>ウン ポ ディ</small>
un poco di
<small>ウン ポーコ ディ</small>
形「少しの」

tempo
<small>テンポ</small>
名男「時間」

avere da +
<small>アヴェーレ ダ</small>
不定詞
／「〜するべきことがある」

mangiare
<small>マンジャーレ</small>
動「食べる」

soldo
<small>ソルド</small>
名男「お金」

それじゃ、今日も最後は数字を覚えよう。
前回 20 までの数字を覚えたけど、そのときに 21 以上の数字はわりと簡単に覚えられると言ったのを覚えてる?

基本的に 21 ～ 100 までの数字は、20, 30, 40... ときりのいい数字さえ覚えれば、あとはそれに 1 ～ 9 までを付ければいいんだ。
ちょっとホワイトボードを見て。

数詞 (21 ～ 30 他)

21	ヴェンティトゥーノ ventuno	22	ヴェンティドゥエ ventidue	23	ヴェンティトゥレ ventitré	24	ヴェンティクワットロ ventiquattro	25	ヴェンティチンクェ venticinque
26	ヴェンティセイ ventisei	27	ヴェンティセッテ ventisette	28	ヴェントット ventotto	29	ヴェンティノーヴェ ventinove	30	トゥレンタ trenta

40	クワランタ quaranta	50	チンクワンタ cinquanta	60	セッサンタ sessanta	70	セッタンタ settanta
80	オッタンタ ottanta	90	ノヴァンタ novanta	100	チェント cento	200	ドゥエチェント duecento

　数字の 20 が "venti" だったよね? 基本的にはその語尾に 1 ～ 9 まで、つまり "uno" から "nove" までを付け足せばいいんだ。たとえば25だったらventi + cinque ➡ venticinque という風にね。ただ、1 の位が 1(uno) と 8(otto) のときだけは、きりのいい方の数字の語尾母音を省略してから付け足すんだ。たとえば、venti + uno ➡ ventuno, venti + otto ➡ ventotto という風にね。

　これらのことは 30 以降も全く同じだよ。基本的には上にあげたきりのいい数字の後ろに "uno" から "nove" までを付け足せばいいよ。勿論、1 の位が uno と otto のときは注意だよ。

　それからもう 1 点。23 以降の 3 で終わる数にはアクセントがつくよ。アクセント記号の向きにも注意してね。

それじゃ、今言ったことに注意して、次の数字をイタリア語で書いてみて。

❶ 38　**❷** 74　**❸** 53　**❹** 91　**❺** 69

OK! 今日のレッスンはここまでだよ。
今日も指示形容詞、所有形容詞に動詞 "avere"、重要なことをたくさん学んだね。
えっ？ 形容詞の語尾変化は大体分かってきたけど、この調子で動詞の活用を覚えていくのは大変そうだって？

確かに 1 つの動詞をマスターするのに主語に応じた 6 つの活用形を覚えなきゃいけないからね。
でも大丈夫だよ。これまでに僕たちが覚えた動詞 "essere" と "avere" は、活用を丸暗記しなくてはならない、ちょっと不規則な動詞だったんだけど、他の大部分の動詞の活用については、実はいくつかのパターンがあるんだ。

次回のレッスンが終わるころには何百もの動詞が活用できるようになっているはずだよ。嘘じゃないって。楽しみにしててね。Ciao!

今日から本格的に
動詞の活用を見ていくよ。

今日は規則動詞の中でも最も数が多い
"-are 動詞" の活用を覚えよう。
「食べて、歌って、遊んで、イタリアに恋し
ちゃう！」 そんな表現だってできるようにな
るよ。たくさんの動詞を覚えて、実際に使
ってみよう。
今回から、文を作るのに欠かせないその
他の要素も少しずつ見ていくよ。
今日は "前置詞"。種類がたくさんあるけ
ど、よく使う用法から覚えていこう。

-are 動詞の
現在形と前置詞

Ciao, come stai? ご機嫌そうだね。
何を見てるの？ イタリア旅行のパンフレットかな？
"アマーレ（愛して）、カンターレ（歌って）、マンジ
ャーレ（食べて）"の国だって？ もうステレオタイ
プだなぁ。否定はしないけどね。

でも、君がイタリアに行く気になってくれたのなら、
本当に嬉しいな。前にも言ったけど、なるべく早い
うちにイタリアに行って片言でもいいからイタリア語
を話してほしいな。
自分の言葉が相手に伝わったときの喜びは、本当に
胸が震えそうになるくらいだよ。僕も初めて日本語
が通じたときは感動したなぁ。

　さあ、イタリアの街でイタリア語を話している未来の君の姿を思い浮かべながら、今日の授業に入ろうか？

　そのパンフレットにカタカナで書いてある "アマーレ、カンターレ、マンジャーレ" っていうのは、すべて同じタイプの動詞なんだ。

　今日からは本格的に動詞の活用を勉強していくよ。これまでのレッスンでは "essere" と "avere" の２つの動詞が出てきたけど、この２つは、実は "不規則動詞" と言って活用に規則性がないタイプの動詞だったんだ。だから活用は丸暗記しなければいけなかったよね？ でも、他の大部分の動詞の活用は大きく３つのタイプに分かれるんだ。

イタリア語の動詞の全体像をまとめると次のようになるよ。

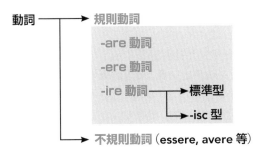

今日は、まず規則動詞の中の"-are 動詞"から見ていくことにするよ。動詞の不定詞（原形）の語尾が"-are"のものを"-are 動詞"といって、このタイプの動詞はすべて同じ活用のパターンを持っているんだ。さっきのパンフレットにあった"アマーレ"と"カンターレ"を例に挙げてみるよ。

ア ー レ
-are 動詞

	アマーレ amare「愛する」
イオ io	アーモ amo
トゥ tu	アーミ ami
ルイ レイ レイ lui / lei / Lei	アーマ ama
ノイ noi	ア ミアーモ amiamo
ヴォイ voi	ア マーテ amate
ローロ loro	アーマノ amano

	カンターレ cantare「歌う」
イオ io	カント canto
トゥ tu	カンティ canti
ルイ レイ レイ lui / lei / Lei	カンタ canta
ノイ noi	カンティアーモ cantiamo
ヴォイ voi	カンターテ cantate
ローロ loro	カンタノ cantano

ア マ ー レ
amare
動「愛する」

カ ン タ ー レ
cantare
動「歌う」

まずは不定詞を確認しておくよ。"amare" も "cantare" も "-are" で終わっているよね？　こういった動詞が "-are 動詞" なんだ。そして主語に合わせた活用形を見てごらん。両方とも同じ形で活用していることに気づくかな？

　不定詞から -are を除いた語幹部分（"am-"、"cant-"）に "-o, -i, -a, -iamo, -ate, -ano" という "活用語尾" を付けて活用しているよね？　実は規則的な "-are 動詞" はすべてこの同じ活用語尾を付けることで活用するんだ。簡単でしょ？

> あとアクセントだけど、noi「私たち」(-iamo) と voi「君たち」(-ate) は活用語尾の a の上にアクセントが落ちるけど、それ以外は語幹部分にアクセントが落ちるんだ。特に loro「彼ら／彼女ら」のアクセントは間違いやすいから音声をしっかり聴いて練習してね。いくつか例文を挙げるよ。

トゥ バルリ イタリアーノ　　スィ バルロ イタリアーノ
Tu parli italiano? - Sì, parlo italiano.

君はイタリア語を話す？　－はい、話します。

ルチーア カンタ ウナ カンツォーネ ナポレターナ
Lucia canta una canzone napoletana.

ルチーアはナポリ民謡を歌います。

イオ エ ミオ マリート アミアーモ ノストラ フィッリャ
Io e mio marito amiamo nostra figlia.

私と夫は私たちの娘を愛しています。

トルナーテ ア カーサ
Tornate a casa?

君たちは家に帰るの？

カルロ エ ジューリア ラヴォーラノ イ ヌナ バンカ
Carlo e Giulia lavorano in una banca.

カルロとジューリアは銀行で働いています。

> どうだい？　活用語尾さえ覚えてしまえば "-are 動詞" はすべて同じように活用できるんだ。あとは語彙を増やせばいいだけだね。

ただ、少し変則的な形になる"注意すべき -are 動詞"があるよ。もっとも"-o, -i, -a, -iamo, -ate, -ano"という基本的な活用語尾は変わらないけどね。次の2つの場合は注意して。

①不定詞の語尾が"-iare"の場合
主語が tu と noi のとき、語幹の最後の i が省略される。

	マンジャーレ mangiare 『食べる』		イオ io	ストゥディアーレ studiare 『勉強する』
イオ io	マンジョ mangio		トゥ tu	ストゥーディオ studio
トゥ tu	マンジ mangi (× mangii)		ルイ / レイ / レイ lui / lei / Lei	ストゥーディ studi (× studii)
ルイ レイ レイ lui / lei / Lei	マンジャ mangia		ノイ noi	ストゥーディア studia
ノイ noi	マンジャーモ mangiamo (× mangiiamo)		ヴォイ voi	ストゥディアーモ studiamo (× studiiamo)
ヴォイ voi	マンジャーテ mangiate		ローロ loro	ストゥディアーテ studiate
ローロ loro	マンジャノ mangiano			ストゥーディアノ studiano

マ ン ジ クワルコーサ
Mangi qualcosa?
君は何か食べますか？

イオエ ミ ア ソ レッラ ストゥディアーモ リ タリアーノ
Io e mia sorella studiamo l'italiano.
私と妹はイタリア語を勉強します。

バ ル ラ ー レ
parlare
動「話す」

ト ル ナ ー レ
tornare
動「帰る」

ラ ヴォ ラ ー レ
lavorare
動「働く」

ス トゥ ディ ア ー レ
studiare
動「勉強する」

ク ワ ル コ ー サ
qualcosa
代不定／
「何か、ある物」

イ タ リ ア ー ノ
italiano
名男
「イタリア語」

②不定詞の語尾が "-care, -gare" の場合

主語が tu と noi のとき、活用語尾の前に "h" を補う。

	チェルカーレ cercare「探す」
イオ io	チェルコ cerco
トゥ tu	チェルキ cerchi（×cerci）
ルイ レイ レイ lui / lei /Lei	チェルカ cerca
ノイ noi	チェルキアーモ cerchiamo（×cerciamo）
ヴォイ voi	チェルカーテ cercate
ローロ loro	チェルカノ cercano

	パガーレ pagare「払う」
イオ io	パーゴ pago
トゥ tu	パーギ paghi（×pagi）
ルイ レイ レイ lui / lei / Lei	パーガ paga
ノイ noi	パ ギアーモ paghiamo（×pagiamo）
ヴォイ voi	パガーテ pagate
ローロ loro	パガノ pagano

ノイ チェルキアーモ マーリオ
Noi cerchiamo Mario.
私たちはマリオを探しています。

パー ギ トゥイルカッフェ
Paghi tu il caffè?
コーヒー代は君が払ってくれる?

さあ、あとは習うより慣れろってことで、さっそく確認の練習問題をやってみようか。
次の（　　）内の動詞を主語に合わせて、適切に活用させてみて。

❶ マリーア
Maria _____ (comprare) una gonna.
コンプラーレ ウナ ゴンナ

マリーアは1着のスカートを買います。

❷ クワンド
Quando _____ (arrivare) i tuoi amici?
アッリヴァーレ イ トゥオイ アミーチ

君の友人たちはいつ到着しますか?

❸ トゥ ドーヴェ
Tu dove _____ (abitare)? - Io _____ a Kyoto.
アビターレ イオ ア キョウト

君はどこに住んでいるの?　ー私は京都に住んでいます。

チェルカーレ
cercare
動「探す」

パ ガーレ
pagare
動「支払う」

ク ワンド
quando
疑「いつ」

アッリヴァーレ
arrivare
動「到着する」

ア ビ ターレ
abitare
動「住む」

ア スコルターレ
ascoltare
動「聴く」

グ ワル ダーレ
guardare
動「見る」

ジョカーレ
giocare
動
「遊ぶ、スポーツをする」

オン ニ
ogni
形
「どの〜も、すべての」

❹ Io ___ (ascoltare) la musica, e Luigi ____ (guardare) la TV.

私は音楽を聴き、ルイージはテレビを見る。

❺ Noi _____ (giocare) a calcio ogni domenica.

私たちは毎週日曜日サッカーをします。

❻ Voi, che cosa _____ (regalare) a vostra madre?

君たちはお母さんに何をプレゼントしますか？

❼ Tu _____ (pagare) con la carta di credito?

君はクレジットカードで支払うのですか？

❽ Barbara _____ (telefonare) alle sue amiche ogni sera.

バルバラは毎晩女友達に電話をかけます。

❾ Paolo e Francesca _____ (aspettare) l'autobus.

パオロとフランチェスカはバスを待っています。

❿ Carlo, tu _____ (viaggiare) in treno per tutta l'Italia?

カルロ、君はイタリア中を電車で旅行するの？

domenica
名女「日曜日」

che cosa
疑「何」

regalare
動
「プレゼントする」

carta
名女「カード」

credito
名男
「クレジット、信用貸し」

telefonare
動「電話をかける」

aspettare
動「待つ」

viaggiare
動「旅行する」

tutto
形「すべての」

答え ① compra ② arrivano ③ abiti, abito ④ ascolto, guarda ⑤ giochiamo ⑥ regalate ⑦ paghi ⑧ telefona ⑨ aspettano ⑩ viaggi

　どうだったかな？ ❺と❼は"-care, -gare"で終わり、❿は"-iare"で終わる -are 動詞だから注意が必要だよ。それにしてもたくさんの動詞が出てきたね。でも、規則的な"-are 動詞"は全部同じ方法で活用させることができるから簡単だよね。これでいろいろな文を作れるようになるはずだよ。

それじゃ、この辺で文を構成する他の要素にも目を向けていこうか。今日はまず前置詞に注目するよ。

　それぞれの前置詞は多くの意味や用法を持っているから、基本的には出てきた文例ごとに、その意味や用法を覚えていくしかないけど、ここでは主な前置詞の代表的な使い方を挙げておくね。

前置詞

a　場所・時間・間接補語「～に」、方向「～へ」、目的（a+ 不定詞）「～のために」等

マーリオ アービタ ア フィレンツェ
Mario abita a Firenze. [場所]

　マリオはフィレンツェに住んでいる。

アッリーヴォ ア ローマ ア メッゾジョルノ
Arrivo a Roma a mezzogiorno. [場所・時間]

　私は正午にローマに着きます。

テレーフォニ ア ルチーア スタセーラ
Telefoni a Lucia stasera? [間接補語]

　君は今晩ルチーアに電話をしますか？

ヴァード ア コンプラーレ イル パーネ
Vado a comprare il pane. [目的]

　私はパンを買いに行きます。

da　起点（時間・空間）「～から」、方向・場所「～の所へ（で）」、性質「～を備えた」等

ストゥーディオ リングレーゼ ダ ドゥエ アンニ
Studio l'inglese da due anni. [時間]

　私は2年前から英語を勉強している。

ジョヴァンニ トルナ ダ ローマ スタセーラ
Giovanni torna da Roma stasera. [場所]

　ジョヴァンニはローマから今晩帰る。

パッソ レ ヴァカンツェ ダ ミオ ノンノ
Passo le vacanze da mio nonno. [場所]

　私は休暇を祖父の所で過ごす。

ルチーア エ ウナ ラガッツァ ダイ カペッリ ビオンディ
Lucia è una ragazza dai capelli biondi. [性質]

　ルチーアは金髪の少女です。

di　所有・所属「〜の」、出身「〜出身の」、時間の限定「〜に」等

クエスタ エ ラ マードレ ディ パーオロ
Questa è la madre di Paolo.［所有］

こちらはパオロのお母さんです。

ディ ドーヴェ セイ　　ソーノ ディ ローマ
Di dove sei? - Sono di Roma.［出身］

君はどこの出身？　　—ローマの出身です。

ウ ナ ミーコ ディ ルーカ ラヴォーラ ディ ノッテ
Un amico di Luca lavora di notte.［所有・時間］

ルーカの友人は夜に働く。

in　場所「〜（の中）に」、方向「〜へ」、時間「〜（以内）に」、手段「〜で」等

イ ミエイ ジェニトーリ ア ビ タ ノ イン アメーリカ
I miei genitori abitano in America.［場所］

私の両親はアメリカに住んでいる。

イン ジャッポーネ ラ スクオーラ コミン チャ イン アブリーレ
In Giappone, la scuola comincia in aprile.［時間］

日本では、学校は4月に始まる。

ラ レッテラ アッリーヴァ イン トゥ レ ジョルニ
La lettera arriva in tre giorni.［時間］

手紙は3日以内に届きます。

ヴィアッジャーモ イン マッキ ナ
Viaggiamo in macchina.［手段］

私たちは車で旅行します。

左列見出し:

メッゾジョルノ
mezzogiorno
名男「正午」

スタセーラ
stasera
副「今晩」

アンダーレ
andare
動「行く」

コンプラーレ
comprare
動「買う」

パーネ
pane
名男「パン」

イングレーゼ
inglese
名男「英語」

パッサーレ
passare
動
「過ごす、通り過ぎる」

ヴァカンツァ
vacanza
名女「休暇」

カペッロ
capello
名男「髪の毛」

ビオンド
biondo
形「金髪の」

アメーリカ
America
名女
「アメリカ合衆国」

ジャッポーネ
Giappone
名男「日本」

コミンチャーレ
cominciare
動
「始まる、始める」

アプリーレ
aprile
名男「4月」

レッテラ
lettera
名女「手紙、文字」

su　場所「〜の上に」、話題「〜に関する」等

イルトゥオ テレフォニーノ エス クエル ターヴォロ
Il tuo telefonino è su quel tavolo. ［場所］

君の携帯電話はあの机の上にある。

クエスト エイルリーブロ ス マキャヴェッリ
Questo è il libro su Machiavelli. ［話題］

これはマキャベッリに関する本です。

con　同伴「〜と一緒に」、付属「〜付きの」、手段「〜を用いて」等

イオ アービト コン ラ ミア ファミッリャ
Io abito con la mia famiglia. ［同伴］

私は家族と一緒に住んでいます。

アヴェーテ ウナ カーメラ スィンゴラ コン バーニョ
Avete una camera singola con bagno? ［付属］

バス付のシングルルームはありますか？

ヴィアッジャーモ コン ラ マッキナ
Viaggiamo con la macchina. ［手段］

私たちは車で旅行します。

per　目的・理由「〜のために」、方向「〜へ」、通過「〜を通って」、
時間「〜の間」等

ミオ パードレ エ ア ミラーノ ペル ラヴォーロ
Mio padre è a Milano per lavoro. ［理由］

父は仕事のためにミラノにいます。

クエッロ エ ラエーレオ ペル パリージ
Quello è l'aereo per Parigi. ［方向］

あれはパリへ向かう飛行機だ。

オンニ ジョルノ ラヴォーロ ペル オット オーレ
Ogni giorno, lavoro per otto ore. ［時間］

毎日、私は 8 時間働いている。

パッスィアーモ ペル ウナ スコルチャトーイア
Passiamo per una scorciatoia. ［通過］

私たちは近道を通って行きます。

fra(tra)

二者・2つのモノの関係（人・空間）「〜の間に（で）」、
時間の経過「〜後に」等

イル バール エ フラ ラ バンカ エ イル コムーネ
Il bar è fra la banca e il comune. ［空間］

そのバールは銀行と役所の間にある。

ノン チェ ネッスーン プロブレーマ フラ ノイ
Non c'è nessun problema fra noi. ［人］

私たちの間にはいかなる問題もない。

イ ミエイ パレンティ アッリーヴァノ フラ ドゥエ ジョルニ
I miei parenti arrivano fra due giorni. ［時間］

私の親戚は2日後に到着する。

senza

欠如・不在「〜なしで」等

プレノート ウナ カーメラ センツァ バーニョ
Prenoto una camera senza bagno. ［欠如］

私はバスなしの部屋を予約する。

前置詞の意味をすべて、今覚える必要はないよ。
今から話す"前置詞と定冠詞の結合"もそう。
そういう現象が起こるということだけ知っておいて。

テレフォニーノ
telefonino
名男「携帯電話」

ターヴォロ
tavolo
名男「机」

スィンゴロ
singolo
形
「個人用の、シングルの」

ラヴォーロ
lavoro
名男「労働、仕事」

アエーレオ
aereo
名男「飛行機」

パリージ
Parigi
名女「パリ」

オーラ
ora
名女「時間」

スコルチャトーイア
scorciatoia
名女「近道」

コムーネ
comune
名男
「役所、地方自治体」

ネッスーノ
nessuno
形不定「なんの
…もない」

プロブレーマ
problema
名男「問題」
＊ -a で終わるが
男性名詞

パレンテ
parente
名男女「親戚」

プレノターレ
prenotare
動「予約する」

今説明した前置詞のうち、"a, da, di, in, su" の 5 つの前置詞は、その直後に定冠詞が来ると、何とその定冠詞と結合して形が変わっちゃうんだ。結合した後の形は次のようになるよ。

例文と一緒に確認してみて。

	il	lo	la	l'	i	gli	le
a	アル al	アッロ allo	アッラ alla	アッル all'	アイ ai	アッリ agli	アッレ alle
da	ダル dal	ダッロ dallo	ダッラ dalla	ダッル dall'	ダイ dai	ダッリ dagli	ダッレ dalle
di	デル del	デッロ dello	デッラ della	デッル dell'	デイ dei	デッリ degli	デッレ delle
in	ネル nel	ネッロ nello	ネッラ nella	ネッル nell'	ネイ nei	ネッリ negli	ネッレ nelle
su	スル sul	スッロ sullo	スッラ sulla	スッル sull'	スイ sui	スッリ sugli	スッレ sulle

マーリオ テレーフォナ アイ スオイ アミーチ
Mario telefona ai suoi amici.［a+i］
　マリオは彼の友人たちに電話する。

ヴェンゴ ダル ジャッポーネ
Vengo dal Giappone.［da+il］
　私は日本から来ています。

ソーノ イ リーブリ デッラ ソレッラ ディ ルチーア
Sono i libri della sorella di Lucia.［di+la］
　それらはルチーアの姉の本だ。

ラ キアーヴェ エ ネッロ ザイノ
La chiave è nello zaino.［in+lo］
　鍵はそのリュックの中にあります。

イ トゥオイ オッキアーリ ソーノ スッ ラルマーディオ
I tuoi occhiali sono sull'armadio.［su+l'］
　君の眼鏡は戸棚の上にあります。

この "前置詞と定冠詞の結合" については、今後のレッスンでも例文の中で必ず出てくるから、そのつど思い出してくれればいいよ。常に意識さえしていれば、そのうち自然に形を覚えるからね。
そこまでいけば、あとは自分でも使おうとチャレンジしてみると定着するよ。

あっそうそう、前置詞の "di" と定冠詞の結合形は "部分冠詞" としても用いられるよ。"部分冠詞" というのは、「いくつかの／いくらかの」といった不明確な数量を表す冠詞のこと。英語では "some" や "any" といった形容詞を使うけど、イタリア語では "部分冠詞" を使うんだ。

　数えられる名詞が「いくつか」あるときは、前置詞の di と複数形の定冠詞を結合させ、数えられない名詞（水、ワインなどの液体など）が「いくらかの量」あるときは、前置詞の di と単数形の定冠詞を結合させるんだ。

　この部分冠詞についても、今は頭のどこかに「そういえばそんなのあったなぁ」って入れて置く程度でいいよ。

ネル フリーゴ チ ソーノ ディ ポモドーリ
Nel frigo ci sono dei pomodori. [di+i]

「トマト」（数えられる名詞）➡ 複数

　　冷蔵庫の中にいくつかトマトがある。

ポルト テル ヴィーノ アッラ フェスタ
Porto del vino alla festa. [di+il]

「ワイン」（数えられない名詞）➡ 単数

　　パーティーにいくらかワインを持参します。

ヴェニーレ
venire
動 「来る」

オッキアーリ
occhiali
名男複 「眼鏡」

アルマーディオ
armadio
名男
「戸棚、タンス」

フリーゴ
frigo
名男 「冷蔵庫」

ポモドーロ
pomodoro
名男 「トマト」

ポルターレ
portare
動
「運ぶ、連れて行く」

フェスタ
festa
名女
「パーティー、祭り」

-are動詞

それじゃ、前置詞についての練習問題をしてみるよ。さっきのホワイトボードを見ながら、意味を確認するようなつもりで空欄を埋めてみて。いくつかの（　　）には前置詞と定冠詞の結合形が入るよ。

❶ Questa rivista è (　　　　) Giacomo.
クエスタ リヴィスタ エ　　　　ジャコモ
この雑誌はジャコモのです。

❷ Telefono (　　　　) Lucia stasera.
テレーフォノ　　　　ルチーア スタセーラ
私は今晩ルチーアに電話する。

❸ Mario gioca a calcio (　　　　) i suoi amici.
マーリオ ジョーカ ア カルチョ　　　　イ スオイ アミーチ
マリオは友人たちと一緒にサッカーをします。

❹ Dove è il treno (　　　　) Napoli?
ドーヴェ エイルトゥレーノ　　　　ナーポリ
ナポリ行きの電車はどこですか?

❺ Abitiamo a Roma (　　　　) un anno.
アビティアーモ ア ローマ　　　　ウ ンアンノ
私たちは1年前からローマに住んでいます。

❻ Il fazzoletto è (　　　　) tasca.
イルファッツォレット エ　　　　タスカ
ハンカチはそのポケットの中にある。

❼ Mangio un panino (　　　　) bar.
マンジョ ウン パニーノ　　　　バール
私はバールでサンドイッチを食べる。

❽ La figlia (　　　　) signor Rossi è molto bella.
ラ フィッリャ　　　　スィニョール ロッスィ エ モルト ベッラ
ロッシさんの娘はとても美しい。

答え ① di ② a ③ con ④ per ⑤ da ⑥ nella ⑦ al ⑧ del

100

さあ、もうひと頑張り。今日も最後は気楽に数字を覚えていこう。買い物の金額やホテルの部屋番号、旅行した時に何かと数字は必要になってくるからね。前回は 100 までの数字を勉強したね。

今日はそれ以上の大きな数を一気に覚えちゃおう。

数詞（100 〜 10 億）

100	チェント cento	150	チェントチンクワンタ centocinquanta	200	ドゥエチェント duecento	900	ノヴェチェント novecento
1000	ミッレ mille	2000	ドゥエミーラ duemila	1万	ディエチミーラ diecimila	10万	チェントミーラ centomila
100万	ウン ミリオーネ un milione	1千万	ディエチ ミリオーニ dieci milioni	1億	チェント ミリオーニ cento milioni	10億	ウン ミリアルド un miliardo

　100 を表す cento には複数形がないんだ。そして 1000 を表す mille の複数形は mila となるよ。

　1 万という数字からは君たち日本人は特に注意しなければいけない。イタリア語を見て。diecimila　つまり、1000 が 10 個と考えるんだ。同じように 10 万は 1000 が 100 個と考える。「万」という桁はイタリア語にはないんだよ。

桁が変わるのは 100 万のときの milione と 10 億のときの miliardo だ。もっともそんな大きな数字は、旅行ではほとんど使わないと思うけどね。

ファッツォレット
fazzoletto
名男「ハンカチ」

タスカ
tasca
名女「ポケット」

51頁
参照

よし、今日はもう1つ別の種類の数字も教えておくよ。"序数"といって、「1番目の、2番目の……」と順序を表すときに使うものだよ。
この序数は、修飾する名詞の性・数に合わせて、-oで終わるタイプの形容詞と同じように語尾変化をするよ。

1番目の	プリーモ primo (i/a/e)	2番目の	セコンド secondo	3番目の	テルツォ terzo
4番目の	クワルト quarto	5番目の	クイント quinto	6番目の	セスト sesto
7番目の	セッティモ settimo	8番目の	オッターヴォ ottavo	9番目の	ノーノ nono
10番目の	デーチモ decimo	11番目の	ウンディチェージモ undicesimo	12番目の	ドディチェージモ dodicesimo

アービト アル テルツォ ピアーノ
Abito al terzo piano. 　私は3階に住んでいます。

エイルリトラット ディ フェデリーコ 　セコンド
È il ritratto di Federico II (secondo).

あれはフェデリーコ二世の肖像画だ。

ルーカ コンプラ イルビッリェット ディ プリマ クラッセ
Luca compra il biglietto di prima classe.

ルーカは一等車の切符を買う。

イル 　ドディチェージモ 　コンコルソ
Il XII (dodicesimo) concorso 　　「第12回コンクール」

"1番目の"から"10番目の"までは形を覚えてね。"11番目の"以降は、原則として数詞の語尾母音を落として"-esimo"を付け加えるよ。

さあ、今日のレッスンはこれでおしまい。

今日もたくさんのことを君は学んだね。
"-are 動詞" の活用に "前置詞"。少しずつ複雑な文も作れるようになってきた。
君は僕の言うことをグングン吸収してくれるから、僕もとても嬉しいよ。

"-are 動詞" の活用については、何度も何度も声に出して読むことで覚えていってね。英語と違って、1つの動詞に6つの形があるわけだから、1回ノートに書くより10回声に出した方がずっと効果的だよ。

次回は規則動詞の残りの2つ "-ere 動詞" と "-ire 動詞" を勉強するよ。楽しみにしていてね。
もっと多くの表現ができるようになるよ。Ciao!

リトラット
ritratto
名男「肖像画」

クラッセ
classe
名女
「階級、(乗り物の)
等級、クラス」

コンコルソ
concorso
名男
「コンクール」

-are 動詞

今日のレッスンは、
規則動詞の残り2つ、
"-ere 動詞" と "-ire 動詞"
の活用から始めよう。

前回学んだ "-are 動詞" との違いを確認してね。とくに "-ire 動詞" は2パターンの活用があるから要注意だよ。

それから今日は "疑問詞" も紹介しよう。「いつ・どこで・誰と・何を・どのように……」相手に質問したり、相手からの質問に答えたりすることから、いつもコミュニケーションは始まるからね。いわば心を通い合わせるための第一歩だよ。

-ere 動詞、-ire 動詞の現在形と疑問詞

Lezione 6

Ciao, come stai?
今日は 6 回目のレッスンだね。sesta lezione だ。
前回最後にやった序数を覚えてる？ "6 番目" は
"sesto" だったよね？ lezione は女性名詞だから
語尾変化して "sesta lezione" いいよね？

　前回は序数のほかに、規則動詞の -are 動詞や前置詞も勉強したよね？ ちゃんと復習してくれた？ 何度も声に出して "読んだ" し、ノートにも "書いて" 覚えたから動詞の活用は完ぺきだけど、前置詞と定冠詞の結合形がまだよく "わからない" って？ 大丈夫！ -are 動詞の活用さえ覚えていれば十分だよ。前置詞と定冠詞の結合形は少しずつ覚えていけばいいよ。

　それじゃ、今日は規則動詞の残りの２つ、-ere 動詞と -ire 動詞の活用を勉強していくよ。この２つの規則動詞の活用を覚えてしまえば、ほとんどの動詞は使えることになるね。まずは "-ere 動詞"、不定詞の語尾が "-ere" で終わる動詞だね。さっき君が言った "読む" や "書く" もこの仲間だよ。さっそくホワイトボードに活用表を書いてみるよ。

<ruby>-ere<rt>エ レ</rt></ruby> 動詞

	leggere「読む」 <small>レッジェレ</small>		scrivere「書く」 <small>スクリーヴェレ</small>
io <small>イオ</small>	leggo <small>レッゴ</small>	io <small>イオ</small>	scrivo <small>スクリーヴォ</small>
tu <small>トゥ</small>	leggi <small>レッジ</small>	tu <small>トゥ</small>	scrivi <small>スクリーヴィ</small>
lui / lei / Lei <small>ルイ レイ レイ</small>	legge <small>レッジェ</small>	lui / lei / Lei <small>ルイ レイ レイ</small>	scrive <small>スクリーヴェ</small>
noi <small>ノイ</small>	leggiamo <small>レッジャーモ</small>	noi <small>ノイ</small>	scriviamo <small>スクリヴィアーモ</small>
voi <small>ヴォイ</small>	leggete <small>レッジェーテ</small>	voi <small>ヴォイ</small>	scrivete <small>スクリヴェーテ</small>
loro <small>ローロ</small>	leggono <small>レッゴノ</small>	loro <small>ローロ</small>	scrivono <small>スクリーヴォノ</small>

　-ere 動詞の活用は、不定詞から -ere を除いた語幹部分（"legg-", "scriv-"）に、"-o, -i, -e, -iamo, -ete, -ono" という活用語尾になるよ。-are動詞の活用と形が異なるのは、主語が「彼・彼女・あなた」、「君たち」、「彼ら・彼女ら」の場合だね。

　あと不定詞の発音にも注意して。-are 動詞の場合は「アマーレ、カンターレ」と "-àre" の部分にアクセントが落ちたけど、ほとんどの -ere 動詞では語幹部分にアクセントが落ちるんだ。（○スクリーヴェレ、×スクリヴェーレ）それじゃ、実際に例文を作ってみようか。

<ruby>leggere<rt>レッジェレ</rt></ruby>
動「読む」

<ruby>scrivere<rt>スクリーヴェレ</rt></ruby>
動「書く」

-ere/-ire 動詞

ケ　コ ー サ ブレンディ アル バール　　　ブレンド ウン カッフェ
Che cosa prendi **al bar?** - **Prendo** un caffè.

君はバールで何を注文する？　—コーヒーを注文します。

イル ネゴーツィオ キ ウー デ アッレ セッテ
Il negozio chiude **alle sette.**

その店は 7 時に閉まります。

ヴォイ コ ノ シェー テ ラ モッリェ ディ バーオロ
Voi conoscete **la moglie di Paolo?**

君たちはパオロの奥さんを知っていますか？

マ ー リオ レッジェ ウン リーブロ エ ルチーア スクリーヴェ ウ ナ レッ テ ラ
Mario legge **un libro e Lucia** scrive **una lettera.**

マリオは本を読み、ルチーアは手紙を書く。

ペ ル ケ ビ アン ゴ ノ クエイ ラガッツィ
Perché piangono **quei ragazzi?**

なぜあの少年たちは泣いているのですか？

　-ere 動詞の場合は、-are 動詞のように変則的な形（-iare とな
る場合の語幹の i の省略や -care, -gare となる場合の h の付加等）
はないので、活用語尾の変化を覚えるだけでいいよ。

> さあ、今日最初の練習問題だよ。次の（　　）内の
> 動詞を主語に合わせて、適切に活用させてみて。

❶ イオ エ マリーア　　　　ブレンデレ イルタクシ ペル トルナーレ アッ ラ ル ベ ル ゴ
　Io e Maria _____ **(prendere) il taxi per tornare all'albergo.**

　私とマリーアはホテルに帰るためにタクシーに乗ります。

❷ マ ル コ トゥ コン キ　　　ヴィーヴェレ　　　　ヴィーヴェレ コン ミ ア
　Marco, tu con chi _____ **(vivere)?** - _____ **(vivere) con mia**
　マードレ
　madre.

　マルコ、君は誰と一緒に暮らしているの？

　—僕は母と暮らしています。

108

❸ Paolo ＿＿＿＿ (mettere) la chiave sulla tavola.

<small>メッテレ ラ キアーヴェ スッラ ターヴォラ</small>

パオロはテーブルの上に鍵を置きます。

❹ Io ＿＿＿＿ (vendere) la mia macchina.

<small>ヴェンデレ ラ ミア マッキナ</small>

私は車を売ります。

❺ Gli studenti ＿＿＿＿ (leggere) la rivista a fumetti ogni settimana.

<small>レッジェレ ラ リヴィスタ ア フメッティ オンニ</small>

<small>セッティマーナ</small>

その学生たちは毎週その漫画雑誌を読みます。

❻ Ragazzi, voi ＿＿＿＿ (vedere) Giovanni stasera?

<small>ヴェデーレ ジョヴァンニ スタセーラ</small>

君たちは今晩ジョヴァンニに会いますか？

答え ① prendiamo ② vivi, vivo ③ mette ④ vendo ⑤ leggono ⑥ vedete

どうだったかな？ ❶の動詞 prendere は「（食べ物や飲み物を）注文する」という意味のほかに「（乗り物に）乗る」という意味もあるんだよ。あと❶と❸には、前回学んだ"前置詞と定冠詞の結合"形が出てきているね。"a + l' = all'（その〜に）"、"su + la = sulla（〜の上に）"だよね。

<small>プレンデレ</small>
prendere
動
「（飲食物を）注文する、（乗り物に）乗る」

<small>ネゴーツィオ</small>
negozio
名男「店」

<small>キウーデレ</small>
chiudere
動
「閉める、閉まる」

<small>コノッシェレ</small>
conoscere
動
「知る、知っている」

<small>ピアンジェレ</small>
piangere
動「泣く」

<small>タクシ</small>
taxi
名男「タクシー」

<small>ヴィーヴェレ</small>
vivere
動「暮らす、生活する、生きる」

<small>メッテレ</small>
mettere
動「置く」

<small>ヴェンデレ</small>
vendere
動「売る」

<small>フメット</small>
fumetto
名男「漫画」

<small>セッティマーナ</small>
settimana
名女「週」

<small>ヴェデーレ</small>
vedere
動「見る、会う」

-ere/-ire 動詞

それじゃ、次は規則動詞の最後になる"-ire 動詞"について説明するよ。
不定詞の語尾が -ire で終わっている動詞だ。
前回、僕がイタリア語の動詞の全体像をホワイトボードに書いたのを覚えてる？ その中で"-ire 動詞"だけは"標準型"と"-isc 型"に分かれていたよね。
そう"-are 動詞"や"-ere 動詞"とは異なり、"-ire 動詞"だけは、活用のパターンが 2 種類あるんだ。

まずは、標準型の活用から見てみよう。

-ire 動詞（標準型）

	partire「出発する」		dormire「眠る」
io	parto	io	dormo
tu	parti	tu	dormi
lui / lei / Lei	parte	lui / lei / Lei	dorme
noi	partiamo	noi	dormiamo
voi	partite	voi	dormite
loro	partono	loro	dormono

　-ire 動詞（標準型）の活用は、不定詞から -ire を除いた語幹部分（"part-", "dorm-"）に、"-o, -i, -e, -iamo, -ite, -ono" という活用語尾になるよ。さっき覚えた -ere 動詞の活用と似ているね。違うのは主語が『君たち (voi)』のときに "-ite" となることくらいかな。それじゃ、次にもう 1 つの "-isc 型" の活用を見てみるよ。

	カピーレ capire「理解する」			フィニーレ finire「終わる、終える」
イオ io	カ ビスコ cap**isc**o		トゥ io	フィニスコ fin**isc**o
トゥ tu	カ ビッシ cap**isc**i		トゥ tu	フィニッシ fin**isc**i
ルイ レイ レイ lui / lei / Lei	カ ビッシェ cap**isc**e		ルイ レイ レイ lui / lei / Lei	フィ ッシェ fin**isc**e
ノイ noi	カ ビア ー モ cap**i**amo		ノイ noi	フィニアーモ fin**i**amo
ヴォイ voi	カ ビ ー テ cap**i**te		ヴォイ voi	フィニーテ fin**i**te
ロ ー ロ loro	カ ビスコ ノ cap**isc**ono		ロ ー ロ loro	フィニスコ ノ fin**isc**ono

-ire 動詞 (-isc 型) の活用は、語幹部分に "-o, -i, -e, -iamo, -ite, -ono" という活用語尾を付けるところまでは標準型と同じだけど、主語が「私 (io)」「君 (tu)」「彼、彼女、あなた (lui, lei, Lei)」そして「彼ら、彼女ら (loro)」のときには、語幹部分と活用語尾との間に "-isc" という音を入れるんだ。

ホワイトボードをよく見て確認してごらん。

バルティ ー レ
partire
動「出発する」

ド ル ミ ー レ
dormire
動「眠る」

カ ピ ー レ
capire
動
「理解する、わかる」

フィ ニ ー レ
finire
動
「終わる、終える」

それじゃ、問題は「標準型」と「-isc 型」の見分け方だよね。-ire 動詞が出てきたときにどちらの活用のタイプになるのか。勿論、辞書を引くのが一番確実な方法だけど、活用語尾の直前の子音の並びで大体は見分けられるんだ。

① 活用語尾の直前に子音が 2 つ以上並ぶとき
   （子音＋子音＋ -ire のとき）➡ 標準型
   例 partire, dormire, aprire, offrire

② 活用語尾の直前に子音が 1 つだけの場合
   （母音＋子音＋ -ire のとき）➡ -isc 型
   例 capire, finire, spedire, pulire

イオ カ ビ ス コ　リタリアーノ エ ミ ア　モッリェ カピッシェ　リングレーゼ
Io capisco l'italiano e mia moglie capisce l'inglese.

私はイタリア語がわかり、妻は英語がわかります。

マリーア　トゥ センティ フレッド
Maria, tu senti freddo?

マリーア、君は寒く感じるかい？

ア　ケ　オーラ フィニッシェ イル コンチェルト
A che ora finisce il concerto?

何時にそのコンサートは終わりますか？

スタセーラ ノイ　ドルミアーモ イン クエスタ　カーメラ
Stasera noi dormiamo in questa camera.

今晩私たちはこの部屋で眠ります。

スィニョール ロッスィ　レイ コーサ プレフェリッシェ　ラ カルネ オ イル ペッシェ
Signor Rossi, Lei cosa preferisce, la carne o il pesce?

ロッシさん、あなたは肉か魚のどちらがお好みですか？

それじゃ、確認の練習問題をしてみよう。次の（　　）内の動詞を主語に合わせて、適切に活用させてみて。勿論、標準型の動詞と -isc 型の動詞が入り混じっているから気をつけて。

① Paolo, tu a chi _____ (spedire) la lettera?

パオロ、君は誰にその手紙を送るんだい？

② Quando _____ (partire) Mario per il Giappone?

マリオはいつ日本に向けて出発しますか？

③ Voi, che cosa _____ (offrire) a Lucia?

君たちはルチーアに何をおごりますか？

④ Mia madre ____ (aprire) le finestre e ____ (pulire) le camere.

私の母は窓を開けて部屋を掃除します。

⑤ Gli studenti _____ (capire) la lezione di oggi.

その学生たちは今日の授業を理解しています。

⑥ Le ragazze _____ (fuggire) di casa stasera.

その少女たちは今晩家出をする。

答え ① spedisci ② parte ③ offrite ④ apre, pulisce ⑤ capiscono ⑥ fuggono

---

アプリーレ
aprire
動「開ける、開く」

オッフリーレ
offrire
動「おごる、提供する」

スペディーレ
spedire
動「郵送する」

プリーレ
pulire
動「清掃する」

センティーレ
sentire
動「聞く、感じる」

コンチェルト
concerto
名男「コンサート」

プレフェリーレ
preferire
動「（〜の方を）好む、選ぶ」

オ
o
接「あるいは、または」

フィネストラ
finestra
名女「窓」

レツィオーネ
lezione
名女「レッスン、授業」

オッジ
oggi
副「今日」

フッジーレ
fuggire
動「逃げる」

-ere/-ire 動詞

113

どうだったかな？
spedire, pulire, capire が -isc 型の -ire 動詞だね。
あとは主語に気をつけて活用させれば問題はないはずだ。
だいぶ動詞の活用も慣れてきたよね？
これで規則動詞の活用はすべて説明したよ。もうかなりの
文が作れるはずだ。日常生活のあらゆる場面で、「これをイ
タリア語で言うとどうなるだろう？」って意識してほしいな。

それじゃ、今日も後半は、文を構成する他の要素に目を向け
ていくよ。今日は "疑問詞" だ。これまでにも例文の中で
結構出てきていたから、気になっていたんじゃないかな。

コミュニケーションを図るためにも、情報を得るためにも疑
問表現は使いこなせるようになりたいよね。ここでは主な疑
問詞の代表的な使い方を挙げておくよ。

che cosa 「何、何が、何を」（物）

* "cosa" や "che" の形だけでも疑問詞として用いる。

ケ コーサ エ ケ コ ゼ クエスト
Che cosa è (Che cos'è) questo?

これは何ですか？

ケ コーサ コンプリ アル スーペルメルカート
Che cosa compri al supermercato?

君はスーパーで何を買いますか？

ケ チェ スッラ ターヴォラ
Che c'è sulla tavola?

テーブルの上には何がありますか？

che ＋名詞：「何の〜、どんな〜」 *この形容詞の用法は "che" の形だけ。

ケ ムーズィカ アスコルターテ
Che musica ascoltate?

君たちはどんな音楽を聴いているの？

ケ オーラ エ ケ オーレ ソーノ
Che ora è? (Che ore sono?)

今何時ですか？

chi 「誰、誰が、誰を」（人）

キ エ クエル スィニョーレ
Chi è quel signore?

あの男性は誰ですか？

キ インヴィーティ アッラ フェスタ
Chi inviti alla festa?

君は誰をパーティーに招待しますか？

キ プリッシェ クエスタ クチーナ
Chi pulisce questa cucina?

この台所を誰が掃除しますか？

インヴィターレ
invitare
動「招待する」

quando 「いつ」（時）

クワンド エイルトゥオ コンプレアンノ
Quando è il tuo compleanno?

君の誕生日はいつですか？

クワンド パルティーテ ペル ミラーノ
Quando partite per Milano?

君たちはいつミラノに出発するのですか？

dove 「どこ、どこに」（場所）

ドーヴェ エ ドーヴェ イルバーニョ
Dove è (Dov'è) il bagno?

お手洗いはどこですか？

ドーヴェ ア ビ タ ノ イトゥオイ ジェニトーリ
Dove abitano i tuoi genitori?

君の両親はどこにお住まいですか？

come 「どのような、どのように、どうやって」（様子、手段・方法）

コ メ スターイ
Come stai?

元気ですか？（君はどのような状態ですか？）

コ メ エ コ メ クエル ピャット
Come è (Com'è) quel piatto?

その料理はどうですか？

コ メ トルニ ア カーサ
Come torni a casa?

君はどうやって家に帰りますか？

perché 「なぜ、なぜなら」（理由）

＊答えるときも perché で始めます。
＊アクセント記号の向きにも注意。

ペ ル ケ ストゥーディ リタリアーノ
Perché studi l'italiano?

なぜ君はイタリア語を勉強しているの？

ペ ル ケ アーモ ラ クルトゥーラ イタリアーナ
Perché amo la cultura italiana.

私はイタリア文化を愛しているからです。

quale 「どのような、どちらの」（性質、種類）

*単複の語尾変化あり。複数形は quali

クワーレ スタジョーネ プレフェリッシ
Quale stagione preferisci?

君はどの季節が好きですか？

クワーリ リーブリ プレフェリッシェ ルチーア
Quali libri preferisce Lucia?

ルチーアはどんな本が好きですか？

クワーレ ディ クエステ ゴンネ コンプリ
Quale di queste gonne compri?

これらのスカートのうちどれを買いますか？

quanto 「いくつの、どれくらいの」（数量）

*性・数の語尾変化あり。quanto/i/a/e

クワンティ アンニ アイ
Quanti anni hai?

君は何歳ですか？

クワンテ オーレ ラヴォーリ アッラ セッティマーナ
Quante ore lavori alla settimana?

君は1週間に何時間働きますか？

クワント コスタ クエスタ ボルサ
Quanto costa questa borsa?

このカバンはいくらですか？

-ere/-ire 動詞

結構種類がたくさんあるね。疑問詞については使いながら覚えていくしかないよ。だから、これからはイタリアのことや僕のプライベートに関して、もっと質問をぶつけてみて。そうすれば僕たちの距離ももっと近くなるよね。

コンプレアンノ
compleanno
名男「誕生日」

ピャット
piatto
名男「皿、料理」

クルトゥーラ
cultura
名女「文化」

スタジョーネ
stagione
名女「季節」

コスターレ
costare
動「費用がかかる」

ここで、**イタリア語の疑問文で注意すること**を２つ挙げておくよ。まず、疑問詞を使った疑問文では、主語が動詞の後に来ることが多くなるということ。例文を見てもそうだよね。それからもう1つは、**"前置詞＋疑問詞"の形で疑問表現を作ることが多い**ことなんだ。いくつか例を挙げてみるよ。

前置詞
94頁参照

前置詞＋疑問詞の疑問文

ア　キ　テレーフォニ　　　テレーフォノ　ア　ウン　ミオ　アミーコ
A chi telefoni? - Telefono a un mio amico.

君は誰に電話しますか？　　―私はある友人に電話をします。

ディ　キ　エ　クエスト　クワデルノ　　エ　ディ　マーリオ
Di chi è questo quaderno? - È di Mario.

このノートは誰のものですか？　　―マリオのものです。

コン　キ　アービタ　マリーア　　　アービタ　コン　ラ　スア　ファミッリャ
Con chi abita Maria? - Abita con la sua famiglia.

マリーアは誰と住んでいますか？　　―彼女の家族と住んでいます。

ア　ケ　オーラ　アプレイルネゴーツィオ　　アプレ　アッレ　ディエチ
A che ora apre il negozio? - Apre alle dieci.

何時にそのお店は開きますか？　　― 10 時に開きます。

ダ　クワンド　ストゥーディ　リタリアーノ　　ストゥーディオ　リタリアーノ　ダ　クエスタ
Da quando studi l'italiano? - Studio l'italiano da questa
プリマヴェーラ
primavera.

君はいつからイタリア語を勉強していますか？　　―この春から勉強
しています。

ディ　ドーヴェ　セイ　　　ソーノ　ディ　フィレンツェ
Di dove sei? - Sono di Firenze.

君はどこの出身ですか？　　―私はフィレンツェの出身です。

ダ　ドーヴェ　パルティ　ペル　ラ　フランチャ　　　パルト　ダッラ　スタツィオーネ　チェントラーレ
Da dove parti per la Francia? - Parto dalla stazione centrale.

君はどこからフランスに出発するのですか？　　―私は中央駅から
出発します。

ダ クワント テン ポ スィエーテア ロ ー マ　　スィアーモ クイ ダッ ランノ
Da quanto tempo siete a Roma? - **Siamo qui dall'anno**

ス コ ル ソ
scorso.

君たちはどのくらい前からローマにいますか？　ー私たちは昨年

からここにいます。

イン クワンティ スィエーテ　　スィアーモ イン チン ク エ
In quanti siete? - **Siamo in cinque.**

何名様ですか？　ー私たちは 5 人です。

プリマヴェーラ
primavera
名女「春」

チェントラーレ
centrale
形「中央の」

ス コ ル ソ
scorso
形「すぐ前の～、
先～、昨～」

基本的には疑問文の中で使った前置詞は、それに対する答えの文中でも使うことになるよ。それじゃ、ここで疑問詞に関する練習問題をしてみるよ。さっきのホワイトボードを見ながら、答えの文に注意して空欄に適切な疑問詞を入れてみて。いくつかの（　　）には前置詞と疑問詞が入るよ。語尾変化する疑問詞にも注意してね。

❶ (　　　　　) parti per Roma?　- Parto domani.

私は明日出発します。

❷ (　　　　　) vendi la tua macchina? - Perché non ho un soldo.

なぜなら私は無一文だからです。

❸ (　　　　　) portate i vostri amici? - Li portiamo al duomo.

私たちは彼らを大聖堂へ連れて行きます。

❹ (　　　　　) fratelli hai?　　- Ho due fratelli.

私には 2 人兄弟がいます。

❺ (　　　　　) stanno i tuoi genitori?　- Stanno molto bene.

彼らはとても元気です。

❻ (　　　　　) cravatta desidera, signore? - Desidero azzurra.

私はあの青い色のネクタイにするよ。

❼ (　　　　　) scrivi la lettera?　- Scrivo la lettera a mia nonna.

私は祖母に手紙を書きます。

❽ (　　　　　) comincia la lezione?　- Comincia alle sette.

7 時に始まります。

答え ① Quando ② Perché ③ Dove ④ Quanti ⑤ Come ⑥ Quale ⑦ A chi ⑧ A che ora

120

　どうだったかな？ 答えの文から問いが予想できたかな？ ❶は「時」、❷は「理由」、❸は「場所」、❹は「数」、❺は「様子」、❻は「性質」、❼は「人」、❽は「時間」を尋ねる疑問文だね。注意点を挙げておくと、❹の疑問詞 quanto は後に続く名詞に合わせて語尾変化しているね。あと❼❽は、前置詞＋疑問詞で疑問文を構成しているよ。

ド　マ　ー　ニ
domani
副「明日」

リ
li
代「彼らを」

ドゥオーモ
duomo
名男「大聖堂」

クラヴァッタ
cravatta
名女「ネクタイ」

デ　ズ　ィ　デ　ラ　ー　レ
desiderare
動「欲する、望む」

さあ、今日の最後は、時間をあらわす表現や曜日・月・季節などの語彙を覚えていこう。まずは時間を表す表現からだ。ホワイトボードを見て。

ケ オーラ エ ／ ケ オーレ ソーノ
Che ora è? ／ Che ore sono?　　今何時ですか？

エ ルーナ
-È l'una.　1 時です。

ソーノ レ ドゥエ　　ソーノ レ トゥレ
-Sono le due. ／　Sono le tre.　2 時です。／ 3 時です。

ソーノ レ クワットロ エ ヴェンティ
-Sono le quattro e venti.　4 時 20 分です。

ソーノ レ チンクエ エ トゥレンタ メッゾ
-Sono le cinque e trenta (mezzo).　5 時 30 分 (半) です。

エ メッゾジョルノ　　エ メッザノッテ
-È mezzogiorno. ／ È mezzanotte.　正午です。／真夜中零時です。

　まず大事なことは、時間 (ora) は女性名詞なんだ。だから数詞に女性の定冠詞を付けると時間を表すことになる。「1 時」の場合は 1(una) という数字が単数で母音から始まるので定冠詞は "l" になるけど、2 時以降は数字が複数になるので、定冠詞は必ず女性複数形の "le" を付けるんだよ。

　それと同時に essere 動詞も 1 時台は 3 人称単数の "è"、2 時以降は複数の "sono" を使うんだ。それから「～分」という表現は「e+ 数詞」の形でいいんだ。簡単だよね。30 分は数字の trenta を使ってもいいし、「半分」を表す mezzo/a も使えるよ。日本語でも「5 時半」とか言うから同じだね。

ア ケ オーラ フィニッシェ イル コンチェルト
A che ora finisce il concerto?

何時にそのコンサートは終わるの？

フィニッシェ アッルーナ エ メッゾ
-Finisce all'una e mezzo.　1 時 30 分に終わります。

フィニッシェ アッレ ノーヴェ
-Finisce alle nove.　9 時に終わります。

「何時に〜?」と尋ねるときは、必ず "A che ora ...?" となるよ。ポイントは「〜時に」を表すときに使う前置詞の "a" だよね。時間を表す女性定冠詞の "l" や "le" と結合させて使うんだ。

メッゾ
mezzo
形
「半分の、中間の」

メッザノッテ
mezzanotte
名女
「真夜中の零時」

それじゃ、次に曜日や月、季節の名称を覚えていこう。
月曜日から金曜日までは語尾の"-ì"にアクセントが落ちるよ。アクセント記号を付けてね。日曜日だけが女性名詞で、あとは全部男性名詞だよ。普通は冠詞を付けずに使うけど、定冠詞を付けると「毎週～曜日に」という意味になるよ。

ケ ジョルノ デッラ セッティマーナ エ オッジ
Che giorno della settimana è oggi?　今日は何曜日ですか？

月	火	水	木	金	土	日
ルネディ	マルテディ	メルコレディ	ジョヴェディ	ヴェネルディ	サーバト	ドメーニカ
lunedì	martedì	mercoledì	giovedì	venerdì	sabato	domenica

オッジ エ ジョヴェディ
Oggi è giovedì.

今日は木曜日です。

ジョキアーモ ア カルチョ ラ ドメーニカ
Giochiamo a calcio la domenica.

私たちは毎週日曜日にサッカーをします。

ケ ジョルノ デル メーゼ エ オッジ
Che giorno del mese è oggi?　今日は何月何日ですか？

1月	ジェンナーイオ gennaio	2月	フェッブラーイオ febbraio	3月	マルツォ marzo	4月	アプリーレ aprile
5月	マッジョ maggio	6月	ジューニョ giugno	7月	ルッリョ luglio	8月	アゴスト agosto
9月	セッテンブレ settembre	10月	オットーブレ ottobre	11月	ノヴェンブレ novembre	12月	ディチェンブレ dicembre

日付を言う場合には、数詞の前に男性の定冠詞を付けるよ。時間は女性名詞だったから、女性の定冠詞を付けたけど、日付 (giorno) は男性名詞だから男性の定冠詞。分かりやすいでしょう。それからイタリア語では日／月／年の順番で表すんだよ。

オッジ エイルクインディチ セッテンブレ
Oggi è il quindici settembre.

今日は 9 月 15 日です。

ソーノ ナートイルセイ ジューニョ ミッレノヴェチェントセッタンタトゥレ
Sono nato il sei giugno millenovecentosettantatré.

私は 1973 年 6 月 6 日生まれです。

最後は季節を表す単語だよ。

春	プリマヴェーラ primavera	夏	エスターテ estate
秋	アウトゥンノ autunno	冬	インヴェルノ inverno

さあ、今日のレッスンはこれでおしまい。

規則動詞の現在形の活用を全部説明したよ。まずは活用をしっかり覚えること。何度も声に出して活用を読み上げて、それから、なるべく多くの動詞を実際に使ってみること。自分で表現できることが増える喜びを感じて欲しいな。

次回は、ややこしいけどとても大事な不規則動詞を学んでいくよ。一緒に頑張っていこうね。

Ciao!

メーゼ
mese
名男「月」

ナート
nato
動 **nascere**
「生まれる」の過去分詞

エスターテ
estate
名女「夏」

アウトゥンノ
autunno
名男「秋」

インヴェルノ
inverno
名男「冬」

さあ、今日はちょっと大変だよ。"不規則動詞" の活用を一気に紹介しようと思ってるんだ。

前回までの "規則動詞" には活用のパターンがあったよね？ 今日紹介する "不規則動詞" には、はっきりとしたパターンがないから、活用を丸暗記しなくちゃいけないんだ。

大丈夫。そんなに不安そうな顔をしないで。覚えるためのちょっとしたコツやヒントなら教えられるし、何より日常的によく使う動詞が多いから、僕とのレッスンを重ねていくうちに自然に身についていくはずだよ。

不規則動詞

Ciao, come stai? 今日は 7 回目のレッスンだ。
settima lezione. いいよね？
この連休中、君は何を"して"た？
僕の方はイタリアから僕の友だちが"来て"、一緒
にいろいろな場所へ"行った"よ。夜はクラブに"出
かけ"たりね。友だちは初めての日本だったから、
いろんな体験を"したがって"いたけど、日本の
素晴らしさを十分"知る"ことが"できた"んじ
ゃないかな。昨日、彼らとはお別れ"しなければい
けなかった"んだけど、空港での見送りはちょっと
寂しかったな。

　さあ、今日のレッスンでは"不規則動詞"を勉強していくよ。
活用に規則性がないから、丸暗記しなければいけないよ。ちょっと
やっかいな動詞だけど、その中には、実は日常よく使う単語も多
く含まれているんだ。たとえば、今僕が話したことをイタリア語で
表現しようとすると、たくさんの不規則動詞が出てくるんだよ。覚
えるコツはいつも一緒、声に出して活用を繰り返すことだからね。
頑張って。

-are 動詞の不規則活用

	andare「行く」	fare「する」	dare「与える」	stare「いる、ある」
io	vado	faccio	do	sto
tu	vai	fai	dai	stai
lui / lei / Lei	va	fa	dà	sta
noi	andiamo	facciamo	diamo	stiamo
voi	andate	fate	date	state
loro	vanno	fanno	danno	stanno

どれも不定詞からでは想像もつかない活用をするよね。でも、こうやって並べてみると、不規則動詞とは言っても、その中で似たようなタイプの変化をしていることがわかるね。
それじゃ、1つずつ見ていこうか。

andare「〜に行く」

[vado, vai, va, andiamo, andate, vanno]

<ruby>Vado<rt>ヴァード</rt></ruby> <ruby>a<rt>ア</rt></ruby> <ruby>Firenze<rt>フィレンツェ</rt></ruby>. / <ruby>Vado<rt>ヴァード</rt></ruby> <ruby>in<rt>イン</rt></ruby> <ruby>Italia<rt>イターリア</rt></ruby>. / <ruby>Vado<rt>ヴァード</rt></ruby> <ruby>da<rt>ダ</rt></ruby> <ruby>mia<rt>ミア</rt></ruby> <ruby>nonna<rt>ノンナ</rt></ruby>.

私はフィレンツェに（イタリアに／祖母のところに）行く。

<ruby>Andiamo<rt>アンディアーモ</rt></ruby> <ruby>a<rt>ア</rt></ruby> <ruby>comprare<rt>コンプラーレ</rt></ruby> <ruby>il<rt>イル</rt></ruby> <ruby>pane<rt>パーネ</rt></ruby> <ruby>al<rt>アル</rt></ruby> <ruby>supermercato<rt>スーペルメルカート</rt></ruby>.

私たちはパンを買いにスーパーに行く。

<ruby>Paolo<rt>パーオロ</rt></ruby> <ruby>va<rt>ヴァ</rt></ruby> <ruby>al<rt>アル</rt></ruby> <ruby>bar<rt>バール</rt></ruby> <ruby>per<rt>ペル</rt></ruby> <ruby>incontrare<rt>インコントラーレ</rt></ruby> <ruby>gli<rt>リ</rt></ruby> <ruby>amici<rt>アミーチ</rt></ruby>.

パオロは友人たちに会いにバールに行く。

<ruby>fare<rt>ファーレ</rt></ruby>
動「〜する」

<ruby>dare<rt>ダーレ</rt></ruby>
動「与える」

<ruby>incontrare<rt>インコントラーレ</rt></ruby>
動「出会う」

不規則動詞

ここでのポイントは、andare の後に続く前置詞だ!

　場所を表す名詞の前では、普通、前置詞は "a" か "in" になり、「〜（人・職業名）のもとへ行く」場合は、前置詞は "da" になるんだ。"a" や "da" の後に普通名詞が来る場合は、ほとんどが定冠詞と結合するよ。

　そして動詞 andare の後に『前置詞 a(per)＋動詞の不定詞』が来る場合、「〜しに行く」と目的を表すことになるよ。

ヴァード Vado	ア a	ローマ フィレンツェ Roma, Firenze （都市名）、 アル マーレ アッラ スタツィオーネ [al] mare, [alla] stazione （普通名詞）
	イン in	イターリア Italia（国名）、 トスカーナ Toscana （州名）、 ヴィア ダンテ Via Dante（住所）、 バンカ banca（普通名詞）、 ピッツェリーア ジェラテリーア pizzeria, gelateria （-ria で終わる店）
	ダ da	マリーア ミア ノンナ ダル デンティスタ ダッ ラッヴォカート Maria, mia nonna, [dal] dentista, [dall] avvocato （人・職業名）
	ア a ペル per	ラヴォラーレ コンプラーレイルパーネ マンジャーレ フオリ lavorare, comprare il pane, mangiare fuori （不定詞）

fare「〜する、作る」
[faccio, fai, fa, facciamo, fate, fanno]

ケ ラヴォーロ ファイ ファッチョ リンピエガート
Che lavoro fai? - Faccio l'impiegato.

君は何の仕事をしていますか？ ー私はサラリーマンをしています。

パーオロ ファ ウナ パッセッジャータ オンニ マッティーナ
Paolo fa una passeggiata ogni mattina.

パオロは毎朝散歩をします。

　動詞 fare は、名詞と組み合わせて「〜する」という表現を作るよ。毎日の生活のシーンで必ず使う表現が多く含まれているから、しっかり覚えてね。

ファッチョ ラ スペーザ ファッチョイルブカート ファッチョイルバーニョ
Faccio la spesa. / Faccio il bucato. / Faccio il bagno. /
ファッチョ コラツィオーネ
Faccio colazione.

私は買い物をする（洗濯をする／入浴する／朝食をとる）。

dare「**与える**」[do, dai, dà, diamo, date, danno]

ド イル ミオ ヌーメロ ディ テレーフォノ ア ルチーア
Do il mio numero di telefono a Lucia.

私はルチーアに私の電話番号を教える。

ミ ダイ ウナ マーノ
Mi dai una mano?

君は私に手を貸してくれる？

クエスタ カーメラ ダ スル マーレ
Questa camera dà sul mare.

この部屋は海に面している。

　動詞 dare の活用では、3 人称単数形に注意して。“dà”とアクセントが落ちるよ。前置詞の da と区別するために、しっかりアクセント記号を付けてね。それから、「dare + su + 場所」の形で、「〜（場所）に面している」という意味にもなるよ。

ピッツェリーア
pizzeria
名女「ピザ屋」

ジェラテリーア
gelateria
名女「アイスク
リーム屋」

デンティスタ
dentista
名男女「歯医者」

アッヴォカート
avvocato
名男「弁護士」

フオリ
fuori
副「外で」

インピエガート
impiegato
名男
「サラリーマン」

パッセッジャータ
passeggiata
名女「散歩」

マッティーナ
mattina
名女「朝」

スペーザ
spesa
名女「買い物」

ブカート
bucato
名男「洗濯」

コラツィオーネ
colazione
名女「朝食」

ヌーメロ
numero
名男「数字」

ミ
mi
代「私を、私に」

マーノ
mano
名女「手」
＊ **-o** で終わるが
女性名詞

stare「ある、いる」

[sto, stai, sta, stiamo, state, stanno]

コ メ スタイ ス ト ベ ー ネ グラッツィエ エ トゥ
Come stai? - Sto **bene, grazie e tu?**

元気ですか？　－はい、私は元気です。ありがとう、あなたはど

うですか？

イ ラ ガッツィ スタンノ セン プ レ イ ン ピエディ イ ン アウ ト ブ ス
I ragazzi stanno **sempre in piedi in autobus.**

それらの少年たちはバスの中でいつも立っている。

クエッラ ジャッカ スタ モ ル ト ベ ー ネ ア ス ア モッリェ
Quella giacca sta **molto bene a Sua moglie.**

そのジャケットは奥様によくお似合いです。

　動詞 stare はあいさつ表現で既に出てきていたね。本来は『（～
の状態、状況に）ある、いる』という意味なんだ。また「stare +
bene + a + 人」の形で、「（モノ）が（人）に似合う」という意味
にもなるよ。

よし、じゃあここまでのところで確認の練習問題をやっておこう。（　　）内の動詞を主語に合わせて適切に活用してみてね。

不規則動詞

❶ Paolo, tu dove _____ (andare)? - _____ (andare) in pizzeria.
バーオロ トゥ ドーヴェ　　アンダーレ　　アンダーレ イン ピッツェリーア

パオロ、君はどこへ行くんだい？　ー僕はピッツェリアに行くよ。

❷ Stasera voi _____ (fare) una festa a casa di Gianni?
スタセーラ ヴォイ　　ファーレ ウナ フェスタ ア カーサ ディ ジャンニ

今晩、君たちはジャンニの家でパーティーをするの？

❸ I miei nonni _____ (stare) molto bene.
イ ミエイ ノンニ　　スターレ モルト ベーネ

私の祖父母はとても元気です。

❹ Mario _____ (dare) l'esame di latino.
マーリオ　　ダーレ レザーメ ディ ラティーノ

マリオはラテン語の試験を受けます。

❺ Io e mio marito ___ (andare) in centro e ___ (fare) spese.
イオ エ ミオ マリート　　アンダーレ イン チェントロ エ　　ファーレ スペーゼ

私と夫は中心街へ行き、買い物をします。

答え ① vai, vado ② fate ③ stanno ④ dà ⑤ andiamo, facciamo

---

semple
セ ン プ レ
副「いつも」

piede
ピ エ デ
名男「足」
＊ in piedi「起立して」（熟語）

latino
ラ ティ ー ノ
名男「ラテン語」

centro
チ ェ ン ト ロ
名男「中心街」

よし、次は -ere 動詞の不規則活用を見ていこうか。実は不規則活用が最も多いのが、この -ere 動詞なんだ。勿論、よく使う動詞の活用だけ覚えておけばいいんだけど、まず次の"補助動詞"4つは必ず覚えよう。

"補助動詞" というのは、英語の can や must のように、直後に動詞の不定詞を伴って、「〜することができる」とか、「〜しなければならない」というように、本来の動詞の補助をする動詞のことを言うんだ。まずは活用表をまとめておくね。

補助動詞の不規則活用

	ポテーレ potere 「〜できる」	ドヴェーレ dovere 「〜すべきだ」	ヴォレーレ volere 「〜したい」	サペーレ sapere 「〜できる」
イオ io	ポッソ posso	デーヴォ devo	ヴォッリョ voglio	ソ so
トゥ tu	プオイ puoi	デーヴィ devi	ヴォイ vuoi	サイ sai
ルイ レイ レイ lui / lei / Lei	プオ può	デーヴェ deve	ヴォーレ vuole	サ sa
ノイ noi	ポッスィアーモ possiamo	ドッビアーモ dobbiamo	ヴォッリャーモ vogliamo	サッピアーモ sappiamo
ヴォイ voi	ポテーテ potete	ドヴェーテ dovete	ヴォレーテ volete	サペーテ sapete
ローロ loro	ポッソノ possono	デーヴォノ devono	ヴォッリョノ vogliono	サンノ sanno

この4つも不定詞からでは活用が全く予想できないね。それじゃ、活用の特徴と用法について1つずつ見ていこうか。さっきも言ったように、必ず補助動詞の直後には動詞の不定詞が来ているよ。それも確認しておこう。

potere「〜することができる」

[posso, puoi, può, possiamo, potete, possono]

ポッソ エントラーレ　ノ　ノン プオイ エントラーレ ア デッソ
Posso <u>entrare</u>? - No, non puoi <u>entrare</u> adesso.

入ってもいいですか？　　ーいいえ、君は今入ることはできません。

プ オ キウーデレ ラ フィネストラ　ペル ファヴォーレ
Può <u>chiudere</u> la finestra, per favore?

窓を閉めていただいてもよろしいですか？

ジョルジョ エ ファビオ ノン　ポッ ソ ノ アッリヴァーレ イン テン ポ
Giorgio e Fabio non possono <u>arrivare</u> in tempo.

ジョルジョとファビオは、時間どおりに到着できない。

　補助動詞 potere は、『〜できる』と物理的な可能性を表すだけ
でなく、シチュエーションによっては相手に許可を求めたり、依
頼したりする場合にも使うよ。活用では 3 人称単数形に注意だ。
"può"には、アクセント記号が付いているね。

動詞
不規則

ポ テ ー レ
potere
動「〜できる」

ド ヴェ ー レ
dovere
動「〜しなけれ
ばならない」

ヴォ レ ー レ
volere
動「〜したい」

サ ベ ー レ
sapere
動
「知る、〜できる」

エン トラ ー レ
entrare
動「入る」

ア デッ ソ
adesso
副「今」

ファ ヴォ ー レ
favore 名男
「好意」
＊ **per favore**
「お願いします」
（熟語）

dovere「〜しなければならない、〜に違いない」
[devo, devi, deve, dobbiamo, dovete, devono]

デーヴォ トルナーレ ア カーサ スービト
Devo **tornare** a casa subito.

私は家にすぐ帰らなくてはならない。

ドッビアーモ フィニーレイルラヴォーロ エントロ ド マー ニ
Dobbiamo **finire** il lavoro entro domani.

私たちは明日までにその仕事を終えなくてはならない。

マ リ ー ア テ ー ヴェ エッセ レ ア スクオーラ
Maria deve **essere** a scuola.

マリーアは学校にいるはずだ。

　補助動詞 dovere は、義務「〜しなければならない」や強い可能性「〜に違いない」を表すときに使うんだ。活用のポイントは、不定詞が"dovere"と"do-"で始まるのに、活用形の大部分は"de-"の音節で始まることかな。注意して覚えてね。

volere「〜したい、〜が欲しい」
[voglio, vuoi, vuole, vogliamo, volete, vogliono]

ヴォッリョ アンダーレ イン イターリア
Voglio **andare** in Italia.

私はイタリアに行きたい。

ウォイ レッジェレ クエスト リーブロ
Vuoi **leggere** questo libro?

君はこの本が読みたいですか?

ス ザ ン ナ ヴォーレ ウ ナ ボルサ エ レ ガ ン テ
Susanna vuole una borsa elegante.

スザンナはエレガントなバッグが欲しい。

136

補助動詞 volere は、直後に不定詞が続くと「〜したい」と希望・願望を表すけど、名詞が後に続くと「〜が欲しい」という意味の動詞になるんだ。活用のポイントは、発音の難しい"gli"の音がよく出てくることと、tu と lui/lei/Lei が主語のとき、"vu-"の音から始まることかな。

sapere「（すべを知っているので）〜できる、知っている」
[so, sai, sa, sappiamo, sapete, sanno]

28

サイ　パルラーレ　イタリアーノ
Sai <u>parlare</u> italiano?

君はイタリア語を話すことができますか？

フランコ　サ　グイダーレラ　マッキナ
Franco sa <u>guidare</u> la macchina.

フランコは車の運転ができます。

サ ベ ー テ　リンディリッツォ ディ ルイージ
Sapete l'indirizzo di Luigi?

君たちはルイージの住所を知っていますか？

ソ　ヌオターレ　マ　オッジ ノン　ポッソ　ペルケ　ノ　ノ イルコストゥーメ
So <u>nuotare</u>, ma oggi non <u>posso</u>. Perché non ho il costume
ダ　バーニョ
da bagno.

私は泳げます（かなづちではない）が、今日は泳げません。だって水着を持ってないもの。

スービト
subito
🔘「すぐに」

エントロ
entro
🔘「〜以内に」

グイダーレ
guidare
🔘「運転する」

インディリッツォ
indirizzo
🔘男「住所」

ヌオターレ
nuotare
🔘「泳ぐ」

コストゥーメ
costume
🔘男「衣類、水着」

補助動詞 sapere も、volere と同じように、補助動詞の用法と動詞の用法の２つがあるんだよ。直後に動詞の不定詞が続くときは、「〜できる」という意味になるけど、名詞が後に続くと「〜を知っている」という意味になるよ。

　同じように「〜できる」となる potere と sapere の使い分けだけど、potere が物理的な可能性を表すのに対して、この sapere は学習や練習の結果 "できるようになること" を表すよ。たとえば外国語や楽器、スポーツや車の運転などが「できる」という場合には sapere になるよ。

ここまではいいかな？　補助動詞はよく使うから必ず覚えておいてね。
最初に言ったように、-ere 動詞には不規則活用するものが多いんだけど、あとは代表的なものをいくつか紹介するにとどめておくよ。大丈夫。出てきたときに少しずつ覚えていけばいいんだから。

その他の -ere 動詞不規則活用

	ベーレ bere 「飲む」	リマネーレ rimanere 「とどまる」	コンドゥッレ condurre 「導く」	ピアチェーレ piacere 「気にいる」
イオ io	ベーヴォ bevo	リマンゴ rimango	コンドゥーコ conduco	ピアッチョ piaccio
トゥ tu	ベーヴィ bevi	リマーニ rimani	コンドゥーチ conduci	ピアーチ piaci
ルイ　レイ　レイ lui / lei / Lei	ベーヴェ beve	リマーネ rimane	コンドゥーチェ conduce	ピアーチェ piace
ノイ noi	ベヴィアーモ beviamo	リマニアーモ rimaniamo	コンドゥチャーモ conduciamo	ピアッチャーモ piacciamo
ヴォイ voi	ベヴェーテ bevete	リマネーテ rimanete	コンドゥチェーテ conducete	ピアチェーテ piacete
ローロ loro	ベーヴォノ bevono	リマンゴノ rimangono	コンドゥーコノ conducono	ピアッチョノ piacciono

　これらの動詞は今無理に覚える必要はないけど、一応覚え方のポイントだけ言っておくと、bere と condurre に関しては、語源を遡ると bevere, conducere という形が出てくる。この形をもとに、

現在形は活用しているんだ。頭のどこかにこの古い形を入れておくと、あとは規則的に活用できるよ。rimanere に関しては、io と loro の規則的な活用語尾の直前に "g" が入るだけで、あとは規則的だよ。piacere に関しては、ほとんど 3 人称の形しか出てこないので piace, piacciono だけ覚えておけば十分だ。

ベーレ
bere
動「飲む」

リマネーレ
rimanere
動「とどまる」

コンドゥッレ
condurre
動「導く」

ピアチェーレ
piacere
動「気にいる」

さあ、ここで不規則活用になる -ere 動詞の練習問題をしておこう。ホワイトボードを見ながらでいいから、特に補助動詞の活用を覚えるつもりでトライしてみて。

❶ Paolo _____ (volere) studiare il giapponese.

パオロは日本語を勉強したがっています。

❷ Noi non _____ (potere) rimanere qui, perché _____ (dovere) prendere il treno delle 8.

私たちはここに残ることはできない。8 時の電車に乗らなければならないんだ。

❸ Voi _____ (bere) qualcosa?

君たちは何か飲みますか?

❹ Luca, tu _____ (sapere) suonare la chitarra?

ルーカ、君はギターを弾けるかい?

❺ _____ (potere) fumare qui? - No, tu non _____ (dovere) fumare.

私はここでたばこを吸ってもいいですか? ―いいえ、君は喫煙してはいけません。

じゃあ、最後は -ire 動詞の不規則活用だ！えっ!?
もう頭が混乱してきて覚えられないって？
心配はいらないよ。一応、今回紹介しておくけど、
覚えるのはゆっくりと、自分がその動詞を使うとき
でいいからね。

-ire 動詞の不規則活用

	venire「来る」 ヴェニーレ	dire「言う」 ディーレ	uscire「外出する」 ウッシーレ	salire「上がる」 サリーレ
io イオ	vengo ヴェンゴ	dico ディーコ	esco エスコ	salgo サルゴ
tu トゥ	vieni ヴィエニ	dici ディーチ	esci エッシ	sali サーリ
lui / lei / Lei ルイ レイ レイ	viene ヴィエネ	dice ディーチェ	esce エッシェ	sale サーレ
noi ノイ	veniamo ヴェニアーモ	diciamo ディチャーモ	usciamo ウッシャーモ	saliamo サリアーモ
voi ヴォイ	venite ヴェニーテ	dite ディーテ	uscite ウッシーテ	salite サリーテ
loro ローロ	vengono ヴェンゴノ	dicono ディーコノ	escono エスコノ	salgono サルゴノ

不規則動詞

　この中では、venire と uscire の用法を詳しく説明しておくよ。
残りの 2 つについては、活用のポイントだけ言うと、dire の方
はラテン語の語源 "dicere" の形がもとになっているので、こ
の形を頭に入れておくと活用はわりと規則的にできるよ。salire
の方は、さっき話した rimanere と同じように、io と loro の活
用だけ、規則的な活用語尾の直前に "g" の文字が入るんだ。

suonare
スオナーレ
動「演奏する」

chitarra
キタッラ
名女「ギター」

fumare
フマーレ
動「喫煙する」

dire
ディーレ
動「言う」

uscire
ウッシーレ
動「外出する」

salire
サリーレ
動「上がる」

venire「**来る、行く**」

[vengo, vieni, viene, veniamo, venite, vengono]

ケン トゥ ダ ドーヴェ ヴィエニ ヴェンゴ ダル ジャッポーネ
Ken, tu da dove vieni? **- Vengo dal Giappone.**

ケン、君はどこから来ているの？　－僕は日本から来ています。

イ ミエイ クジーニ ヴェンゴノ ダ ミラーノ ラ セッティマーナ プロッスィマ
I miei cugini vengono **da Milano la settimana prossima.**

私の従兄弟たちが来週ミラノから来ます。

ヴァード イン ピッツェリーア ヴィエニ アン ケ トゥ スィ ヴェンゴ アンキーオ
Vado in pizzeria, vieni **anche tu? - Sì,** vengo **anch'io.**

僕はピッツェリアに行くけど、君も来る？　－はい、私も行きます。

　動詞 venire の活用の特徴は、io と loro の活用において、規則的な活用語尾の前に"g"が入ることと、tu と lui/lei/Lei の活用で"vi-"の音から始まることかな。あと、用法で気をつけなければならないのは、venire は本来「来る」だけど、状況によっては日本語の「行く」に相当する場合もあるということ。相手と同じ場所に行く時や、相手のもとへ行く場合には andare ではなく venire を使うんだ。

> 最後の例文を見てごらん。相手と同じピッツェリアに行くから、この場合、「私も行きます」は venire を使っているよね。これは、イタリア語の andare に「話している相手から遠ざかる」というニュアンスがあるためだよ。

uscire「**外出する**」

[esco, esci, esce, usciamo, uscite, escono]

マリーア エッシェ コン パーオロ スタセーラ
Maria esce **con Paolo stasera.**

マリーアは今晩パオロと一緒に外出します。

142

イオ エスコ ディ カーサ エ サルゴ ス ウン トゥレーノ
Io esco di casa e salgo su un treno.

私は家を出て、電車に乗る。

　動詞 uscire の活用は注意が必要だ。その大部分は不定詞とは全く異なる "e" の音から始まるよ。また、よく使う用法で注意すべきことは、「家から外出する」という場合、前置詞は慣用的に "di" になるということだよ。

　さあ、最後に不規則活用になる -ire 動詞の練習問題をやって今日は終わりにしようか。（　　）内の動詞を主語に合わせて適切に活用してみてね。

アケ オーラ　　　　ヴェニーレ アンナ アッラ フェスタ
❶ **A che ora _____ (venire) Anna alla festa?**

アンナは何時にパーティーに来ますか？

トゥ　　　　ディーレ センプレ ブジーエ
❷ **Tu _____ (dire) sempre bugie.**

君はいつも嘘ばかりついている。

ルチーア エ シルヴィア　　　　ウッシーレ コン リ アミーチ
❸ **Lucia e Silvia _____ (uscire) con gli amici.**

ルチーアとシルヴィアは友人たちと出かける。

アッリーヴィ アッラ スタツィオーネ アッレ セイ アッローラ　　　　ヴェニーレ ア
❹ **Arrivi alla stazione alle 6? Allora _____ (venire) a**
プレンデルティ イオ
prenderti io.

君は駅に6時に着くの？　それじゃ、僕が君を迎えに行くよ。

リ ストゥデンティ　　　　サリーレ ス クエッラウトブス
❺ **Gli studenti _____ (salire) su quell'autobus.**

学生たちはそのバスに乗ります。

プロッスィモ
prossimo
形
「次の〜、今度の〜」

アンケ
anche
接「〜もまた」

アッローラ
allora
副「それでは」

ティ
ti
代「君を、君に」

答え ① viene ② dici ③ escono ④ vengo ⑤ salgono

143

さあ、今日のレッスンはこれでおしまいだよ。
今回は不規則動詞の活用ばかりだったね。日常生活
で必ず使う動詞もいくつかあったから、しっかり声
に出して覚えていこう。

ここ3回は動詞の現在形の活用について勉強してき
たけど、このあと過去形や未来形などを学ぶときに
も、この現在形の活用がすべての基礎になるから、
ここはしっかり復習しておいてほしいな。次回は動
詞はちょっとおやすみして、代名詞を勉強していこう。
僕が"君に""それを"教える。そんな感じかな。
Ciao!

前回で動詞の現在形の活用は
一段落したから、

今日のレッスンでは
"目的語代名詞" について
学んでいこう。

動詞にとっての目的語を代名詞で表すんだ。
例えば「私はピザを食べる」という文で、"食べる" という動詞の目的語は "ピザ" だよね？ これを代名詞に換えて「私は "それ" を食べる」というわけ。日本語では普通に使っている表現だよね。

それから、この "代名詞" を使って、
「マリオはサッカーが好きです」のように、
「～（人）は…（モノ）が好きです」という表現を紹介するよ。実は日本語や英語とは違った構文になるんだ。

目的語人称代名詞 *Lezione 8*

Lezione 8

Ciao, come stai?

8回目のレッスンになる今日は "代名詞" を勉強するよ。名詞の代わりって書いて代名詞、一度出てきた人や事物を「彼」とか「それ」というふうに、名詞自体を繰り返すことなく指し示すときに使うんだ。

動詞の目的語になる代名詞には "直接目的語代名詞" と "間接目的語代名詞" の2種類があるんだけど、まずはそこから説明するね。

ホワイトボードの例文を見て。

ルチーア レガーラ ウナ クラヴァッタ ア スオ パードレ
Lucia regala una cravatta a suo padre.

ルチーアは彼女の父親に1本のネクタイを贈ります。

Lucia regala una cravatta.

　　　［1本のネクタイを］

　　　➡una cravatta は動詞 regalare の直接目的語

Lucia regala a suo padre.

　　　［彼女の父親に］

　　　➡a suo padre は動詞 regalare の間接目的語

146

上の例文で動詞 regalare（贈る）は 2 つの目的語をとっているんだ。「ネクタイを」（贈る）のように、『〜を』となる目的語を、動詞にとっての"直接目的語"、そして、「父親に」（贈る）のように、『〜（人）に』となる目的語を"間接目的語"というんだ。直接目的語はその名のとおり動詞の後ろに直接つなげる目的語だけど、間接目的語と動詞の間には必ず前置詞の a が入るんだ。ここまではいいかな?

　今から僕たちがやるのは、この動詞にとっての直接目的語や間接目的語を代名詞で言い換えることなんだ。

Lucia regala <u>una cravatta</u>.

　　　　［1 本のネクタイを］ ➡

ルチーア ラ レガーラ
Lucia la regala.

　　ルチーアはそれを贈る。

　　　　[la は直接目的語代名詞]

Lucia regala <u>a suo padre</u>.

　　　　［彼女の父親に］ ➡

ルチーア リ レガーラ
Lucia gli regala.

　　ルチーアは彼に贈る。

　　　　[gli は間接目的語代名詞]

　動詞にとっての直接目的語や間接目的語がそれぞれ代名詞に変わっているのがわかるよね?
あと何か気づくことはないかな?
そう、目的語が代名詞になると、"動詞の直前"に置かれるんだ。
これは大事なことだから覚えておいてね。

直接目的語は動詞と単独で結びついて、意味が成り立つんだ。「リンゴを子供に買う」を例にとるよ。「リンゴを買う」では、意味が成り立つからリンゴは直接目的語。
「子供に買う」だけだったら『えっ何を?』って感じだろ? この場合意味が完結していないから、子供は間接目的語というわけ。

それじゃ、もう少し詳しく**目的語代名詞**を見ていこう。

直接目的語代名詞「～を」 ＊代名詞は動詞の直前に置くこと。

ミ mi	私を
ティ ti	君を
ロ lo	彼を・それを（男単）
ラ la	彼女を・それを（女単）
ラ La	あなたを（敬称）
チ ci	私たちを
ヴィ vi	君たちを
リ li	彼らを・それらを（男複）
レ le	彼女らを・それらを（女複）

コノッシ パーオロ スィ ロ コノスコ
Conosci <u>Paolo</u>? - **Sì, lo conosco.**

君はパオロを知ってる？　　－はい、**彼を**知っています。

インヴィターテ マーリオ エ ルーカ ノ ノン リ インヴィティアーモ
Invitate <u>Mario e Luca</u>? - **No, non li invitiamo.**

君たちはマリオとルーカを招待するの？
－いいえ、私たちは**彼らを**招待しません。

ティ アーモ ヴィ アスペット クイ
Ti amo. / Vi aspetto qui.

私は**君を**愛しています。／私は**君たちを**ここで待ちます。

マン ジ ラ ピッツァ スィ ラ マンジョ
Mangi <u>la pizza</u>? - **Sì, la mangio.**

君はピッツァを食べますか？　　－はい、**それを**食べます。

148

マリーア コンプラ レ スカルペ エ レ メッテ スービト
Maria compra <u>le scarpe</u> e <u>le</u> mette subito.

マリーアは靴を買って、**それ**をすぐに履きます。

直接目的語が「モノ」の場合は注意が必要だよ。
それが男性名詞か女性名詞か、単数名詞か複数名
詞かに応じて、lo［男単］、la［女単］、li［男複］、le
［女複］を使い分けるんだ。

さあ、さっそく練習問題で確認しておこう。次の（　　　）の中に適切な代名詞を入れてみてね。

❶ Dove aspetti Lucia? - (　　) aspetto alla stazione.

君はどこでルチーアを待つの？　　－私は彼女を駅で待ちます。

❷ Comprate questi libri? - Sì, (　　) compriamo.

君たちはこれらの本を買いますか？

－はい、私たちはそれらを買います。

❸ Franco, mi accompagni a casa? - Certo. (　　　　)
accompagno volentieri.

フランコ、私を家まで送ってくれる？

－勿論。喜んで君を家まで送るよ。

❹ Maria invita Lucia e Silvia alla festa? - No, non (　　　)
invita.

マリーアはルチーアとシルヴィアをパーティーに招待しますか？

－いいえ、彼女たちを招待しません。

❺ Signora Rossi, (　　) aiuto io.

ロッシ婦人、私があなたを助けましょう。

答え ① La ② li ③ Ti ④ le ⑤ La

150

どうだったかな？ 応答文では目的語を代名詞に換えるのは勿論、動詞の活用も変化する場合が多いので注意が必要だね。反射的に代名詞や動詞の変化が口から出るようになるまで、何度も声に出して練習してほしいな。それじゃ、次は間接目的語代名詞だよ。

間接目的語代名詞

『〜 (人) に』 (a＋人) ＊代名詞は動詞の直前に置くこと。

ミ mi	私に
ティ ti	君に
リ gli	彼に
レ le	彼女に
レ Le	あなたに (敬称)
チ ci	私たちに
ヴィ vi	君たちに
リ gli	彼らに・彼女らに

テレーフォニ ア パーオロ　　スィ リ テレーフォノ
Telefoni a Paolo? - Sì, gli telefono.

君はパオロに電話しますか？　　―はい、私は彼に電話します。

スクリーヴィ ウ ナ レッ テ ラ ア マリーア　　ノ　ノン　レ スクリーヴォ
Scrivi una lettera a Maria? - No, non le scrivo.

君はマリーアに手紙を書きますか？

―いいえ、私は彼女に手紙を書きません。

アッ コン バ ニャー レ
accompagnare
動
「同伴する、見送る」

ヴォ レン ティ エー リ
volentieri
副「快く、みずから進んで」

ア イ ユ ター レ
aiutare
動
「助ける、手伝う」

チ プレゼンティ ラ トゥア ラガッツァ　　スィ ヴィ プレゼント スタセーラ
Ci presenti la tua ragazza?　- Sì, vi presento stasera.

私たちに君の彼女を紹介してくれますか？

－はい、**君たちに**今晩紹介します。

ダイ ウン レガーロ アイ バンビーニ　　スィ リ ド レ カラメッレ
Dai un regalo ai bambini?　- Sì, gli do le caramelle.

君は子どもたちにプレゼントをあげますか？

－はい、私は**彼らに**キャンディーをあげます。

> さっきやった直接目的語代名詞と比べてみて。
> 1人称（mi「私に」、ci「私たちに」）と2人称（ti「君に」、vi「君たちに」）は同じ形になるけど、3人称（gli「彼に・彼らに・彼女らに」、le「彼女に」）では、直接目的語とは異なる形になるから注意が必要だよ。
> それから、「彼に」も「彼らに・彼女らに」も全部gliとなるんだ。注意してね。

　ここで、この間接目的語代名詞を使った重要な表現を紹介するよ。英語の I like にあたり、**「～（人）は…（モノ、～すること）が好きです」**という表現だ。例えば、「私はピザが好きです」とか、「マリオはサッカーが好きです」「私の母は歌うことが好きです」といった構文のことだよ。**イタリア語では piacere という動詞と間接目的語を組み合わせて作る**んだけど、日本語や英語とは少し違う構文になるんだ。

私はピザが好きです。（日本語）

　　➡ 主語は「私」、「ピザ」は目的語

I like the pizza.（英語）

　　➡ 主語は "I"、"the pizza" は目的語

ミ ピアーチェ ラ ピッツァ
Mi piace la pizza.（イタリア語）

　　➡ 主語は "la pizza"、"Mi" は間接目的語

イタリア語の構文のどこが日本語や英語と違うかわかるかな？
日本語や英語では、「人」が主語になっているけど、イタリア語で「私はピザが好きです」という内容の文を作る場合、好きな対象である"la pizza"が主語になり、好きという「人」は間接目的語になるんだ。勿論、動詞 piacere の活用形は、主語の"la pizza"が単数形のモノだから3人称単数形になるよ。

目的語
人称代名詞

プレゼンターレ
presentare
動「紹介する」

バンビーノ
bambino
名男
「赤ん坊、子ども」

カラメッラ
caramella
名女
「キャンディ、あめ」

この構文では、好きな対象（モノ、〜すること）が動詞 piacere の主語になるから、動詞の活用形はほとんどの場合 3 人称形になる。**主語が単数名詞の場合は piace を、複数名詞の場合は piacciono を用いる**んだ。好きという人はさっき勉強した間接目的語になるよ。それから、**「好きではない」と否定**するときは、動詞 piacere の前に non をつければいいよ。

この構文について、ホワイトボードにまとめてみたよ。

間接補語「に」	動詞	主語
ミ mi	ピアーチェ piace	イルカルチョ il calcio.
ティ ti		ラ ピッツァ la pizza
リ gli		カンターレ cantare
レ le		ヴィアッジャーレ viaggiare
チ ci	ピアッチョノ piacciono	リ スパゲッティ gli spaghetti
ヴィ vi		イフィルム イタリアーニ i film italiani
リ gli		レ スカルペ le scarpe

動詞 piacere の活用	
イオ io	ピアッチョ piaccio
トゥ tu	ピアーチ piaci
ルイ レイ レイ lui/lei/Lei	ピアーチェ piace
ノイ noi	ピアッチャーモ piacciamo
ヴォイ voi	ピアチェーテ piacete
ローロ loro	ピアッチョノ piacciono

ミ ピアーチェ ラ ピッツァ
Mi piace <u>**la pizza**</u>.

［単数名詞］

私はピザが好きです。（← ピザは私にとって好ましい）

レ ピアッチョノ レ スカルペ
Le piacciono le scarpe.

[複数名詞]

彼女はその靴が気に入っています。

ティ ピアーチェ イル カルチョ　　ノ　 ノン　ミ ピアーチェ イル カルチョ
Ti piace il calcio? - No, non mi piace (il calcio).

君はサッカーが好きですか？ ―いいえ、私はサッカーが好きでは

ありません。

この構文で主語になるのは名詞だけじゃないよ。
「〜することが好きです」という場合には、動詞の
不定詞が主語になる場合もある。
その場合は必ず piace を用いるんだ。

リ ピアーチェ グイダーレ ラ マッキナ
Gli piace guidare la macchina.

彼は車を運転することが好きです。

ヴィ ピアーチェ ヴィアッジャーレ イン トゥレーノ
Vi piace viaggiare in treno?

君たちは電車で旅行するのは好きですか？

155

「マリオはサッカーが好きです。」「私の母は歌うことが好きです。」のように、間接目的語代名詞で表されない人が何かを好きだという場合は、前置詞の a をつけて、A Mario piace ... , A mia madre piace... となるよ。間接目的語は「前置詞の a + 人」の形で表されるんだったよね。

ア　マーリオ　ピアーチェイルカルチョ
A Mario piace **il calcio.**

マリオはサッカーが好きです。

ア　ミア　マードレ　ピアーチェ　カンターレ
A mia madre piace **cantare.**

私の母は歌うことが好きです。

さあ、ここで間接目的語についての練習問題をしてみるよ。次の（　　　）の中に適切な代名詞を入れてみてね。

クワンド　テレーフォ二　ア　パーオロ　　　　　　　　テレーフォノ　スタセーラ
❶ **Quando telefoni a Paolo?** - ( ) **telefono stasera.**

君はパオロにいつ電話をかけるの？

ー私は彼に今晩電話をかけます。

ケ　コーサ　チ　オッフリーテ　　　　　オッフリアーモ　ウン　プランツォ
❷ **Che cosa ci offrite?** - ( ) **offriamo un pranzo.**

君たちは私たちに何をおごってくれるの？

ー私たちは君たちに昼食をおごります。

マリーア　スペディッシェ　ウン　パッ　コ　アイスオイ　ジェニトーリ　　スィ
❸ **Maria spedisce un pacco ai suoi genitori?** - **Sì,** ( )
スペディッシェ
spedisce.

マリーアは彼女の両親に小包を送りますか？

ーはい、彼らに送ります。

156

❹ Ti piacciono gli spaghetti alla carbonara? - Sì, (　　) piacciono molto.

テイ ピアッチョノ リ スパゲッティ アッラ カルボナーラ　スィ

ピアッチョノ モルト

君はカルボナーラスパゲッティが好きですか？

－はい、私はとても好きです。

❺ A Lucia piace la cucina giapponese? – No, non (　　) piace molto.

ア ルチーア ピアーチェ ラ クチーナ ジャッポネーゼ　　ノ ノン

ピアーチェ モルト

ルチーアは日本料理が好きですか？

－いいえ、彼女はあまり好きではありません。

答え ① Gli ② Vi ③ gli ④ mi ⑤ le

目的語
人称代名詞

ブランツォ
pranzo
名男「昼食」

バッコ
pacco
名男「小包」

さあ、ここまではいいかい。
直接目的語と間接目的語の2つの代名詞の用法の
違いは分かったかな？　代名詞の位置について、両方
とも"動詞の直前"に置くってさっきは言ったけど、
実は例外があるんだ。

　代名詞を動詞の不定詞と一緒に使う場合、例えば potere,
dovere, volere といった補助動詞と一緒に使う場合などは、次
の2つの位置に代名詞を置けるんだ。

① 　動詞の直前（補助動詞よりもさらに前）
② 　不定詞の後にくっつける
　　（are, ere, ire の語尾の -e をとって、代名詞を続けて置く）

ヴオイ　マンジャーレ　ラ　ピッツァ　　　スィ　ラ　ヴォッリョ　マンジャーレ
Vuoi mangiare la pizza? - Sì, la voglio mangiare.
スィ　ヴォッリョ　マンジャルラ
(= Sì, voglio mangiarla.)

　　君はそのピッツァが食べたいですか？
　　ーはい、私はそれを食べたいです。

ティ　ポッソ　アッコンパニャーレ　ア　カーサ
Ti posso accompagnare a casa.
ポッソ　アコンパニャルティ　アカーサ
(= Posso accompagnarti a casa.)

　　私は君を家まで送っていけますよ。

最後に少し"ややこしい"ことをしてみようか。
今日の最初の例文に戻るよ。

ルチーアレガーラ ウナ クラヴァッタ ア スオ パードレ
Lucia regala una cravatta a suo padre.

ルチーアは彼女の父親に 1 本のネクタイを贈ります。

ルチーア ラ レガーラ
Lucia regala una cravatta. **Lucia la regala.**

［1 本のネクタイを］➡ ルチーアはそれを贈る。

[la は直接目的語代名詞]

ルチーア リ レガーラ
Lucia regala a suo padre. **Lucia gli regala.**

［彼女の父親に］➡ ルチーアは彼に贈る。

[gli は間接目的語代名詞]

ルチーア リエラ レガーラ
Lucia gliela regala. 「ルチーアは彼にそれを贈る」

ここまで動詞にとっての直接目的語、間接目的語を
それぞれ代名詞に換える練習をしてきたよね。
じゃあ、1つの文の中で、その2つを同時に代名詞
に換えたらどうなると思う？ つまり、「ルチーアは彼
にそれを贈る」という文をつくるわけ。

実はその場合には、2つの代名詞が「間接目的語＋
直接目的語」の語順で結合形を作るんだ。結合形
になっても、代名詞はやっぱり動詞の直前に置かれ
るんだよ。

ルチーア リエラ レガーラ
Lucia gliela regala.「ルチーアは彼にそれを贈る」
(gli「彼に」 + la「それを」 = gliela)

間接目的語＼直接目的語	ロ lo	ラ la	リ li	レ le
ミ mi	メ ロ me lo	メ ラ me la	メ リ me li	メ レ me le
ティ ti	テ ロ te lo	テ ラ te la	テ リ te li	テ レ te le
リ レ gli, le	リエ ロ glielo	リエ ラ gliela	リエ リ glieli	リエ レ gliele
チ ci	チェ ロ ce lo	チェ ラ ce la	チェ リ ce li	チェ レ ce le
ヴィ vi	ヴェ ロ ve lo	ヴェ ラ ve la	ヴェ リ ve li	ヴェ レ ve le
リ gli	リエ ロ glielo	リエ ラ gliela	リエ リ glieli	リエ レ gliele

　mi, ti, ci, vi の後に lo, la, li, le が来る場合、それぞれ me, te,
ce, ve となるよ。それから3人称の間接目的語（彼、彼女、あなた、
彼ら、彼女ら）はすべて glie- の形で直接目的語と結合するんだ。

バーオロ　ミ　ダイイルトゥオ　ヌーメロ ディ テレーフォノ
Paolo, mi dai il tuo numero di telefono?
チェルト　テ ロ　ド スービト
- Certo, te lo do subito.

　　パオロ、あなたの電話番号教えてくれる？
　　－もちろん、すぐ君にそれを教えるよ。

パパ チ プレスティ ラ トゥア マッ キ ナ
Papà, ci presti la tua macchina?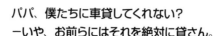

ノ ノンヴェ ラ プレスト アッソルタメンテ
- No, non ve la presto assolutamente.

パパ、僕たちに車貸してくれない？

ーいや、お前らにはそれを絶対に貸さん。

クワンド スペディッシイル パッ コ アイトゥオイ ジェニトーリ
Quando spedisci il pacco ai tuoi genitori?

リエロ スペディスコ ドマーニ
- Glielo spedisco domani.

君はいつその小包を両親に送りますか？

ー私は彼らにそれを明日送ります。

この代名詞の結合形に関しては、会話でスムーズに使うのは、まだ少し難しいかな。今はこういう現象が起こることだけ頭に入れておけばいいよ。ネイティヴがよく使う表現から少しずつ覚えていけばいい。だからこれに関しては練習問題もしないよ。

今回のレッスンはここまで。さっきも言ったけど、会話の中で相手の言ったことに答える場合は、一度出てきた名詞を代名詞に言い換えたり、動詞の活用を換えたりといろいろ大変だけど、反射的に口から出てくるようになるまで、声に出して何度も練習してほしいな。

次回はまた動詞に戻って"近過去"という過去形を勉強するよ。過去形が使えるようになると、会話で表現できることがかなり増えるから楽しいよね。Ciao!

目的語
人称代名詞

チェルト
certo
副「もちろん」

プレスターレ
prestare
動「貸す」

アッソルタメンテ
assolutamente
副
「絶対に、どうしても」

この週末はどうしてた？
何をしていたか僕に教えて欲しいな。

そう、今日は 過去の出来事を表現する "近過去" を学んでいくよ。

イタリア語では "avere か essere の現在形＋過去分詞" という形で過去形を作るよ。
ポイントはズバリ！
"助動詞の選択" と "過去分詞"
この近過去が使えるようになると、会話の幅がグンと広がるから早くマスターしてね。

近過去

Ciao, come stai?
君はこの週末は何をしてた？ 僕の方は友だちと街に
出かけて、映画を見て、買い物して、語らいながら
食事をして……いつもの週末さ。家に帰ったのはもう
真夜中を過ぎてたよ。今度は君の週末の出来事も聞
きたいな。だから、今日は過去形を勉強しようか。

　イタリア語で過去の事柄を表す時制はいくつかあるんだけど、
その中で日常的に最もよく使うのが "近過去" だよ。「現在と何ら
かの関わりを持つ過去」つまり、意識の上で現在とまだ "近い"
過去の事柄を表す用法なんだ。まず近過去の作り方を教えるよ。

近過去の形態

$$\text{助動詞} \begin{Bmatrix} \text{avere} \\ \text{essere} \end{Bmatrix} \text{の現在形＋過去分詞}$$

**助動詞に avere を取るか essere を取るかは動詞
によって決まるよ。**

　この中で avere と essere の現在形はもう知ってるよね。ここで
初めて出てきたのが "過去分詞" だ。動詞の過去分詞には規則
的に作れるものと不規則なものがあるけど、ホワイトボードにまと
めておくね。

過去分詞の形

are 動詞 （規則型は語尾の -are を -ato にする。）

規則型	<ruby>parlare<rt>パルラーレ</rt></ruby> ➡ <ruby>parlato<rt>パルラート</rt></ruby>「話す」、<ruby>cantare<rt>カンターレ</rt></ruby> ➡ <ruby>cantato<rt>カンタート</rt></ruby>「歌う」
不規則型	<ruby>fare<rt>ファーレ</rt></ruby> ➡ <ruby>fatto<rt>ファット</rt></ruby>「する」

ere 動詞
（規則型は語尾の -ere を -uto にする。不規則が最も多い。）

規則型

<ruby>vendere<rt>ヴェンデレ</rt></ruby> ➡ <ruby>venduto<rt>ヴェンドゥート</rt></ruby>「売る」 　　<ruby>potere<rt>ポテーレ</rt></ruby> ➡ <ruby>potuto<rt>ポトゥート</rt></ruby>「できる」

不規則型（主要なもの）

<ruby>prendere<rt>プレンデレ</rt></ruby> ➡ <ruby>preso<rt>プレーゾ</rt></ruby>「とる」 　　<ruby>vedere<rt>ヴェデーレ</rt></ruby> ➡ <ruby>visto<rt>ヴィスト</rt></ruby>「見る」

<ruby>leggere<rt>レッジェレ</rt></ruby> ➡ <ruby>letto<rt>レット</rt></ruby>「読む」 　　<ruby>scrivere<rt>スクリーヴェレ</rt></ruby> ➡ <ruby>scritto<rt>スクリット</rt></ruby>「書く」

<ruby>chiudere<rt>キウーデレ</rt></ruby> ➡ <ruby>chiuso<rt>キウーゾ</rt></ruby>「閉める」 　　<ruby>mettere<rt>メッテレ</rt></ruby> ➡ <ruby>messo<rt>メッソ</rt></ruby>「置く」

<ruby>essere<rt>エッセレ</rt></ruby> ➡ <ruby>stato<rt>スタート</rt></ruby>「ある、いる」 　　<ruby>piacere<rt>ピアチェーレ</rt></ruby> ➡ <ruby>piaciuto<rt>ピアチュート</rt></ruby>「気にいる」

<ruby>rimanere<rt>リマネーレ</rt></ruby> ➡ <ruby>rimasto<rt>リマスト</rt></ruby>「とどまる」 　　<ruby>nascere<rt>ナッシェレ</rt></ruby> ➡ <ruby>nato<rt>ナート</rt></ruby>「生まれる」

近過去

<ruby>nascere<rt>ナッシェレ</rt></ruby>
動「生まれる」

165

ire 動詞

規則型は語尾の -ire を -ito にする。標準型も -isc 型も同様。

規則型
^{バルティーレ} ^{バルティート} partire ➡ partito「出発する」　^{カピーレ} ^{カピート} capire ➡ capito「理解する」

不規則型（主要なもの）
^{ヴェニーレ} ^{ヴェヌート} venire ➡ venuto「来る」　^{アプリーレ} ^{アペルト} aprire ➡ aperto「開ける」
^{ディーレ} ^{デット} dire ➡ detto「言う」　^{オッフリーレ} ^{オッフェルト} offrire ➡ offerto「提供する」

規則的な過去分詞の中では -ere 動詞に注意だよ。-are 動詞は -ato、-ire 動詞は -ito だけど、-ere 動詞は -uto になるからね。

あと不規則な過去分詞については、少しずつ、使いながら覚えていくしかないね。まぁそれが語学の基本なんだけどね。

さあ、これで"過去分詞"も、一応分かったよね？ これで近過去の文が作れるはずだよ。あとは助動詞の選択、つまり"avereの現在形＋過去分詞"で近過去を作るか、"essere の現在形＋過去分詞"で近過去を作るかだけど、どちらの助動詞を使うかは実は動詞によって決まっているんだ。1つずつ見ていくよ。

助動詞に avere をとる動詞
他動詞［直接目的語をとりうる動詞］のすべてと自動詞の多く
　avere が活用することで主語が決定されるよ。主語が変化しても過去分詞は変わらないんだ。

	バルラーレ parlare「話す」	ヴェンデレ vendere「売る」	カピーレ capire「理解する」
イオ io	オ バルラート ho parlato	オ ヴェンドゥート ho venduto	オ カピート ho capito
トゥ tu	アイ バルラート hai parlato	アイ ヴェンドゥート hai venduto	アイ カピート hai capito
ルイ レイ lui / lei レイ / Lei	ア バルラート ha parlato	ア ヴェンドゥート ha venduto	ア カピート ha capito
ノイ noi	アッビアーモ バルラート abbiamo parlato	アッビアーモ ヴェンドゥート abbiamo venduto	アッビアーモ カピート abbiamo capito
ヴォイ voi	アヴェーテ バルラート avete parlato	アヴェーテ ヴェンドゥート avete venduto	アヴェーテ カピート avete capito
ローロ loro	アンノ バルラート hanno parlato	アンノ ヴェンドゥート hanno venduto	アンノ カピート hanno capito

オ マンジャート ラ ピッツァ マルゲリータ
Ho mangiato la pizza margherita.

私はピッツァ・マルゲリータを食べました。

> 自動詞は「目的語がなくても文章が成立する」。
> が、他動詞は『目的語』と共に用いないと文章にならない。
> たとえば"何を？"と聞き返して答えられるのが他動詞、答えられないのが自動詞と考えるといいよ。

近過去

パオロ アイ ジャ レット クエスタ リヴィスタ
Paolo, hai già letto questa rivista?

パオロ、君はもうこの雑誌を読みましたか？

マリーア ノ ナ アンコーラ ファット イ コンピティ
Maria non ha ancora fatto i compiti.

マリーアはまだ宿題をしていません。

アッピアーモ ヴェンドゥート ラ ノストラ ヴィッラ
Abbiamo venduto la nostra villa.

私たちは別荘を売りました。

アヴェーテ カピート ラ レツィオーネ
Avete capito la lezione?

君たちは授業を理解しましたか？

ルチーア エスィルヴィア アン ノ プレーゾ イル トゥレーノ ペル ローマ
Lucia e Silvia hanno preso il treno per Roma.

ルチーアとシルヴィアはローマ行きの電車に乗りました。

近過去って、過去分詞の形さえ覚えてしまえば、あとは avere の活用形と組み合わせて使うだけだから案外簡単だよね。とにかく、通常"avere の現在形＋過去分詞"で近過去を作る場合は、「過去分詞の語尾は変化しない」と今は覚えておいてほしい。ネタバレになるけど、ここが後から話す"essere の現在形＋過去分詞"で近過去を作る場合との違いなんだ。

ただし、前回勉強した"直接目的語代名詞"と一緒に使われる場合だけは、その代名詞が示すモノの性と数に合わせて、過去分詞の語尾が変化するんだ。

これは今日は無理に覚える必要はないけど、一応説明しておくね。

直接目的語代名詞
148 頁参照

アイ マンジャート
Hai mangiato
{
　イル リ ゾット
　il risotto?（［男単］ ➡ **lo**）　➡　スィ　ロ　マンジャート
Sì, **l**ho mangiat**o**.

　ラ ピッツァ
　la pizza?（［女単］ ➡ **la**）　➡　スィ　ロ　マンジャータ
Sì, **l**ho mangiat**a**.

　リ スパゲッティ
　gli spaghetti?（［男複］ ➡ **li**）➡　スィ リ オ マンジャーティ
Sì, **li** ho mangiat**i**.

　レ ラザーニェ
　le lasagne?（［女複］ ➡ **le**）　➡　スィ レ オ マンジャーテ
Sì, **le** ho mangiat**e**.
}

代名詞 **lo**, **la** が来たときは、そのあとに続く avere
動詞とアポストロフィで結合するよ。

じゃあ、"avere の現在形＋過去分詞"で近過去
を作る場合の練習問題をしてみるよ。（　　）内の
動詞を主語に合わせて近過去に活用させてみてね。

近過去

ジャ
già
圓「すでに」

コ ン ビ ト
compito
名男「宿題」

アンコーラ
ancora
圓「まだ」

リ ゾ ット
risotto
名男「リゾット」

ラザーニャ
lasagna
名女
「ラザーニャ」

❶ イオ　　　　　　　　リチェーヴェレ　ウナ　カルトリーナ ディ ナターレ ダ ルチーア
❶ Io _____ (ricevere) una cartolina di Natale da Lucia.

私はルチーアからクリスマスカードを受け取った。

❷ パオロ エ フランチェスカ　　　　　　スペディーレ　ウン　パッ コ アイ ローロ ジェニトーリ
❷ Paolo e Francesca _____ (spedire) un pacco ai loro genitori.

パオロとフランチェスカは彼らの両親に小包を送った。

❸ マリーア　　　　　スクリーヴェレ　ラ テージ ディ ラウレア
❸ Maria _____ (scrivere) la tesi di laurea.

マリーアは卒業論文を書きました。

❹ ファビオ トゥ ドーヴェ　　　　メッテレ　ラ ミ ア キアーヴェ
❹ Fabio, tu dove _____ (mettere) la mia chiave?

ファビオ、君は私の鍵をどこに置きましたか？

❺ ヴォイ　　　　　ヴィズィターレ　ジャ ナ ー ポリ
❺ Voi _____ (visitare) già Napoli?

君たちはもうナポリを訪れましたか？

❻ イエリ ノイ　　　　　　ヴェデーレ　マリーア ダヴァンティ アッラ スタツィオーネ
❻ Ieri noi _____ (vedere) Maria davanti alla stazione.

昨日、私たちは駅前でマリーアを見かけました。

答え ① ho ricevuto ② hanno spedito ③ ha scritto ④ hai messo ⑤ avete visitato ⑥ abbiamo visto

どうだったかな？　❸❹❻は不規則な過去分詞を使うから注意が必要だよ。
ここまでは助動詞に avere をとる近過去の文を見てきたけど、次は助動詞に essere をとって近過去を作る動詞を見ていこう。

"場所の移動" や "存在・状態" などを表す自動詞がそれにあたるんだけど、数が少ないからよく使う動詞を覚えておくといいよ。

助動詞に essere をとる動詞
場所の移動や存在・状態・変化等を表す自動詞と piacere

　"essere の現在形＋過去分詞" で近過去を作る場合、主語が男性か女性か、単数か複数かに応じて、過去分詞の語尾が -o /
-a / -i / -e と変化するんだ。注意が必要だよ！

	アンダーレ andare「行く」	ヴェニーレ venire「来る」
イオ io	ソーノ アンダート　アンダータ sono andato (andata)	ソーノ ヴェヌート　ヴェヌータ sono venuto (venuta)
トゥ tu	セイ アンダート　アンダータ sei andato (andata)	セイ ヴェヌート　ヴェヌータ sei venuto (venuta)
ルイ　レイ　レイ lui / lei / Lei	エ アンダート　アンダータ è andato (andata)	エ ヴェヌート　ヴェヌータ è venuto (venuta)
ノイ noi	スィアーモ アンダーティ　アンダーテ siamo andati (andate)	スィアーモ ヴェヌーティ　ヴェヌーテ siamo venuti (venute)
ヴォイ voi	スィエーテアンダーティ　アンダーテ siete andati (andate)	スィエーテヴェヌーティ　ヴェヌーテ siete venuti (venute)
ローロ loro	ソーノ アンダーティ　アンダーテ sono andati (andate)	ソーノ ヴェヌーティ　ヴェヌーテ sono venuti (venute)

37

　つまり、「私は〜へ行きました」という文を作る場合、主語の「私」が男性か、女性（表内括弧内）かで過去分詞の語尾が変わることになるんだ。
　例えば、私たち (noi) が「行った」という場合、「私たち」の中に男性が一人でもいれば、Siamo andati、女性だけのグループなら Siamo andate となる。

パーオロ エ アンダート アル マーレ　　ルチーア エ アンダータ イン モンターニャ
Paolo è andato al mare. / Lucia è andata in montagna.

パオロは海に行きました。／ルチーアは山に行きました。

マル コ エ パトリツィア ソーノ ジャ ヴェヌーティ　マ アンナ ノ ネ アンコーラ ヴェヌータ
Marco e Patrizia sono già venuti, ma Anna non è ancora venuta.

マルコとパトリツィアはすでに来ましたが、アンナはまだ来ていません。

近過去

リチェーヴェレ
ricevere
動「受け取る」

カルトリーナ
cartolina
名女「はがき」

ナターレ
Natale
名男
「クリスマス」

テージ
tesi
名女「論文」

ラウレア
laurea
名女「卒業、学位」

ヴィズィターレ
visitare
動「訪れる」

ダヴァンティ
davanti
前「〜の前で」

171

イル トゥレーノ エ アッリヴァート イン リタルド アッラ スタツィオーネ
Il treno è arrivato **in ritardo alla stazione.**

電車は遅れて駅に到着しました。

スィアーモ リマスティ ア ロ ー マ ペルドゥエ セッティマーネ
Siamo rimasti **a Roma per 2 settimane.**

私たちはローマに2週間滞在しました。

スタマッティーナ ノン ソーノ スタータ モ ル ト ベーネ
Stamattina non sono stata **molto bene.**

今朝、私はあまり具合が良くなかった。

ティ エ ピアチュート イルフィルム　スィ ミ エ ピアチュート モ ル ト
Ti è piaciuto **il film? - Sì, mi** è piaciuto **molto.** ＊主語は il film［男単］

君はその映画が気に入りましたか？ ―はい、とても気に入りました。

> ここで、近過去の文を作るときのポイントを2つ
> まとめておくよ。
>
> ①動詞を近過去にする場合に、助動詞として
> "avere"をとるか"essere"をとるかを判断する。
>
> ②助動詞にessereをとって近過去を作る場合は、
> 主語の性と数に注意して過去分詞の語尾を変化
> させる。

　いいかな？ このポイントを押さえて近過去を使いこなせれば、
表現できることも大きく膨らんでいくはずだよ。まずは、この週末
にしたことを僕に話してごらん。

　それじゃ、あと2つだけ注意してほしい点を挙げておくよ。

補助動詞
134 頁参照

★補助動詞＋不定詞の近過去

「補助動詞 (potere, dovere, volere) ＋不定詞」の文を近過去にする場合、助動詞が avere になるか、essere になるかは、補助動詞の後に来る不定詞に合わせるよ。

マリーア ア ドヴート ファーレ イ コンピティ
Maria ha dovuto <u>fare</u> i compiti.
　　　　　　　［avere + fatto で近過去を作る］

マリーアは宿題をしなければならなかった。

マリーア エ ドヴータ トルナーレ ア カーサ
Maria è dovuta <u>tornare</u> a casa.
　　　　　　　［essere + tornato で近過去を作る］

マリーアは家に帰らなければならなかった。

近過去

リ タ ル ド
ritardo
名 男「遅れ、遅延」

173

★助動詞に avere, essere の両方をとる動詞

　動詞 cominciare「始める、始まる」、finire「終える、終わる」などは他動詞の用法も自動詞の用法もあって、助動詞も意味によって使い分けるよ。

　人が主語の場合は他動詞で "avere+ 過去分詞"、人以外のモノが主語の場合は自動詞で "essere+ 過去分詞" と取りあえず覚えておこう。

パ オ ロ　ア　コ ミ ン チ ャ ー ト　イルラヴォーロ　　ラ　レツィオーネ　エ　コ ミ ン チ ャ ー タ
Paolo ha cominciato **il lavoro. / La lezione** è cominciata.

パオロはその仕事を始めた。　　／　授業が始まった。

オ　フィニート　ディ マンジャーレ　　イルコンチェルト　エ フィニート
Ho finito **di mangiare. / Il concerto** è finito.

私は食べ終えた。　　　／　コンサートが終わった。

自動詞と他動詞の説明はp 167 だったね。

さあ、練習問題をしてみよう。今度は "essere の現在形＋過去分詞" で近過去を作る動詞だよ。主語の性と数に気をつけて（　　）内の動詞を近過去に活用させてみてね。

❶ Laura _____ (partire) per Londra.
ラウラ
パルティーレ ペル ロンドラ

ラウラはロンドンに向けて出発した。

❷ I miei genitori _____ (tornare) a casa tardi.
イ ミエイ ジェニトーリ
トルナーレ ア カーサ タルディ

私の両親は遅くに家に帰ってきた。

❸ Paolo, tu dove _____ (essere) ieri sera?
パ オ ロ トゥ ドーヴェ
エッセレ イエリ セーラ

パオロ、君は昨晩どこにいたの？

❹ Voi dove _____ (andare) nelle vacanze estive?
ヴォイ ドーヴェ
アンダーレ ネッレ ヴァカンツェ エスティーヴェ

君たちは夏休みにどこに行きましたか？

❺ A Silvia _____ (piacere) le scarpe.
ア スィルヴィア
ピアチェーレ レ スカルペ

シルヴィアはその靴が気に入りました。

❻ Oggi noi _____ (potere) uscire all'aperto.
オッジ ノイ
ポテーレ ウッシーレ アッラ ペルト

今日、私たちは野外に出掛けることができた。

エスティーヴォ
estivo
形「夏の」

ア ペ ル ト
aperto
名男「戸外、屋外」

近過去

できたかな？ じゃあ、今日のレッスンはここまで。

近過去はしっかりマスターできたかな？ 会話の幅が広がれば、イタリア語の勉強もずっと楽しくなるよね。イタリア語で一緒にフリートークができる日を待ち望んでいるよ。頑張ろうね。

次回は"再帰動詞"という、日本語にはない形の動詞を勉強するよ。それじゃね。Ciao!

今日のレッスンでは
"再帰動詞" と呼ばれる
少し変わった種類の動詞を
勉強するよ。

動作をおこなう主語と、その動作が及ぶ対象（目的語）とが一致するような動詞のことを指すんだけど……あまりピンとこないかな？

例えば、イタリア語では「起きる」という時に、「私は私を起こす」なんて言い方をするんだ。これはフランス語やスペイン語にも共通する特徴だけどね。

えっ！ややこしそう？大丈夫だよ。

今までに覚えてきた動詞の活用と、この前やった目的語代名詞がしっかり理解できていればそう難しくないよ。

再帰動詞 *Lezione 10*

Scusa!
遅れてゴメン。今日は寝坊しちゃって、"起きて" すぐに "歯を磨いて" "シャワーを浴びて"、それから急いで家を出ようとしたんだけど、なかなか服が決まらなくて……"鏡を見ながら" 服を "着たり" "脱いだり" しているうちに、こんなに遅くなっちゃったんだ。

それじゃ、遅れた時間を取り戻すためにも早速レッスンに入るけど、今日は今僕が言ったこと、つまり、今朝の僕の行動を表すときに使った特別な動詞について勉強するよ。

　それは、再び帰ってくる動詞と書いて "再帰動詞" って言うんだけど、イメージとしては「自分の行う動作や行為が、他の対象に及ぶのではなく、再び自分自身に帰ってくる」って感じかな？ 文法的に言うと「自分自身を目的語にとる動詞」なんだけど、実際に例をあげてみるね。

バーオロ アルツァ スア ノンナ ダル レット
Paolo alza <u>sua nonna</u> dal letto. ➡ バオロ ラ アルツァ ダル レット
Paolo la alza dal letto.

パオロは祖母をベッドから起こす。　　パオロは彼女をベッドから起こす。

＊動詞 alzare「起こす」は、sua nonna「彼の祖母」を直接目的語としている。

バ オ ロ スィ アルツァ ダル レット
Paolo si alza dal letto.　パオロは自分自身をベッドから起こす。

［自分自身を］　　　　➡ パオロはベッドから起き上がる。

＊動詞 alzare「起こす」は、si「自分自身」を直接目的語としている。

178

この「自分自身」を表す si を再帰代名詞といい、再帰代名詞と一体となった動詞 (si alza) を再帰動詞と言うよ。

再帰動詞の不定詞は、動詞の語尾 are, ere, ire の後ろに再帰代名詞のsiを結合させて -arsi, -ersi, -irsiとなるんだ。

あと大事なことは、この再帰代名詞の si の部分だけど、活用のときは主語に合わせてmi, ti, si, ci, vi, si と変化して動詞の直前に置くんだ。

	アルツァルスィ alzarsi「起きる」 (alzare + si)	メッテルスィ mettersi「身に着ける」 (mettere + si)	ディヴェルティルスィ divertirsi「楽しむ」 (divertire + si)
イオ io	ミ アルツォ mi alzo	ミ メット mi metto	ミ ディヴェルト mi diverto
トゥ tu	ティ アルツィ ti alzi	ティ メッティ ti metti	ティ ディヴェルティ ti diverti
ルイ　レイ　レイ lui / lei / Lei	スィ アルツァ si alza	スィ メッテ si mette	スィ ディヴェルテ si diverte
ノイ noi	チ アルツィアーモ ci alziamo	チ メッティアーモ ci mettiamo	チ ディヴェルティアーモ ci divertiamo
ヴォイ voi	ヴィアルツァーテ vi alzate	ヴィ メッテーテ vi mettete	ヴィ ディヴェルティーテ vi divertite
ローロ loro	スィアルツァノ si alzano	スィ メットノ si mettono	スィディヴェルトノ si divertono

再帰動詞

アルツァルスィ
alzarsi
面「起きる」

メッテルスィ
mettersi
面「身に着ける」

ディヴェルティルスィ
divertirsi
面「楽しむ」

179

38

A che ora ti alzi ogni mattina? - Mi alzo alle 7.
ア ケ オーラ ティアルツィ オン ニ マッティーナ　 ミ アルツォ アッレセッテ

君は毎朝何時に起きますか？　　　ー私は 7 時に起きます。

＊ mi「私を」 ＋ alzo「（私が）起こす」 ➡　mi alzo「私が起きる」

＊ ti「君を」 ＋ alzi「（君が）起こす」 ➡　ti alzi「君が起きる」

Lucia si mette un abito elegante.
ルチーア スィ メ ッ テ ウン アービト エ レ ガ ン テ

ルチーアはエレガントな洋服を身に着ける。

＊ si「自分自身に」 ＋ mette「（洋服を）着せる」

　　　　　 ➡　 si mette「（彼女が洋服を）着る」

＊ 3 人称の場合は、再帰代名詞は必ず si になります。

Vi divertite a giocare a calcio? - Sì, ci divertiamo tanto.
ヴィディヴェルティーテ ア ジョカーレ ア カルチョ　 スィ チ ディヴェルティアーモ タント

君たちはサッカーをして楽しんでいますか？

ーはい、私たちはとても楽しんでいます。

＊ ci「私たちを」 ＋ divertiamo「（私たちが）楽しませる」

　　　　　 ➡　 ci divertiamo「（私たちが）楽しむ」

＊ vi「君たちを」 ＋ divertite「（君たちが）楽しませる」

　　　　　 ➡　 vi divertite「（君たちが）楽しむ」

> 再帰動詞中の再帰代名詞も、前に勉強した目的語代
> 名詞と同じように、動詞の不定詞と一緒に用いる場
> 合は、次の 2 つの位置に置けるよ。(p 158 参照)

Devo alzarmi alle 6. = Mi devo alzare alle 6.
デ ー ヴォ アルツァルミ アッレ セイ　 ミ デ ー ヴォ アルツァーレ アッレ セイ

私は 6 時に起きなくてはならない。

ここまでは「自分自身を（に）〜する」という再帰動詞の基本的な用法について見てきたけど、もう1つ、実はいくつかの再帰動詞の中には、主語が複数になると「お互いに〜しあう」という表現を作るものもあるんだ。"相互的再帰動詞" って言うよ。

バーオロ　エ　フランチェスカ スィグ ワルダ ノ　ネッリ　オッキ
Paolo e Francesca si guardano negli occhi.

パオロとフランチェスカは互いに見つめ合う。

＊再帰動詞 guardarsi「（お互いを見る ➡) 見つめ合う」

　★比べてみよう！
Paolo si guarda nello specchio.
パオロは鏡の中に自分自身を見る。

ダ　クワント　テン ポ ヴィ コ ノ シェーテ　　チ コ ノ シャー モ　ダ ドゥエアン ニ
Da quanto tempo vi conoscete? - Ci conosciamo da 2 anni.

君たちはどのくらい前から知り合いなの？

－私たちは 2 年前からの知り合いです。

＊再帰動詞 conoscersi「（お互いに知っている ➡) 知り合いである」

アービト
abito
名男「衣服」

グワルダルスィ
guardarsi
再「見つめ合う」

スペッキオ
specchio
名男「鏡」

コノッシェルスィ
conoscersi
再「知り合いである」

さあ、ここで再帰動詞の練習問題をしてみるよ。
（　　）内の再帰動詞を主語に合わせて適切に活用
してみてね。

❶ Tu, come _____ (chiamarsi)? - _____ (chiamarsi) Mario.
君の名前は何ですか？　　−私の名前はマリオです。

❷ Marco _____ (lavarsi) i denti e _____ (farsi) la barba.
マルコは歯を磨き、ひげをそります。

❸ Allora, noi dove _____ (vedersi) domani?
それじゃ、明日僕たちはどこで会おうか？

❹ Signora, come ___ (sentirsi)? - Non ___ (sentirsi) bene.
奥様、ご気分はどうですか？　　−私は気分がよくありません。

❺ Voi, di solito a che ora _____ (addormentarsi)?
君たちは普段何時に寝ますか？

❻ I miei genitori _____ (amarsi) molto.
私の両親はとても愛し合っています。

答え ① ① ti chiami, mi chiamo ② si lava, si fa ③ ci vediamo ④ si sente, mi sento
⑤ vi addormentate ⑥ si amano

　どうだったかな？　僕たちが最初のレッスンで交わした Come ti chiami? というあいさつにも実は再帰動詞が使われていたんだよ。❷に不規則動詞の fare が再帰代名詞の si を伴った再帰動詞 farsi が出てきたけど、何も難しいことはないよ。すべての再帰動詞に共通する mi, ti, si, ci, vi, si の部分と不規則動詞 fare の活用を別々に考えると分かりやすいよ。あと❸と❻は「お互いに〜しあう」という相互的な再帰動詞が使われていたね。

182

　近過去については前回勉強したけど覚えてるかな？ 2つポイントを紹介したよね？ その最初のポイントが助動詞の選択、つまり "avere ＋ 過去分詞" で近過去を作る動詞なのか、あるいは "essere ＋ 過去分詞" で近過去を作る動詞なのかを区別することだったね。この再帰動詞の場合、近過去にするときは常に essere を使い、"再帰代名詞＋ essere ＋過去分詞" の語順で表すんだ。助動詞に essere を使う近過去だから、過去分詞の語尾を主語の性と数に一致させる必要があるよ。

	アルツァルスィ alzarsi「起きる」
イオ io	ミ　ソーノ　アルツァート　アルツァータ mi sono alzato (alzata)
トゥ tu	ティセイ　アルツァート　アルツァータ ti sei alzato (alzata)
ルイ　レイ　レイ lui / lei / Lei	スィエ　アルツァート　アルツァータ si è alzato (alzata)
ノイ noi	チ スィアーモ アルツァーティ アルツァーテ ci siamo alzati (alzate)
ヴォイ voi	ヴィ スィエーテ アルツァーティ アルツァーテ vi siete alzati (alzate)
ローロ loro	スィ ソー ノ アルツァーティ アルツァーテ si sono alzati (alzate)

キアマルスィ
chiamarsi
(再)
「名前は〜である」

ラヴァルスィ
lavarsi
(再)
「自分自身を洗う」

ファルスィ
farsi
(再)「自分自身を〜する、（ひげを）そる」

バ ル バ
barba
(名女)「ひげ」

ヴェデルスィ
vedersi
(再)「会う」

センティルスィ
sentirsi
(再)
「気分が〜である」

ディ ソーリト
di solito
「いつもは、普通」

アッドルメンタルスィ
addormentarsi
(再)
「就寝する、寝つく」

ア マルスィ
amarsi
(再)「愛し合う」

再帰動詞

ア ケ オーラ ティ セイ アルツァート スタマッティーナ　　ミ ソーノ アルツァート アッレセイ
A che ora ti sei alzato stamattina? - Mi sono alzato alle 6.

君は今朝何時に起きましたか？　　－私は 6 時に起きました。

ルチーア スィ エ スポザータ コン パーオロ イン ジューニョ
Lucia si è sposata con Paolo in giugno.

ルチーアはパオロと 6 月に結婚しました。

ラ ガッ ツィ　ヴィ スィ エーテ ディ ヴェルティーティ　アッラ フェスタ
Ragazzi, vi siete divertiti alla festa?
スィ　チ スィアーモ ディヴェルティーティ モ ル ト
- Sì, ci siamo divertiti molto.

君たち、パーティーは楽しかった？

　　－はい、私たちはとても楽しみました。

　ただ、potere, dovere, volere などの補助動詞を伴った再帰動
詞を近過去にする場合は注意が必要だよ。再帰代名詞の位置によ
って、essere を使うか、avere を使うかが変わってくるんだ。

> 再帰代名詞が動詞の前に来る場合は、普通の再帰
> 動詞の近過去と同じように "essere ＋ 過去分詞"
> で近過去を作るけど、再帰代名詞が動詞の後ろに来
> る場合は、例外的に "avere ＋ 過去分詞" で近過
> 去を作るんだ。この違いはややこしいから、自分が
> 使いやすいほうの形をどちらか一方でいいから覚え
> ておいてね。

再帰代名詞が動詞の前

ミ　デーヴォ アルツァーレ アッレセイ　　ミ ソーノ ド ヴート アルツァーレ アッレセイ
Mi devo alzare alle 6. ➡ Mi sono dovuto alzare alle 6.

（essere＋ 過去分詞）

再帰代名詞が動詞の後

デーヴォ アルツァル ミ　アッレセイ　　オ ド ヴート アルツァル ミ　アッレセイ
Devo alzarmi alle 6. ➡ Ho dovuto alzarmi alle 6.

（avere＋ 過去分詞）

それじゃ、再帰動詞の近過去についての練習問題をしてみよう
か？（　　）内の再帰動詞を近過去に直して文を完成させてね。
不規則な過去分詞にも注意だよ。

❶ Francesca _____ (fermarsi) a Kyoto per un mese.
<ruby>フランチェスカ<rt>フランチェスカ</rt></ruby>

フランチェスカは京都に1ヶ月滞在しました。

❷ Voi come _____ (trovarsi) a Firenze?

君たちはフィレンツェの居心地はどうでしたか？

❸ Giulio, tu a che ora _____ (svegliarsi) stamattina?

ジューリオ、君は今朝何時に目が覚めたの？

❹ Che cosa _____(mettersi) Lucia per la festa di ieri sera?

ルチーアは昨晩のパーティーでは何を着たの？

❺ Anna e Silvia _____ (conoscersi) a Roma due anni fa.

アンナとシルヴィアは2年前にローマで知り合いました。

❻ Io e mio cugino _____ (iscriversi) all'università di
Bologna.

私といとこはボローニャ大学に入学しました。

スポザルスィ
sposarsi
（再）「結婚する」

フェルマルスィ
fermarsi
（再）
「留まる、滞在する」

トロヴァルスィ
trovarsi
（再）「居心地が～であ
る、～がある、いる」

ズヴェッリャールスィ
svegliarsi
（再）「目覚める」

イスクリーヴェルスィ
iscriversi
（再）
「入学する、登録する」

再帰動詞

185

どうだったかな？　主語の性と数に合わせて、ちゃんと過去分詞の語尾変化ができたかな？

　❹と❻はそれぞれ mettere, iscrivere の過去分詞が不規則な形になるので注意が必要だよ。

それじゃ、今日のレッスンはここまでだよ。今日勉強した"再帰動詞"も、日本語には存在しない形だから、理解しづらいかもしれないね。

えっ？「起きる」って動詞を作ればいいのに、どうして「私が私を起こす」なんて言い方をするのかって？う～ん、そういうものだと思って覚えてもらうしかないかなぁ。答えになってなくてゴメン。
活用については、とにかく mi, ti, si, ci, vi, si の部分と、元になる動詞の活用とを分けて考えるのがポイントだよ。

次回はもう１つの過去形、"半過去"について勉強していくよ。Ciao!

以前、"近過去"を勉強したよね？
最近では、僕との会話でも、上手に近過去を使って過去の出来事を表現できているよね。嬉しいよ。でも、実は近過去では表現できない過去の状態があるんだ。
今日はもう1つの過去形を紹介するよ。

"半過去"といって、ある動作や行為が過去のある時点において未完了の、すなわち、いまだ"半ば"の状態にあったことを示す用法なんだ。

英語の過去進行形と似ているかな。
そういうわけで、今日のレッスンのポイントは、"近過去と半過去の使い分け"だよ。
注意して聞いててね。

半過去・大過去 *Lezione 11*

Ciao, come stai?
ねえ聞いて、今日ここに来る途中で、昔お世話になった日本語の先生に偶然出会ったんだ。2人とも急いでいたから、あまりゆっくり話は出来なかったけどね。懐かしかったなぁ。

先生といってもほとんど年も変わらなくて、昔はよく一緒に映画を見に行ったり、おしゃべりしながら街を散歩したりしていたよ。彼は街を案内しながら、僕に日本語を教えてくれていたんだ。時々、変なスラングも教わったけどね。

　さあ授業に入ろうか。今僕が話したことは、ついさっきの出来事、つまり過去の出来事だよね？　でも、君が知っている"近過去"だけでは表現できないんだ。今日はもう1つの大事な過去形、"半過去"を勉強するよ。
　半過去は、イタリア語では imperfetto と言って、im-「未」＋perfetto「完了」、つまり直訳すると「未完了過去」となるんだ。ある動作や行為が、「過去のある時点」において「未完了の」すなわち「半ば」の状態にあったことを示す過去の用法だよ。まずは半過去の活用から見ていこうか。

半過去の活用語尾 … -vo, -vi, -va, -vamo, -vate, -vano

	guardare「見る」	leggere「読む」	dormire「眠る」
io	guardavo	leggevo	dormivo
tu	guardavi	leggevi	dormivi
lui / lei / Lei	guardava	leggeva	dormiva
noi	guardavamo	leggevamo	dormivamo
voi	guardavate	leggevate	dormivate
loro	guardavano	leggevano	dormivano

　どうだい？ 半過去の活用は難しくないよね？ -are 動詞なら -avo, -avi, -ava... 、-ere 動詞なら -evo, -evi, -eva... 、-ire 動詞なら -ivo, -ivi, -iva... となるんだ。おまけに半過去の活用には例外形が比較的少なくて、次に挙げる動詞以外はほとんど上のように活用できるよ。

不規則活用の半過去

	essere「ある」	fare「する」	dire「言う」	bere「飲む」
io	ero	facevo	dicevo	bevevo
tu	eri	facevi	dicevi	bevevi
lui / lei / Lei	era	faceva	diceva	beveva
noi	eravamo	facevamo	dicevamo	bevevamo
voi	eravate	facevate	dicevate	bevevate
loro	erano	facevano	dicevano	bevevano

さあ、ここからが大事だよ。半過去の使い方だ。

以前習った近過去とどう使い分けるんだろう。
一言でまとめると次のようになるよ。

近過去 すでに完了した動作や行為を現在の視点から振り返って表現
　　　する用法。
半過去 視点を過去のある時点におき、その時点ではまだ未完了・継
　　　続中であったような当時の状況を表現する用法。

具体例をあげないとピンとこないよね？　じゃあ、半
過去の用法を例文と一緒に１つ１つ見ていこう。

①過去のある時点において、未完了・継続中であった動作や状態
「（その時）〜していた」

41

ケ　コー サ ファチェーヴィ イエリ セーラ アッレ オット
Che cosa facevi ieri sera alle 8?
　　　ラヴォラーヴォ アンコーラ イ ヌッフィーチョ
　　- Lavoravo ancora in ufficio.

昨日の晩の８時に君は何をしていましたか？

　　−私はまだオフィスで働いていました。

クワンド ソーノ トルナート ア カーサ　ミア マードレ プレパラーヴァ ラ チェーナ
Quando sono tornato a casa, mia madre preparava la cena.

私が帰宅したとき、母は夕食の準備をしていた。

イエリ ノン ソーノ アンダータ ア スクオーラ　ペル ケ ノン　ミ センティーヴォ ベーネ
Ieri non sono andata a scuola, perché non mi sentivo bene.

昨日私は具合が良くなかったので、学校へ行かなかった。

190

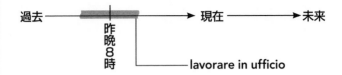

　ホワイトボードの図を見てごらん。網掛けをした部分が「オフィスで働いていた (lavorare in ufficio)」時間だよ。この図では、何時から働き始めて、何時に働き終えたかは問題にしないけど（斜線両端の曲線）、とにかく**昨晩８時の時点では、「働く (lavorare)」という行為がまだ未完了・継続中であった**ことがわかるよね。他の例文も同じだよ。それぞれ、私が「帰宅した時点」「学校に行かなかった時点」において、「夕食の準備をする (preparare)」という行為や「具合が良くない (non sentirsi bene)」という状態が未完了・継続中だよね。つまり**過去進行形に近い用法**だ。

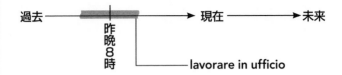

半過去・大過去

ウッフィーチョ
ufficio
名男
「オフィス、事務所」

プレパラーレ
preparare
動「準備する」

チェーナ
cena
名女「夕食」

スクオーラ
scuola
名女「学校」

② 過去における習慣や繰り返し行われた行為
「よく〜していたものだ」

<ruby>Andavo<rt>アンダーヴォ</rt></ruby> <ruby>in<rt>イン</rt></ruby> <ruby>chiesa<rt>キエーザ</rt></ruby> <ruby>ogni<rt>オンニ</rt></ruby> <ruby>domenica<rt>ドメーニカ</rt></ruby>.

毎週日曜日には教会に行っていました。

※**比べてみよう。**

<ruby>Sono<rt>ソーノ</rt></ruby> <ruby>andato<rt>アンダート</rt></ruby> <ruby>in<rt>イン</rt></ruby> <ruby>chiesa<rt>キエーザ</rt></ruby> <ruby>domenica<rt>ドメーニカ</rt></ruby> <ruby>scorsa<rt>スコルサ</rt></ruby>.

私は先週の日曜日、教会に行きました。

（近過去 ➡ 習慣ではなくて特定の過去の経験）

<ruby>Quando<rt>クワンド</rt></ruby> <ruby>eravamo<rt>エラヴァーモ</rt></ruby> <ruby>piccoli<rt>ピッコリ</rt></ruby>, <ruby>giocavamo<rt>ジョカヴァーモ</rt></ruby> <ruby>sempre<rt>センプレ</rt></ruby> <ruby>insieme<rt>インスィエーメ</rt></ruby>.

小さかった頃、いつも私たちは一緒に遊んでいたものでした。

③ 同時進行で行われた過去の動作や行為
「〜していた間、……していた」

<ruby>Mentre<rt>メントレ</rt></ruby> <ruby>leggevo<rt>レッジェーヴォ</rt></ruby> <ruby>una<rt>ウナ</rt></ruby> <ruby>rivista<rt>リヴィスタ</rt></ruby>, <ruby>mia<rt>ミア</rt></ruby> <ruby>sorella<rt>ソレッラ</rt></ruby> <ruby>scriveva<rt>スクリヴェーヴァ</rt></ruby> <ruby>una<rt>ウナ</rt></ruby> <ruby>lettera<rt>レッテラ</rt></ruby>.

私が雑誌を読んでいたときに、姉は手紙を書いていました。

<ruby>Mentre<rt>メントレ</rt></ruby> <ruby>aspettavano<rt>アスペッターヴァノ</rt></ruby> <ruby>l'autobus<rt>ラウトブス</rt></ruby>, <ruby>chiacchieravano<rt>キアッキエラーヴァノ</rt></ruby>.

彼らはバスを待ちながら、おしゃべりをしていた。

ここで使われている接続詞 mentre（〜している間）に注目だ。期間や継続を表す接続詞で、quando（〜の時）よりも長い時間継続した動作や状態の前に置かれるよ。
この mentre の後に過去形が来る場合は、必ず半過去だよ。

さあ、今日の練習問題は少し難しいよ。次の（　　）の動詞を文の意味に合うように、近過去か半過去に活用させてみてね。

❶ Quando ＿＿＿＿＿＿(tornare) a casa la madre, io ＿＿＿＿＿＿ (dormire).

母が家に帰宅したとき、私は眠っていた。

❷ Io e mio marito ＿＿＿＿＿＿ (andare) in centro e ＿＿＿＿＿＿ (fare) spese.

私と夫は中心街へ行き、買い物をしました。

❸ Maria non ＿＿＿＿＿＿ (uscire) perché ＿＿＿＿＿＿ (avere) mal di testa.

マリーアは頭が痛かったので、外出しませんでした。

❹ Da giovane, mio padre ＿＿＿＿＿＿ (bere) tanto.

若いころ、私の父はお酒をたくさん飲んでいました。

❺ Mentre ＿＿＿＿＿＿ (venire) qui, io ＿＿＿＿＿＿ (incontrare) il professore.

ここに来る途中、僕は先生に会いました。

❻ Mentre noi ＿＿＿＿＿＿ (studiare), voi cosa ＿＿＿＿＿＿ (fare)?

私たちが勉強していた間、君たちは何をしていたの？

答え ① è tornata, dormivo ② siamo andati, abbiamo fatto ③ è uscita, aveva ④ beveva ⑤ venivo, ho incontrato ⑥ studiavamo, facevate

半過去・大過去

insieme
副「一緒に」

mentre
接「〜する間」

chiacchierare
動「おしゃべりする」

professore
名男「先生、教授」

193

どうだったかな？ ❶は母親が帰ってきた時点での私の状況だよ。❷のように複数の行為が続けて起きる場合は近過去になるよ。1つの行為が完了してから次の行為が始まるからね。❸は外出しなかった時点でのマリアの状況。❹で出てくる前置詞 da の用法は注意だよ。半過去とともに用いて、"quando +essere の半過去（〜のころは）"と同じ意味になるよ。❺は継続している状況の中で起きた突発的な出来事で、❻は同時進行で行われた行為を表しているよ。間違った問題はもう一度状況を想像しながら考えてみてね。

さあ、今日はさらにもう1つの過去時制までやってみようか。

"大過去" と言って、過去のある時点を基準にしたときに、もうそれ以前にすでに完了していた動作や事柄を表すときに使う時制なんだ。

たとえば、君が友だちの家に遊びに行くとするよね。君が友だちの家に着いたときに、友だちがご飯を食べている最中なら半過去、もうすでにご飯を食べ終わっていたら大過去になるよ。わかるかい？

大過去の形態

$$助動詞 \left\{ \begin{array}{l} \text{avere} \\ \text{essere} \end{array} \right\} \text{の半過去＋過去分詞}$$

＊助動詞に avere を取るか essere を取るかは動詞によって決まるよ。

　もう気付いたと思うけど、近過去と形がそっくりだよね。ただ**大過去の場合、avere や essere の"半過去"と過去分詞を組み合わせる**んだ。助動詞に avere を取るか essere を取るかの基準は近過去のときと同じだし、助動詞に essere を取るときには、主語の性と数に合わせて過去分詞の語尾を変化させることも近過去の場合と同じだよ。

	ストゥディアーレ studiare「勉強する」	パルティーレ partire「出発する」
イオ io	アヴェーヴォ ストゥディアート avevo studiato	エーロ パルティート　パルティータ ero partito (partita)
トゥ tu	アヴェーヴィ ストゥディアート avevi studiato	エーリ パルティート　パルティータ eri partito (partita)
ルイ　レイ　レイ lui / lei / Lei	アヴェーヴァ ストゥディアート aveva studiato	エーラ パルティート　パルティータ era partito (partita)
ノイ noi	アヴェヴァーモ ストゥディアート avevamo studiato	エラ ヴァーモ パルティーティ パルティーテ eravamo partiti (partite)
ヴォイ voi	アヴェヴァーテ ストゥディアート avevate studiato	エラ ヴァーテ パルティーティ パルティーテ eravate partiti (partite)
ローロ loro	アヴェーヴァノ ストゥディアート avevano studiato	エーラノ パルティーティ パルティーテ erano partiti (partite)

クワンド ソーノ アッリヴァート アッラ スタツィオーネ イルトゥレーノ エーラ ジャ パルティート
Quando sono arrivato alla stazione, il treno era già partito.

私が駅に到着したとき、その電車はすでに出発していました。

ルチーア ア スペラート レザーメ ペル ケ アヴェーヴァ ストゥディアート タント
Lucia ha superato l'esame, perché aveva studiato tanto.

ルチーアはたくさん勉強していたために試験に合格した。

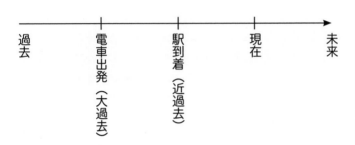

Quando sono arrivato alla stazione, il treno era già partito.

またホワイトボードを見てごらん。現在からみると過去にあたる「（私が）駅に到着した」時点を基準にしても、電車はそれ以前にすでに「出発する」という動作を完了してるよね？ もう1つの例文も同じだよ。「試験に合格した」のは過去の出来事だけど、それ以前にすでに「試験勉強をしていた」んだよね。そう過去完了の形だ。

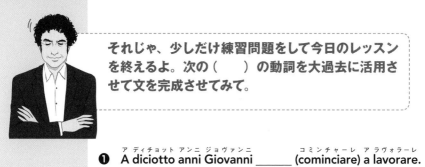

それじゃ、少しだけ練習問題をして今日のレッスンを終えるよ。次の（　　）の動詞を大過去に活用させて文を完成させてみて。

❶ A diciotto anni Giovanni _____ (cominciare) a lavorare.
ア ディチョット アンニ ジョヴァンニ　コミンチャーレ ア ラヴォラーレ

18歳の時、ジョヴァンニはすでに働き始めていました。

❷ Quando Carlo è venuto alla festa, Silvia _____ (tornare) a casa.
クワンド カルロ エ ヴェヌート アッラ フェスタ スィルヴィア　トルナーレ ア カーサ

カルロがパーティーに来たとき、シルヴィアはすでに家に帰っていました。

❸ Eravamo molto stanchi perché _____ (dormire) poco la notte prima.
エラヴァーモ モルト スタンキ ペルケ　ドルミーレ ポーコ ラ　ノッテ プリーマ

前の晩ほとんど寝ていなかったので、私たちはとても疲れていました。

❹ Stamattina alle 6, io _____ (alzarsi).
スタマッティーナ アッレ セイ イオ　アルツァルスィ

今朝6時にはすでに私は起きていました。

答え ① aveva cominciato ② era tornata ③ avevamo dormito ④ mi ero alzato/a

大過去・半過去

スペラーレ
superare
動「合格する」

スタンコ
stanco
形「疲れている」

プリーマ
prima
副「それ以前に」

スタマッティーナ
stamattina
副「今朝」

どうだったかな？　助動詞に avere を取るか essere を取るかの見極めがまずポイントだよ。❹の再帰動詞は必ず助動詞に essere を取るんだったよね。"essere の半過去＋過去分詞"で大過去を作る場合は、近過去と同じように過去分詞の語尾変化を忘れちゃだめだよ。

> **今日のレッスンはこれでおしまいだよ。今日は半過去と大過去という2つの過去時制が出てきたね。近過去と半過去の使い分けができるようになれば、初級文法卒業までもう少しだよ。**
>
> **このまま頑張ろうね。Ciao!**

今まで現在形、過去形と学んできたから、今日は最初に"未来形"の活用を紹介するよ。

不規則な活用のものが多いから気をつけてね。
それから、
今日のレッスンでは"条件法"も勉強するよ。
活用のパターンが"未来形"ととてもよく似ていて、一緒に覚えると効率的だからね。
ある条件のもとで起こりうる動作を表現するときに使う形だけど、この条件法を使うことで、いろいろなニュアンスを言葉に込めることができるんだ。

未来形・条件法 *Lezione 12*

Ciao, come stai?
君のイタリア旅行ももうすぐだね。予定はもう立てた？ どこの街を訪れて何を見るつもり？ えっ、僕のお勧め？ 難しいなぁ。どの街にもそれぞれの個性と魅力があふれているからね。初めてのイタリアだよね？ 僕が君の立場なら、ローマ、フィレンツェ、ヴェネツィア、ナポリ、ミラノ……やっぱり迷って決められないな。

じゃあ今日は、君が旅行の計画を立てられるように未来形についてまず勉強してみようか。現在、過去ときたら最後は未来だよね。旅行の計画を立てるのって本当にワクワクするよね。

　　未来形は、未来に起こるであろう出来事や、未来に行おうと思っている行為を表現するときに使うよ。簡単だよね？ じゃあ、ここでも活用から見ていこうか。前回やった半過去に比べると不規則な形が多いから注意してね。まずは規則動詞から見てみよう。

未来形の活用語尾　-rò, -rai, -rà, -remo, -rete, -ranno

	トルナーレ tornare「帰る」	プレンデレ prendere「取る」	パルティーレ partire「出発する」
イオ io	トルネロ torne**rò**	プレンデロ prende**rò**	パルティロ parti**rò**
トゥ tu	トルネライ torne**rai**	プレンデライ prende**rai**	パルティライ parti**rai**
ルイ レイ レイ lui / lei / Lei	トルネラ torne**rà**	プレンデラ prende**rà**	パルティラ parti**rà**
ノイ noi	トルネレーモ torne**remo**	プレンデレーモ prende**remo**	パルティレーモ parti**remo**
ヴォイ voi	トルネレーテ torne**rete**	プレンデレーテ prende**rete**	パルティレーテ parti**rete**
ローロ loro	トルネランノ torne**ranno**	プレンデランノ prende**ranno**	パルティランノ parti**ranno**

どうかな？ -are 動詞から -ire 動詞まですべて活用語尾は一緒だよね。主語が「私」のときの"-rò"と「彼・彼女・あなた」のときの"-rà"には語尾母音にアクセントが落ちるから、必ずアクセント記号を書く必要があるよ。それと気をつけなければならないのが"-are 動詞"だ。活用語尾の直前の母音が a ➡ e に変わっているよね。ここがポイントだよ。

不定詞が -care, -gare で終わる動詞や、-ciare, -giare で終わる動詞の場合も注意が必要だよ。語幹部分に"h"が入ったり、あるいは語幹部分の"i"が抜け落ちたりするよ。

チェルカーレ cercare	➡	チェルケロ cercherò	バガーレ pagare	➡	バゲロ pagherò
コミンチャーレ cominciare	➡	コミンチェロ comincerò	マンジャーレ mangiare	➡	マンジェロ mangerò

次は不規則な活用をする未来形の動詞だ。活用語尾
(-rò, -rai, -rà, -remo, -rete, -ranno) は規則形と
変わらないけど、その前の語幹の部分が少し変化す
るよ。そして独特な活用形を持つ "essere" 以外の
不規則形は、大きく分けて 3 つのタイプに分類でき
るよ。

不規則な未来形

essere
最初の sarò という形さえ覚えておけば、 あとは規則的に活用できる。

イオ io	サ ロ sarò	ノイ noi	サ レーモ saremo
トゥ tu	サ ライ sarai	ヴォイ voi	サ レーテ sarete
ルイ レイ レイ lui / lei / Lei	サ ラ sarà	ローロ loro	サランノ saranno

① **母音消失型**
活用語尾の直前の母音が消失する。

(avere, andare, dovere, potere, sapere, vedere など)

② **-are 動詞無変化型**
-are 動詞なのに、活用語尾の直前の母音が a ➡ e に
変わらない。

(fare, dare, stare など)

③ **二重子音 -rr 型**
活用語尾の直前の子音が r に変わり、-rr の音で活用する。

(venire, volere, rimanere, bere など)

	① andare「行く」 アンダーレ	② fare「〜する」 ファーレ	③ venire「来る」 ヴェニーレ
io イオ	**and**rò (✕ anderò) アンドロ	**fa**rò (✕ ferò) ファロ	**ver**rò (✕ venirò) ヴェッロ
tu トゥ	**and**rai アンドライ	**fa**rai ファライ	**ver**rai ヴェッライ
lui / lei / Lei ルイ レイ レイ	**and**rà アンドラ	**fa**rà ファラ	**ver**rà ヴェッラ
noi ノイ	**and**remo アンドレーモ	**fa**remo ファレーモ	**ver**remo ヴェッレーモ
voi ヴォイ	**and**rete アンドレーテ	**fa**rete ファレーテ	**ver**rete ヴェッレーテ
loro ローロ	**and**ranno アンドランノ	**fa**ranno ファランノ	**ver**ranno ヴェッランノ

活用はここまで。いろいろ不規則な形もあるけど、まずは活用語尾を覚えることだよ。

じゃあ、未来形の用法を例文と一緒に見ていこう。

①**未来に起こるであろう出来事や、未来に行おうと思っている行為を 表現する。**

マリーア スクリヴェラ ウナ レッテラ アイスオイ アミーチ
Maria scriverà una lettera ai suoi amici.

マリーアは彼女の友人たちに手紙を書くつもりです。

ケ コーサ ファライ クエステ ヴァカンツェ
Che cosa farai queste vacanze?

アンドロ イ ンターリア エ ヴィスィテロ タンテ チッタ
- Andrò in Italia e visiterò tante città.

君はこの休暇に何をするつもりですか？

ー私はイタリアへ行き、多くの街を訪れるつもりです。

セ トルネラ ア カーサ プレスト ルチーア ノイ ポトレーモ ウッシーレ インスィエーメ
Se tornerà a casa presto Lucia, noi potremo uscire insieme.

もしルチーアが早く家に帰ってくれば、私たちは一緒に外出できる でしょう。

②**現在の不確かな事柄に関する推測を表す。**

ケ オーレ ソーノ サランノ レ オット
Che ore sono? - Saranno le 8.

今何時ですか？ ー８時くらいでしょう。

セ コンド メ クエル スィニョーレ アヴラ ピュ ディクワランタ アンニ
Secondo me, quel signore avrà più di 40 anni.

私の考えでは、あの男性は 40 歳以上でしょう。

　未来形の用法は難しくないよね。ただ覚えておいてほしいこと は、**近い未来の確実な意思を表明する場合は、実は現在形でいい んだ。**たとえば「明日、映画を見に行く」なら"Vado al cinema domani."で全く問題ないし、意思が明確な場合は「今年の冬に イタリアに行く」だって、"Vado in Italia quest' inverno."で構わ

ない。"Andrò in Italia quest'inverno." と未来形を使うと、「恐らく今年の冬はイタリアに行くと思うけど……」くらいの不確実なニュアンスになるんだ。

presto
副「早く」

secondo
前「～によれば、～の意見では」

più
形「～以上の」

未来形・条件法

205

それじゃ、ここで練習問題をしてみようか。
次の（　　）の動詞を未来形に活用させてみてね。

❶ Voi _____ (comprare) una macchina nuova l'anno prossimo?

君たちは来年新車を買うつもりですか？

❷ In futuro Mario _____ (aprire) un ristorante italiano.

将来、マリオはイタリアンレストランを開店するでしょう。

❸ Paolo e Franco _____ (giocare) a calcio domenica prossima.

パオロとフランコは次の日曜日サッカーをするでしょう。

❹ Tu quando _____ (cominciare) a cercare un nuovo lavoro?

君はいつ新しい仕事を探し始めるつもりなの？

❺ Sai dov'è Giulia? - Non lo so. _____ (essere) ancora in ufficio.

ジューリアがどこにいるか知ってる？

ーいや、知らないな。まだオフィスにいるんじゃないの。

❻ Mia madre ed io _____ (rimanere) a Napoli due settimane.

母と私は2週間ナポリに滞在するでしょう。

できたかな？　❶は -are 動詞だから活用語尾の直前の -a が -e に変わるよ。❷は普通の -ire 動詞だから大丈夫だね。❸は -care で終わっているから h が入るタイプで、❹は -ciare で終わっているから、語幹部分の -i が消失するよ。両方とも注意が必要だね。❺❻はいずれも不規則な未来形だよ。しっかり確認しておいてね。

フトゥーロ
futuro
名男「未来、将来」

リ ス ト ラ ン テ
ristorante
名男
「レストラン」

さあ、今日はもう1つ。"条件法"をやってみよう。条件法とは、ある条件のもとに起こりうる行為や状態を表す用法だよ。たとえば「もし～ならば」とか、「もしできれば」といった条件のもとに、「～だろうに」とか「～してくれないかな」といったニュアンスを表現するときに使うんだ。用法は少し難しいんだけど、実は活用が今やったばかりの未来形とそっくりの特徴を持っているんだ。

さっそく活用を見てみようか。

45

条件法の活用語尾

-rei, -resti, -rebbe, -remmo, -reste, -rebbero

	トルナーレ tornare「帰る」	プレンデレ prendere「取る」	パルティーレ partire「出発する」
イオ io	トルネレイ torn**e**rei	プレンデレイ prenderei	パルティレイ partirei
トゥ tu	トルネレスティ torn**e**resti	プレンデレスティ prenderesti	パルティレスティ partiresti
ルイ レイ レイ lui / lei / Lei	トルネレッベ torn**e**rebbe	プレンデレッベ prenderebbe	パルティレッベ partirebbe
ノイ noi	トルネレンモ torn**e**remmo	プレンデレンモ prenderemmo	パルティレンモ partiremmo
ヴォイ voi	トルネレステ torn**e**reste	プレンデレステ prendereste	パルティレステ partireste
ローロ loro	トルネレッベロ torn**e**rebbero	プレンデレッベロ prenderebbero	パルティレッベロ partirebbero

チェルカーレ cercare ➡	チェルケレイ cercherei	パガーレ pagare ➡	パゲレイ pagherei
コミンチャーレ cominciare ➡	コミンチェレイ comincerei	マンジャーレ mangiare ➡	マンジェレイ mangerei

　条件法の活用語尾 (-rei, -resti, -rebbe, -remmo, -reste, -rebbero) は規則的で、すべての動詞に共通しているんだ。あと -are 動詞を見てごらん。さっきの未来形の活用と同じように、活用語尾の直前の母音が a ➡ e に変わっているよね。

201 頁参照

不規則動詞のタイプ（essere、母音消失型、-are 動詞無変化型、二重子音 -rr 型）も未来形と全く同じなんだ。活用語尾が違うだけだよ。

	essere「ある」 エッセレ	andare「行く」 アンダーレ	fare「する」 ファーレ	venire「来る」 ヴェニーレ
io イオ	sarei サレイ	andrei アンドレイ	farei ファレイ	verrei ヴェッレイ
tu トゥ	saresti サレスティ	andresti アンドレスティ	faresti ファレスティ	verresti ヴェッレスティ
lui / lei / Lei ルイ レイ レイ	sarebbe サレッベ	andrebbe アンドレッベ	farebbe ファレッベ	verrebbe ヴェッレッベ
noi ノイ	saremmo サレンモ	andremmo アンドレンモ	faremmo ファレンモ	verremmo ヴェッレンモ
voi ヴォイ	sareste サレステ	andreste アンドレステ	fareste ファレステ	verreste ヴェッレステ
loro ローロ	sarebbero サレッベロ	andrebbero アンドレッベロ	farebbero ファレッベロ	verrebbero ヴェッレッベロ

45

ね？ 僕が言った通りでしょ？ 活用語尾が未来形とは異なるけど、あとのパターンはすべて同じだよね。じゃあ、いよいよ条件法の使い方を例文と一緒に見ていこうか。

①ある条件のもとで現在・未来に起こりうる動作や状態を表す。
「(もし〜ならば) ……だろうに」

オッジ ファ ベル テン ポ　ファレイ ウナ パッセッジャータ
Oggi fa bel tempo. Farei **una passeggiata.**

今日はいい天気だ。(できることなら) 散歩でもしたいものだが。

ケ　コ ー サ ファレスティ アル ミ オ ポスト?　レ キ エ テ レ イ スクーザ ス ー ビト
Che cosa faresti **al mio posto? -** Le chiederei **scusa subito.**

もし君が僕の立場だったらどうする？ −すぐに彼女に許しを請う
だろうな。

コン　クエスト トゥレーノ　マリーア アッリヴェレッベ ア フィレンツェ アッレセッテ
Con questo treno, Maria arriverebbe **a Firenze alle 7.**

この電車に乗れば、マリーアは 7 時にはフィレンツェに到着するだ
ろう。

②希望や意見を言う場合の語調の緩和を表す。
「(もしできれば) ……したいのですが。……してはどうですか。」

ヴォッレイ ヴェデーレ クエッラ ボルサ ネーラ
Vorrei **vedere quella borsa nera.**

(もしできれば) あの黒いカバンを見たいのですが。

マ ル コ　トゥ ドヴレスティ ストゥディアーレ ディ ピュ
Marco, tu dovresti **studiare di più.**

マルコ、(できれば) 君はもっと勉強するべきじゃない。

スクーズィ　ポ ト レッベ キ ウ ー デ レ ラ フィネストラ
Scusi, potrebbe **chiudere la finestra?**

すみませんが、(よろしければ) 窓を閉めていただけませんか？

条件法を使うと、言葉にいろいろなニュアンスが含まれてくるんだ。ここが難しいところだね。たとえば、"Faccio una passeggiata."なら「私は散歩をする」となるのに、"Farei una passeggiata."と動詞が条件法に変わると「（できれば）散歩したいとこだが」（実際はしないかもしれない）となり、散歩を実際に行う可能性は低くなってしまうんだ。

> でも、この条件法がわかってくると、
> 微妙な言葉のニュアンスも理解できて、
> 会話に奥行きが出てくるよ。

ポスト
posto
名男「立場、席」

キエーデレ
chiedere
動「求める、尋ねる」

スクーザ
scusa
名女「許し」

さあ、練習問題をやってみようか。次の（　　）の動詞を条件法に活用させてみてね。

❶ Tu _____ (lavorare) sotto questa condizione?
<small>トゥ　　　ラヴォラーレ　ソット　クエスタ　コンディツィオーネ</small>

君だったらこんな条件で働きますか？

❷ Senza il tuo aiuto, noi non ____ (riuscire) a finire il lavoro.
<small>センツァイルトゥオ　アイユート　ノイ　ノン　　　　リウッシーレ　ア　フィニーレイルラヴォーロ</small>

君の助けがなければ、私たちはその仕事を終えることができないだろう。

❸ Ragazzi, voi ____ (dovere) alzarvi alle 6 domani mattina.
<small>ラ ガッツィ　ヴォイ　　　ドヴェーレ　アルツァルヴィアッレセイド　マー ニ　マッティーナ</small>

君たちは明日の朝 6 時に起きなければならないだろう。

❹ Anch'io _____ (venire) con voi al cinema, ma devo studiare.
<small>アンキー　オ　　　　ヴェニーレ　コン ヴォイアル チーネマ　　マ　デーヴォ ストゥディアーレ</small>

（できれば）私も君たちと一緒に映画に行きたいのだが、勉強しなくてはいけない。

❺ Giovanni _____ (fare) qualsiasi cosa per aiutarla.
<small>ジョ ヴァン ニ　　　ファーレ クワルスィーアズィ コー サ　ベル アイユタルラ</small>

ジョヴァンニは彼女を助けるためなら、どんなことだってするだろう。

❻ Mi _____ (piacere) diventare medico.
<small>ミ　　　　ピアチェーレ　ディヴェンターレ メー ディ コ</small>

私は（できれば）医者になりたい。

答え ① lavoresti ② riusciremmo ③ dovreste ④ verrei ⑤ farebbe ⑥ piacerebbe

できたかな？ 注意する点をあげておくよ。❶は -are 動詞だから、活用語尾の前の母音が a ➡e に変わるよ。❸, ❹, ❺はそれぞれ不規則活用になる３つのタイプ（母音消失型、二重子音 -rr 型、-are 動詞無変化型）だよ。そして❻は覚えているかな？ 動詞 piacere を使った構文だよ。この場合は不定詞の diventare が主語になるから活用は３人称単数形だね。"Mi piacerebbe+ 不定詞" の形で「できれば～（し）たい」と Vorrei とほぼ同じ意味になるよ。

ソット
sotto
前「～の下で」

コンディツィオーネ
condizione
名女「条件」

アイユート
aiuto
名男
「助け、手伝い」

リウッシーレ
riuscire
動
「～に成功する、
～がうまくいく」

クワルスィーアズィ
qualsiasi
形
「どんな～でも」

コーサ
cosa
名女「こと、物事」

ディヴェンターレ
diventare
動「～になる」

未来形・条件法

213

さあ、今日のレッスンを終える前に"条件法過去"まで教えておこう。過去において、ある条件のもとに起こり得た行為や状態を表す用法だよ。

条件法の過去は、近過去や大過去と同じように、"助動詞＋過去分詞" という形で構成されるよ。

条件法過去の形態

助動詞 $\left\{ \begin{matrix} \text{avere} \\ \text{essere} \end{matrix} \right\}$ の条件法現在＋過去分詞

＊助動詞に avere を取るか essere を取るかは動詞によって決まるよ。

助動詞に avere を取るか essere を取るかの基準や、助動詞に essere を取るときには、主語の性と数に合わせて過去分詞の語尾を変化させることも、これまでに習った近過去や大過去の場合と同じだよ。**助動詞が条件法現在**に変わるだけだね。

47

	ファーレ fare「する」	アッリヴァーレ arrivare「到着する」
イオ io	アヴレイ ファット avrei fatto	サ レ イ アッリヴァート アッリヴァータ sarei arrivato (arrivata)
トゥ tu	アヴレスティ ファット avresti fatto	サレスティ アッリヴァート アッリヴァータ saresti arrivato (arrivata)
ルイ レイ レイ lui / lei / Lei	ア ヴレッベ ファット avrebbe fatto	サ レッ ベ アッリヴァート アッリヴァータ sarebbe arrivato (arrivata)
ノイ noi	ア ヴレンモ ファット avremmo fatto	サ レン モ アッリヴァーティ アッリヴァーテ saremmo arrivati (arrivate)
ヴォイ voi	アヴレステ ファット avreste fatto	サ レス テ アッリヴァーティ アッリヴァーテ sareste arrivati (arrivate)
ロ ー ロ loro	ア ヴレッベロ ファット avrebbero fatto	サ レッ ベ ロ アッリヴァーティ アッリヴァーテ sarebbero arrivati (arrivate)

①ある条件のもとで過去に起こり得た動作や状態を表す。
「(もし〜ならば)……しただろうに」

Che cosa avresti fatto **al mio posto? - Le** avrei chiesto
scusa subito.

> もし君が僕の立場だったらどうしていた？　－すぐに彼女に
>
> 許しを求めていただろうな。

Con quel treno, Maria sarebbe arrivata **a Firenze alle 7.**

> あの電車に乗っていれば、マリーアは 7 時にはフィレンツェ
>
> に到着したのに。

②過去の事柄に関して、希望や意見を言う場合のニュアンスの緩和
を表す。

「(もしできれば)……したかったのですが。
……するべきだったのでは。」

Avreste dovuto **studiare di più per superare gli esami.**

> 試験に合格するために、君たちはもっと勉強すべきだったのでは。

Lucia sarebbe voluta **andare al mare, ma non ha potuto.**

> ルチーアは海に行きたかったのですが、できませんでした。

条件法・未来形

用法は条件法現在の場合とほとんど同じだから、時制だけ気をつけてね。

essere の条件法現在＋過去分詞で条件法過去を作る場合は、主語の性と数に合わせた過去分詞の語尾変化にも注意してね。

　さあ、練習問題をやってみるよ。次の（　　）の動詞を条件法過去に活用させてみてね。

❶ Con il taxì, noi _____ (arrivare) in tempo.
コン イルタクシ ノイ　　　　　アッリヴァーレ イン テン ポ

タクシーに乗っていれば、私たちは時間内に到着していただろうに。

❷ Al tuo posto, io _____ (prendere) le vacanze.
アル トゥオ ポスト イオ　　　　ブ レン デ レ　レ ヴァカンツェ

もし僕が君の立場だったら、僕は休暇を取っただろう。

❸ Voi (dovere) dirmi prima questa cosa importante.
ヴォイ ド ヴェーレ ディルミ ブリーマ クエスタ コー サ インポルタンテ

君達はこんな大事なことはもっと前に僕に言うべきだったのに。

❹ Maria _____ (andare) a scuola, ma aveva mal di testa.
マ リ ー ア　　　アンダーレ ア スクオーラ　マ アヴェーヴァ マル ディ テスタ

マリーアは頭痛がなければ学校へ行ったのだが。

答え ① saremmo arrivati/e ② avrei preso ③ avreste dovuto ④ sarebbe andata

　できたかな？ ❶❹は助動詞に essere を取るから、主語の性と数に応じた過去分詞の語尾変化に注意だよ。❷の prendere の過去分詞は不規則だったね。

さあ、今日のレッスンはここまで。今日は未来形と条件法の2つを勉強したね。この2つは活用のタイプが似ているので、一緒に覚えておくといいよ。

条件法は使い方やニュアンスの解釈が少し難しいけど、含蓄に富む深い表現が可能になるよ。あとVorrei や Mi piacerebbe といった語調緩和の表現は使えるとエレガントだから、積極的にチャレンジしてみてほしいな。Ciao!

イン テン ポ
in tempo
熟「時間内に」

インポルタンテ
importante
形「重要な」

未来形・条件法

さあ、いよいよイタリア語の文法もクライマックスだ。

今日は "接続法" を紹介するよ。

ある事柄を、想像や願望など話し手の主観に属するものとして表現する用法なんだ。
「〜だと思う」とか、「〜だったらいいな」とか「〜じゃないかと心配だな」というように、話し手の主観的な判断や感情として、ある事柄を表現するときに、動詞の形が変化するんだ。
この接続法には、時制が現在、過去、半過去、大過去と4つあるから、まずは活用を覚えることが重要になるよ。

さあ、ゆっくり、でも着実に学んでいこう！

接続法　*Lezione 13*

Ciao, come stai?
イタリア語もだいぶ上達してきたね。前回未来形も勉強したし、現在・過去・未来と、これで時制はすべて制覇した。今日は次のステップに大きく進むことにしよう。

　ほら、前回の最後に"条件法"を勉強したの覚えてる？「ある条件のもとに起こりうる行為や状態を表す用法」だったよね。この条件法の「法」という言葉だけど、意味は分かるかな？ イタリア語の文法において「法」というのは、話し手がどんな態度でその言葉を発しているか、つまり話者の心的態度を表しているんだ。これって考えてみるとすごいことだよね。イタリア語では、話し手の心の動きが動詞の活用の変化に現れるんだよ。
イタリア語には４つの「法」があるんだ。まずはそれを説明するね。

直説法　ある事柄を現実世界に属するものとして客観的に表現する用法

条件法　ある事柄をそれがある条件のもとに起こりうる行為や状態として表現する用法

接続法　ある事柄を想像や願望など話者の主観に属するものとして表現する用法

命令法　話者が聞き手に何らかのことを命じたり、依頼したりするときに用いる用法

僕たちは現在形の活用から始めて、近過去や半過去、未来形と勉強してきたけど、あれは全部「直説法」の中での活用だったんだ。

　今日は、前回の条件法に引き続いて、『接続法』を学んでいこう。

ある事柄を想像や願望など話者の主観に属するものとして表現する用法だったね。あと接続法という名前が示しているように、接続詞を介して主節（メインの文）に「接続」する従属節（メインの文の内容の説明）の中で主に使われるよ。
例えば、次の 2 つの例文を比べてみて。

So che lui è italiano.
<small>ソ ケ ルイ エ イタリアーノ</small>

私は彼がイタリア人であることを知っている。

　　so（主節）「私は知っている」

　　che（接続詞）「〜（che 以下）ということを」

　　lui è italiano.（従属節）「彼はイタリア人である」

Penso che lui sia italiano.
<small>ペンソ ケ ルイ スィア イタリアーノ</small>

私は彼がイタリア人だと思う。

　　penso（主節）「私は思う」

　　che（接続詞）「〜（che 以下）ということを」

　　lui sia italiano.（従属節）「彼はイタリア人である」

pensare
<small>ペンサーレ</small>
動「思う、考える」

che
<small>ケ</small>
接
「〜ということを」

最初の文では「彼はイタリア人である」ということを、客観的な現実の事柄として「知っている」と表現しているのに対し、あとの文では主節の動詞が penso「私は思う」と話し手の想像・推測という主観的な内容に変化しているのに伴って、接続詞の che に続く従属節の中の動詞が è ➡ sia へと変化していることがわかるかな？ つまり主節が話し手の主観を表す場合に、従属節の動詞が変化する。これが接続法なんだ。もう1つ例をあげるね。

ソ ケ マリーア ヴィエネ アッラ フェスタ
So che Maria viene alla festa.

私はマリーアがパーティーに来ることを知っている。

　　so（主節）「私は知っている」

　　che（接続詞）「～（che 以下）ということを」

　　Maria viene alla festa.（従属節）「マリーアはパーティーに来る」

ノン ソ セ マリーア ヴェンガ アッラ フェスタ
Non so se Maria venga alla festa.

私はマリーアがパーティーに来るかわからない。

　　non so（主節）「私はわからない」

　　se（接続詞）「～（se 以下）かどうか」

　　Maria venga alla festa.（従属節）「マリーアはパーティーに来る」

　この２つの例文の場合、あとの文で主節が否定形になることによって、従属節の内容（マリーアがパーティーに来る）が、客観的な現実の事柄とは言えないことになるよね？ つまり不確実な内容になる。この場合も従属節の中の動詞が viene ➡ venga と接続法に変化するんだ。

何となくわかってきたかな？ まだ難しいね。
それじゃ、ここで動詞が接続法に変化するときの
条件をまとめておくよ。

①主節の動詞が、話し手の判断や主観的な感情、または不確実性
　を表す。

② che や se といった接続詞によって、2つの文が接続されている。

　この2つの条件を満たすときに、従属節の動詞が接続法に変わ
るんだ。いいかい。

^セ
se
接 「〜どうか」

ここで接続法現在形の活用を紹介しておこう。まずは規則動詞からだ。

接続法現在形の活用

	トルナーレ tornare 「帰る」	プレンデレ prendere 「とる」	パルティーレ partire 「出発する」	フィニーレ finire 「終える」
イオ io	トルニ torni	プレンダ prenda	パルタ parta	フィニスカ finisca
トゥ tu	トルニ torni	プレンダ prenda	パルタ parta	フィニスカ finisca
ルイ　レイ　レイ lui / lei / Lei	トルニ torni	プレンダ prenda	パルタ parta	フィニスカ finisca
ノイ noi	トルニアーモ torniamo	プレンディアーモ prendiamo	パルティアーモ partiamo	フィニアーモ finiamo
ヴォイ voi	トルニアーテ torniate	プレンディアーテ prendiate	パルティアーテ partiate	フィニアーテ finiate
ローロ loro	トルニノ tornino	プレンダノ prendano	パルタノ partano	フィニスカノ finiscano

（48）

　まず、一目見て気づくことがあるよね？　そう。活用表の上３つ、主語が単数のときの活用はすべて同じ形になるんだ。**-are 動詞は -i で、-ere 動詞、-ire 動詞は -a で語尾が終わる**のが特徴だよ。動詞の活用を見れば主語が特定できるから、イタリア語では主語が省略できるって今まで言ってきたけど、この接続法の活用に関してはそれは通用しないね。

Penso che <u>tu</u> sia italiano. / Penso che <u>lui</u> sia italiano.

　例えばこの２つの文では、tu や lui といった主語を省略してしまうと、イタリア人だと私が思っているのが、「君」なのか「彼」なのかわからなくなってしまうよね。

> **それから主語が複数のときの活用形だけど、noi の活用は直説法現在形の活用と全く同じ、voi の活用語尾は必ず -iate となる、そして loro の活用は主語が単数のときの形に -no をつけた形になると覚えておけばいいよ。**

次に不規則な活用をする動詞を見てみよう。

接続法現在形（不規則）

エッセレ essere	アヴェーレ avere	スターレ stare	アンダーレ andare	ヴェニーレ venire
スィア sia	アッビア abbia	スティーア stia	ヴァーダ vada	ヴェンガ venga
スィア sia	アッビア abbia	スティーア stia	ヴァーダ vada	ヴェンガ venga
スィア sia	アッビア abbia	スティーア stia	ヴァーダ vada	ヴェンガ venga
スィアーモ siamo	アッビアーモ abbiamo	スティアーモ stiamo	アンディアーモ andiamo	ヴェニアーモ veniamo
スィアーテ siate	アッビアーテ abbiate	スティアーテ stiate	アンディアーテ andiate	ヴェニアーテ veniate
スィーアノ siano	アッビアノ abbiano	スティアーノ stiano	ヴァーダノ vadano	ヴェンガノ vengano

ファーレ fare	ヴォレーレ volere	ポテーレ potere	ドヴェーレ dovere	サペーレ sapere
ファッチャ faccia	ヴォッリャ voglia	ポッサ possa	デーヴァ deva	サッピア sappia
ファッチャ faccia	ヴォッリャ voglia	ポッサ possa	デーヴァ deva	サッピア sappia
ファッチャ faccia	ヴォッリャ voglia	ポッサ possa	デーヴァ deva	サッピア sappia
ファッチャーモ facciamo	ヴォッリャーモ vogliamo	ポッスィアーモ possiamo	ドッビアーモ dobbiamo	サッピアーモ sappiamo
ファッチャーテ facciate	ヴォッリャーテ vogliate	ポッスィアーテ possiate	ドッビアーテ dobbiate	サッピアーテ sappiate
ファッチャノ facciano	ヴォッリャノ vogliano	ポッサノ possano	デーヴァノ devano	サッピアノ sappiano

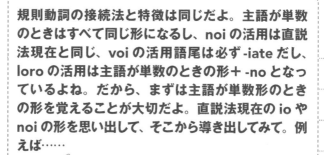

規則動詞の接続法と特徴は同じだよ。主語が単数のときはすべて同じ形になるし、noi の活用は直説法現在と同じ、voi の活用語尾は必ず -iate だし、loro の活用は主語が単数のときの形＋ -no となっているよね。だから、まずは主語が単数形のときの形を覚えることが大切だよ。直説法現在の io や noi の形を思い出して、そこから導き出してみて。例えば……

- ·直説法現在の io の活用から導きだすタイプ

  語尾を -o ➡ -a に変える。

  (andare: vado ➡ vada, venire: vengo ➡ venga,

  dovere: devo ➡ deva など)

- ·直説法現在の noi の活用から導きだすタイプ

  (essere: siamo ➡ sia, avere: abbiamo ➡ abbia,

  sapere: sappiamo ➡ sappia など)

それじゃ、いよいよ接続法の主な使い方を
例文と一緒に見ていこうか。

① 話し手の判断や主観的な感情、または不確実性を表す動詞に導か
れる従属節のなかで用いられる。

ノン　ソ　セ ルチーア トルニ プレスト スタセーラ
Non so se Lucia torni **presto stasera.**

ルチーアが今晩早く帰ってくるかどうか、私にはわかりません。

（不確実）

テーモ　ケ　ジューリア プレンダ イルラッフレッドーレ
Temo che Giulia prenda **il raffreddore.**

私はジューリアが風邪をひくのではないかと恐れています。（不安）

クレディアーモ　ケ　マーリオ アッビア ラジョーネ
Crediamo che Mario abbia **ragione.**

私たちはマリオが正しいと信じています。（判断）

スペーロ　ケ　トゥ グワリスカ プレスト
Spero che tu guarisca **presto.**

君が早く良くなることを願っています。（願望）

②判断、感情、可能性などを表す非人称構文で用いられる。

エ メッリョ ケ トゥズ メッタ ディ フマーレ スービト
È meglio che tu smetta di fumare subito.

君はすぐにタバコをやめた方がいい。（判断）

ミ ディスピアーチェ ケ ローロ カンビノ カーサ イルメーゼ プロッスィモ
Mi dispiace che loro cambino casa il mese prossimo.

彼らが来月引越しをするのは残念だ。（感情）

ノ ネ ポッスィービレ ケ レイ ディーカ ブジーエ
Non è possibile che lei dica bugie.

彼女が嘘をつくなんてありえない。（可能性）

テ メ ー レ
temere
動「恐れる」

ク レ ー デ レ
credere
動「信じる」

ラ ジ ョ ー ネ
ragione
名女「理性、道理」

アヴェーレ ラジョーネ
avere ragione
熟「正しい」

ス ペ ラ ー レ
sperare
動「望む、願う」

グ ワ リ ー レ
guarire
動
「病気が治る、回復する」

メ ッ リ ョ
meglio
形「よりよい」

ディスピアチェーレ
dispiacere
動「残念である」

カ ン ビ ア ー レ
cambiare
動
「変える、交換する」

ポッスィービレ
possibile
形
「可能な、ありうる」

どうだい。さっきも言ったように、主節が話者の判断や主観的な感情を表す場合に、従属節の中で使われる動詞が接続法に変わっているのが分かるかな？ 動詞の形を1つひとつ確認してみてね。

それから、"非人称構文"というのは、例文を見てもわかるように〈essere+ 形容詞+主語（che+ 文、あるいは動詞の不定詞で表す）〉で表す構文のことだよ。英語でいう形式主語の構文だね。

次に "接続法過去" について説明しよう。

接続法

227

接続法過去の形態

助動詞 $\left\{ \begin{array}{c} \text{avere} \\ \text{essere} \end{array} \right\}$ の接続法現在形＋過去分詞

＊助動詞に avere を取るか essere を取るかは動詞によって決まるよ。

> そう。作り方は以前に勉強した直説法の近過去と同じだね。ただ助動詞の avere, essere が接続法に変わるだけだよ。もちろん、助動詞に essere を使う場合は、主語の性と数に応じて過去分詞の語尾母音を変化させるよ。過去分詞の不規則形ももう1度復習しておいてね。（165 頁参照）

　ここで接続法の時制について簡単に説明しとくと、接続法の時制は実は4つあるんだけど、まず主節の動詞の時制が現在か過去か、そして次に主節の動詞の時制と従属節の動詞の時制との時間的な前後関係によって決定されるんだよ。

接続法現在　　主節の動詞が現在（未来）で、従属節の動詞も現在またはそれ以降の事柄を表す場合。

接続法過去　　主節の動詞は現在であるが、従属節の動詞が主節の動詞よりも以前の事柄を表す場合。

実際に例文を見ながら説明していこうか。ホワイトボードを見て。

ペンソ ケ マリーア スィア ジャ パルティータ ペル ロンドラ
Penso che Maria sia già partita **per Londra.**

私はマリーアがもうすでにロンドンに向けて出発したと思う。

クレード ケ マルコ アッビア ジャ ヴィスト クエル フィルム
Credo che Marco abbia già visto **quel film.**

私はマルコがもうすでにその映画を観たと思う。

ミ ディスピアーチェ ケ ヴォイ ノン スィアーテ ヴェヌーティ アッラ フェスタ
Mi dispiace che voi non siate venuti **alla festa.**

君たちがパーティーに来なかったことを私は残念に思っている。

　主節の動詞「思っている」は現在形だけど、その内容を表す
che 以下の部分は「出発した」「映画を観た」「来なかった」と過
去の出来事だよね。こういう場合に"接続法過去"を使うんだ。

ロンドラ
Londra
名女「ロンドン」

接続法

それじゃ、練習問題をやってみようか。（　　）内の動詞を❶～
❸は接続法現在、❹～❻を接続法過去で活用させてみて。

❶ Spero che Paolo _____ (passare) l'esame.

私はパオロが試験に合格することを願っている。

❷ È necessario che Lei _____ (prendere) la medicina
dopo i pasti.

あなたは食後に薬を服用する必要がある。

❸ Immagino che voi _____ (sapere) la verità.

君たちは真実を知っていると私は想像している。

❹ Ho paura che loro non _____ (arrivare) in tempo.

彼らが時間内に到着しなかったのではないかと心配している。

❺ Mi dispiace che voi non _____ (capire) per niente.

君たちがまったく理解しなかったことが残念だ。

❻ Penso che Giorgio _____ (leggere) l'articolo.

ジョルジョはその記事を読んだと思う。

答え ① passi ② prenda ③ sappiate ④ siano arrivati ⑤ abbiate capito ⑥ abbia letto

どうだったかな？ 接続法現在の場合は -are 動詞なのか、-ere
動詞、-ire 動詞なのかで、主語が単数形の場合の語尾母音が違っ
てくるから注意だよ。❸の sapere は不規則な活用になるよ。

それから、接続法過去の場合は、まずは avere か
essere かという助動詞の選択がポイントだね。あ
とは不規則な形になる過去分詞を覚えて、essere
を使う場合の過去分詞の語尾変化に気をつければバ
ッチリだよ。

さあ、次に接続法の残りの2つの時制について説明するよ。さっきも言ったけど、接続法の時制は、まずは主節の動詞の時制が現在か過去か、そして次に主節の動詞の時制と従属節の動詞の時制との時間的な前後関係によって決定されるんだったね。

　そしてここまで説明してきた接続法現在と接続法過去は、いずれも主節の動詞が現在形（未来形）の場合に使われる形だった。ここまではいいかな？

passare
バッサーレ
動「合格する」

necessario
ネチェッサーリオ
形「必要な」

pasto
バスト
名男「食事」

immaginare
インマジナーレ
動「想像する」

paura
バウーラ
名男「恐れ、心配」

non...per niente
ノン　　ベル
ニエンテ
熟「全然～ない」

articolo
アルティーコロ
名男「記事、論文」

次に紹介する"接続法半過去"と"接続法大過去"は、主節の動詞が過去時制（近過去や半過去など）や条件法の場合に、従属節で使われる形なんだ。

　詳しい説明に入る前に接続法半過去の活用だけ先に見ておこうか。まずは規則動詞から。

接続法半過去の活用

	トルナーレ tornare 「帰る」	プレンデレ prendere 「とる」	パルティーレ partire 「出発する」	フィニーレ finire 「終える」
イオ io	トルナッスィ tornassi	プレンデッスィ prendessi	パルティッスィ partissi	フィニッスィ finissi
トゥ tu	トルナッスィ tornassi	プレンデッスィ prendessi	パルティッスィ partissi	フィニッスィ finissi
ルイ　レイ　レイ lui / lei / Lei	トルナッセ tornasse	プレンデッセ prendesse	パルティッセ partisse	フィニッセ finisse
ノイ noi	トルナッスィモ tornassimo	プレンデッスィモ prendessimo	パルティッスィモ partissimo	フィニッスィモ finissimo
ヴォイ voi	トルナステ tornaste	プレンデステ prendeste	パルティステ partiste	フィニステ finiste
ローロ loro	トルナッセロ tornassero	プレンデッセロ prendessero	パルティッセロ partissero	フィニッセロ finissero

接続法半過去では、主語が io の場合と tu の場合がまったく同じ形になるんだ。あと -ire 動詞の活用は標準型も -isc 型もまったく違いはないよ。

こうして活用を見ると、語尾の " -ssi, -ssi, -sse, -ssimo, -ste, -ssero " の部分は、すべてのタイプに共通していることがわかるね。

次は不規則動詞だ。接続法半過去の不規則は、それほど数が多くないので頑張って覚えてね。

接続法半過去（不規則）

essere
エッセレ

フォッスィ	fossi
フォッスィ	fossi
フォッセ	fosse
フォッスィモ	fossimo
フォステ	foste
フォッセロ	fossero

avere
アヴェーレ

アヴェッスィ	avessi
アヴェッスィ	avessi
アヴェッセ	avesse
アヴェッスィモ	avessimo
アヴェステ	aveste
アヴェッセロ	avessero

fare
ファーレ

ファチェッスィ	facessi
ファチェッスィ	facessi
ファチェッセ	facesse
ファチェッスィモ	facessimo
ファチェステ	faceste
ファチェッセロ	facessero

dire
ディーレ

ディチェッスィ	dicessi
ディチェッスィ	dicessi
ディチェッセ	dicesse
ディチェッスィモ	dicessimo
ディチェステ	diceste
ディチェッセロ	dicessero

bere
ベーレ

ベヴェッスィ	bevessi
ベヴェッスィ	bevessi
ベヴェッセ	bevesse
ベヴェッスィモ	bevessimo
ベヴェステ	beveste
ベヴェッセロ	bevessero

dare
ダーレ

デッスィ	dessi
デッスィ	dessi
デッセ	desse
デッスィモ	dessimo
デステ	deste
デッセロ	dessero

stare
スターレ

ステッスィ	stessi
ステッスィ	stessi
ステッセ	stesse
ステッスィモ	stessimo
ステステ	steste
ステッセロ	stessero

condurre
コンドゥッレ

コンドゥチェッスィ	conducessi
コンドゥチェッスィ	conducessi
コンドゥチェッセ	conducesse
コンドゥチェッスィモ	conducessimo
コンドゥチェステ	conduceste
コンドゥチェッセロ	conducessero

接続法

それじゃ、例文をつかって説明していくよ。時制に注意しながら見ていこう。

接続法半過去　主節の動詞が過去時制や条件法の場合に、従属節の動詞が、主節の動詞と同時、またはそれ以降の事柄を表す場合。

51

ペンサーヴォ　ケ　マリーア　フォッセ　アル　マーレ
Pensavo che Maria fosse al mare.

私はマリーアが海にいると思っていた。

アヴェヴァーモ　パウーラ　ケ　ジューリア　プレンデッセ　イル　ラッフレッドーレ
Avevamo paura che Giulia prendesse il raffreddore.

私たちはジューリアが風邪をひくのではないかと恐れていました。

エーラ　ネチェッサーリオ　ケ　ヴォイ　フィニステ　クエル　ラヴォーロ　イン　クエル　ジョルノ
Era necessario che voi finiste quel lavoro in quel giorno.

君たちはその日のうちにその仕事をすませる必要があった。

ヴォッレイ　ケ　トゥ　ミ　デッスィ　クワルケ　コンスィッリョ
Vorrei che tu mi dessi qualche consiglio.

（できれば）君が何らかの助言を私に与えてくれるとよいのだが。

　まずは主節の動詞がすべて過去時制あるいは条件法になっているのを確認してみよう。この場合、che 以下の従属節では接続法現在や過去は使わないんだ。

次に主節の動詞と従属節の動詞の時間的な前後関係を考えて
みよう。最初の例文で、「（私が）思っていた」時点と「マリーアが
海にいる」時点とは同時だよね？　例えば、「誰かが『マリーアがど
こにいるか知ってる？』と私に尋ねたとき」という状況を補って
考えてみるとわかりやすいよ。その時点で「私はマリーアが海に
いると思っていた」んだよね。

　あと最後の例文にも注意だよ。意味だけ考えると、「（私が）望
んでいる」のも現在だし、相手が助言を与えてくれるとすれば、
それも現在かそれ以降のことだけど、主節の動詞が条件法だから、
この場合は接続法半過去を使うんだ。

> ちょっと難しいかな？　日本語には存在しない接続法
> を理解するだけでも難しいのに、時制の問題も絡ん
> できているからね。
>
> でも大丈夫！　使いながら覚えていけばいいよ。

クワルケ
qualche
形「いくつかの、
何らかの」

コンスィッリョ
consiglio
名男「助言、忠告」

じゃあ最後に "接続法大過去" までやってしまおう。

接続法大過去の形態

$$助動詞 \left\{ \begin{array}{c} \text{avere} \\ \text{essere} \end{array} \right\} の接続法半過去＋過去分詞$$

＊助動詞に avere を取るか essere を取るかは動詞によって決まるよ。

　これも基本的には以前に勉強した直説法の大過去と同じだね。助動詞が今勉強したばかりの**接続法の半過去**に変わっているだけだよ。

接続法大過去　　主節の動詞が過去時制や条件法の場合に、従属節の動詞が、主節の動詞よりも以前の事柄を表す場合。

51

ペンサーヴォ　ケ　マリーア フォッセ ジャ パルティータ ペル ロンドラ
Pensavo che Maria fosse già partita **per Londra.**

私はマリーアがすでにロンドンに向けて出発したと思っていた。

クレデーヴォ　ケ　トゥ アヴェッスィ ジャ ヴィスト クエル フィルム
Credevo che tu avessi già visto **quel film.**

私は君がその映画をすでに観たと思っていた。

ノン サペヴァーモ ケ　ローロ アヴェッセロ アウート ウ ニンチデンテ
Non sapevamo che loro avessero avuto **un incidente.**

私たちは彼らが事故にあったことを知らなかった。

ここでも主節の動詞はすべて過去時制になっている
よね。さっきの接続法半過去を使った例文との違い
は、ずばり主節の動詞と従属節の動詞の時間的な前
後関係だ。

　例えば 2 番目の例文を見てみようか。1 人で映画を観に行った
翌日に、友だちから「どうして私も誘ってくれなかったの？」と聞
かれた状況を想像してほしい。「だってもう君はその映画を観たと
思ってたから…ゴメン」と答えたとする。この場合、映画を観に行
こうと考えた時点で、友人はもうそれ以前にその映画を観ただろ
うなと思っていたことになるよね。つまり、事実はどうであれ、「思
っていた (credevo)」時点よりも以前に「映画を観る」という行為
が完了していたと判断していたことになる。こんな場合に接続法
大過去を使うんだ。

<ruby>incidente<rt>インチデンテ</rt></ruby>
名女「事故」

それじゃ、最後に接続法半過去と大過去の練習問題にチャレンジしてみよう。（　　）内の動詞を❶〜❸は接続法半過去、❹〜❻を接続法大過去で活用させてみて。

❶ Pensavo che _____ (venire) anche tu alla festa.

私は君もパーティーに来ると思っていた。

❷ Mi sembrava che Lucia _____ (sentirsi) male.

私にはルチーアは具合が悪そうに見えた。

❸ L'insegnante voleva che gli studenti ____ (studiare) di più.

その先生は学生たちがもっと勉強することを望んでいた。

❹ Pensavo che voi _____ (tornare) a casa.

君たちは家に帰ったとばかり思っていた。

❺ Non sapevamo che Carlo _____ (lasciare) il lavoro.

私たちはカルロが仕事を辞めたことを知らなかった。

❻ Tutti credevano che io _____ (perdere) la strada.

みんな私が道に迷ったと信じていた。

答え ① venissi ② si sentisse ③ studiassero ④ foste tornati/e ⑤ avesse lasciato ⑥ avessi perso/a

　どうだったかな？ ❷は再帰動詞の接続法半過去だけど、できたかな？ 再帰動詞の活用の基本は、再帰代名詞 (mi, ti, si, ci, vi, si) の部分と、もとになる動詞の活用とを分けて考えることだったね？ ここでは sentire の接続法半過去を考えればいいよ。

　接続法大過去の方は、やっぱり avere か essere の助動詞の選択が重要だね。もちろん、助動詞に essere を使う場合は、主語の性・数に合わせた過去分詞の語尾変化に注意してね。あと❻

再帰代名詞
178 頁参照

の動詞 perdere の過去分詞は不規則形の perso になるよ。

それにしても今日の接続法は少し難しかったんじゃないかな？　よく頑張ったね。素晴らしいよ。正直に言うと、接続法を使うべきところを直説法で言ってしまってもコミュニケーションはとれると思う。ただ、君には正しく美しいイタリア語を話してもらいたい。前からそう言ってるよね。だから接続法も使えるようになってほしいんだ。

ここまで来たら残りはもう少し。
次回も一緒に頑張ろう！
Ciao！　Ciao！

センブラーレ
sembrare
動「〜のように見える、思われる」

インセニャンテ
insegnante
名男女
「教師、先生」

ディ ピュ
di più
熟「もっと」

ラッシャーレ
lasciare
動
「残す、後にする」

ベルデレ
perdere
動
「失う、乗り損ねる」

ストゥラーダ
strada
名女「道路、道」

今日でひとまず僕とのレッスンは終了だね。
言葉の勉強に終わりはないのかもしれない
けど、君はイタリア語の文法をおおよそマ
スターしたことになるよ。
Auguri!（おめでとう）心からお祝いするよ。

これからイタリアへ旅立つ君に、
今日は実践的なアドバイス。

"命令法" を教えておくよ。

他人に指示や命令を出すときだけじゃなく、
相手に何かを丁寧にお願いしたり、提案や
勧誘をしたりするときにも使う形だよ。
きっと留学中にもよく口にするはずだ。
さあ、イタリアの街並みを背景に歩いてい
る君の姿を思い浮かべてみて。積極的に話
しかけてみるんだ。僕との約束だよ。
きっと君の言葉は通じるはずだからね。

命令法　*Lezione 14*

Ciao, come stai? 来週はついにイタリアへ出発だね。今日が出発前の最後のレッスンになるのかな。それじゃ、今日は君にいろいろアドバイスをしておくよ。それから、出会った人に話しかけたり、道やお薦めのモノを聞いたり、友だちになって一緒に「何かしよう！」って誘ったりするときの表現も教えておかなくっちゃね。

そう、今日のレッスンのテーマは"命令法"。でも命令法と言っても、他人に命令するときにだけ使うわけじゃないよ。相手にお願いをしたり、「一緒に〜しようよ」って勧誘や提案をするときにだって使うんだ。つまり、気持ちを相手に届けるときの表現なんだ。

52

命令法の活用（規則動詞）

	アスペッターレ aspettare「待つ」	プレンデレ prendere「取る」	センティーレ sentire「聞く」	フィニーレ finire「終える」
イオ io	—	—	—	—
トゥ tu	アスペッタ aspett**a**	プレンディ prend**i**	センティ sent**i**	フィニッシ finisc**i**
レイ Lei（敬称）	アスペッティ aspett**i**	プレンダ prend**a**	センタ sent**a**	フィニスカ finisc**a**
ノイ noi	アスペッティアーモ aspett**iamo**	プレンディアーモ prend**iamo**	センティアーモ sent**iamo**	フィニアーモ fin**iamo**
ヴォイ voi	アスペッターテ aspett**ate**	プレンデーテ prend**ete**	センティーテ sent**ite**	フィニーテ fin**ite**

　規則動詞の活用は、今ホワイトボードに書いた通りなんだけど、いつもの活用表と少し違うところがあるよね？　そう、"命令法"は、さっきも言ったように「気持ちを相手に届ける」ときの表現だから、話す"相手"に対して使われるんだ。だから、io（私）に

対する活用形はないし、その場にいない 3 人称の相手 lui, lei, loro（彼／彼女／彼ら・彼女ら）に対する活用形も存在しないんだ。

　そして活用表をよく見て欲しいんだけど、noi（私たち）に対する勧誘・提案「〜しましょう」と voi（君たち）に対する命令の形は、実は現在形の活用と全く同じなんだ。だからあらためて覚える必要はないね。

　結局のところ、命令法の活用で覚える必要があるのは、tu に対する命令の活用と敬称の Lei に対する丁寧な依頼の活用との 2 つだけなんだ。例文を見てみよう。

_{パオロ　アスペッタ　ウン　ポ}
Paolo, aspetta un po'. ／
_{プロフェッソーレ　アスペッティ　ウン　ポ　ペル　ファヴォーレ}
Professore, aspetti un po' per favore.

　　パオロ、ちょっと待って。　／
　　先生、少しお待ちいただけますか。

_{パオロ　センティ　クエスタ　ムーズィカ}
Paolo, senti questa musica. ／
_{プロフェッソーレ　センタ　クエスタ　ムーズィカ}
Professore, senta questa musica.

　　パオロ、この音楽を聴いてみて。　／
　　先生、この音楽をお聞きください。

命令法

243

プレンディアーモ　クエスタウトブス
Prendiamo quest'autobus! ／

ラガッツィ　マンジャーテ　アンケ　ラ　ヴェルドゥーラ
Ragazzi, mangiate anche la verdura!

　　このバスに乗りましょう！／
　　子どもたち、野菜も食べなさい！

上の例文を比べると、"tu に対する命令" か "敬称の Lei に対する丁寧な依頼" かで語尾変化が異なることは勿論、使う動詞が -are 動詞なのか、-ere 動詞・-ire 動詞なのかでも語尾変化が異なってくることがわかるね。

-are 動詞の命令法活用語尾

➡　　tu に対する命令　　a　(aspett**a**)

　　敬称の Lei に対する依頼　　i　(aspett**i**)

-ere 動詞・-ire 動詞の命令法活用語尾

➡　　tu に対する命令　　i　(sent**i**)

　　敬称の Lei に対する依頼　　a　(sent**a**)

　次は不規則に活用する命令法の動詞を見てみよう。結構数が多いよ。

不規則活用の命令法（代表的なもの）

	エッセレ essere 「ある」	アヴェーレ avere 「持つ」	アンダーレ andare 「行く」	ファーレ fare 「する」
イオ io	—	—	—	—
トゥ tu	スィイ sii	アッビ abbi	ヴァッ va'	ファッ fa'
レイ Lei（敬称）	スィア sia	アッビア abbia	ヴァーダ vada	ファッチャ faccia
ノイ noi	スィアーモ siamo	アッビアーモ abbiamo	アンディアーモ andiamo	ファッチャーモ facciamo
ヴォイ voi	スィアーテ siate	アッビアーテ abbiate	アンダーテ andate	ファーテ fate

	ヴェニーレ venire 「来る」	スターレ stare 「いる」	ダーレ dare 「与える」	ディーレ dire 「言う」
イオ io	—	—	—	—
トゥ tu	ヴィエニ vieni	スタッ sta'	ダッ da'	ディッ di'
レイ Lei（敬称）	ウェンガ venga	スティーア stia	ディーア dia	ディーカ dica
ノイ noi	ヴェニアーモ veniamo	スティアーモ stiamo	ディアーモ diamo	ディチャーモ diciamo
ヴォイ voi	ヴェニーテ venite	スターテ state	ダーテ date	ディーテ dite

　　ポイントを挙げると、tu に対する活用でアポストロフィを用いた短縮形になるものが結構多いこと (va', fa', sta', da', di') と、敬称の Lei に対する活用は現在形の io や noi の活用から導きだせるものが多いことかな。

ヴェルドゥーラ
verdura
名女 「野菜」

命令法

245

たとえば、sia, abbia, stia, dia などは、現在形の noi の活用の siamo, abbiamo, stiamo, diamo から導き出せるし、vada, faccia, venga, dica などは、現在形の io の活用 (vado, faccio, vengo, dico) の語尾を a に変えれば OK だよ。

　そう。実は敬称の Lei に対する命令法の活用は、前回勉強した接続法現在の単数形の活用と同じ形になるんだ。

224-225 頁
参照

スィイ ブオーノ　　アッビア パツィエンツァ
Sii buono. ／ **Abbia pazienza.**

いい子にしなさい。／我慢してください。

ディ ラ ヴェリタ　　ヴェンガ クイ
Di' la verità. ／ **Venga qui.**

本当のことを言えよ。／こちらへおいで下さい。

否定の命令法

　「～するな・～しないでください」と否定の命令文を作る場合は、ふつうは活用した動詞の前に "non" をつけるだけでいいんだけど、**tu に対する否定命令の場合だけは "non ＋ 不定詞" の形になる**んだ。

ノン ビアンジェレ　　ノン ビアンガ
Non piangere. ／ **Non pianga.**

泣くな。／泣かないでください。

ノン ビアンジャーモ ピュ　　ノン ビアンジェーテ
Non piangiamo più. ／ **Non piangete.**

もう泣くのはやめよう。／君たち、泣かないで。

さあ、ここで練習問題をしてみよう。（　　）の動詞を主語に合わせて命令法で活用させてみてね。

いいかい、ポイントは2つ。まずは tu に対する命令か、それとも敬称の Lei に対する依頼なのか判断すること。そしてもう1つは、使っている動詞が -are 動詞なのか、-ere, -ire 動詞なのか、あるいは不規則動詞なのかを確かめること。この2点に注意してね。

❶ Se vuoi stare bene, _____ (smettere) di fumare subito.

もし健康でいたいなら、君はすぐに煙草をやめなさい。

❷ Signora, _____ (prendere) questa medicina.

奥さん、この薬を服用なさってください。

❸ Ragazzi, _____ (fare) i compiti presto.

君たち、早く宿題をしなさい。

❹ Marco, non _____ (dimenticare) di telefonare a Lucia stasera.

マルコ、今晩ルチーアに電話をかけるのを忘れないでね。

---

pazienza
名女「忍耐、辛抱」

verità
名女「真実」

smettere
動「やめる、中止する」

medicina
名女「薬」

dimenticare
動「忘れる」

命令法

247

❺Signore, mi _____ (dire). Cosa vuole prendere?

お客さん、おっしゃってください。ご注文は？

❻_____ (sentire) signorina, c'è una banca qui vicino?

すみません、お嬢さん。この近くに銀行はありますか？

　できたかな？❶は tu に対する命令で -ere 動詞、❷も -ere 動詞だけど敬称の Lei に対する形、❸は voi に対する命令だから現在形と同じ形だよね。❹は tu に対する否定命令だから "non + 不定詞" を使うよ。❺❻はいずれも敬称の Lei に対する依頼だけど、❺は不規則動詞で❻は -ire 動詞だね。

次に再帰動詞の命令法や、目的語代名詞と一緒に
使われる場合の命令法を見てみよう。主語によって
代名詞の位置が変わってくるよ。ホワイトボードを
見て。

54	アルツァルスィ alzarsi「起きる」	レッジェレ ロ leggere + lo 「読む」+「それを」	スクザーレ ミ scusare + mi 「許す」+「私を」
イオ io	—	—	—
トゥ tu	アルツァティ alzati	レッジ ロ leggilo	スクーザ ミ scusami
レイ Lei（敬称）	スィ アルツィ si alzi	ロ レッガ lo legga	ミ スクーズィ mi scusi
ノイ noi	アルツィアーモチ alziamoci	レッジャーモ ロ leggiamolo	—
ヴォイ voi	アルツァーテヴィ alzatevi	レッジェーテ ロ leggetelo	スクザーテ ミ scusatemi

　もとになっている動詞 (alzare, leggere, scusare) の命令法の
活用はもう大丈夫だよね? 次に、それぞれの代名詞の位置に注
目してごらん。以前、再帰動詞や目的語代名詞を勉強したときには、
"代名詞は動詞の直前" に置くと教えたよね。でも、命令法の
場合はちょっと違うんだ。**敬称の Lei に対する命令法では、代名
詞は今まで通り動詞の直前に置かれるけど、それ以外の場合 (tu,
noi, voi に対する命令・勧誘) は、代名詞は動詞の後ろに結合さ
れるんだ。**ただし、代名詞が動詞の後ろに結合されても、アクセ
ントの位置は変わらないよ。

スクザーレ
scusare
動「許す」

今度は例文を見てみようか。

パオロ アルツァティ ソーノ レオット
Paolo, alzati. Sono le 8. /

スィニョーレ スィアルツィ スィアーモ アッリヴァーティ アッルルティマ スタツィオーネ
Signore, si alzi. Siamo arrivati all' ultima stazione.

パオロ、起きなさい。8 時よ。 /
お客さん、起きてください。終点に着きましたよ。

スィニョーレ スィアッコーモディ ブレーゴ
Signore, si accomodi, prego. /

エントラーテ ラガッツィ アッコモダーテヴィ
Entrate ragazzi, accomodatevi.

どうぞ、お楽にしてください。 /
君たち、入れよ。楽にしていいよ。

スクーザミ ノン ティセイ ファット マーレ
Scusami. Non ti sei fatto male? /

ミ スクーズィ ノン スィエ ファット マーレ
Mi scusi. Non si è fatto male?

ゴメン。怪我しなかった?/
すみません。お怪我はありませんでしたか?

ポッソ フマーレ アッローラ ミ パッスィイルポルタチェーネレ ペル ファヴォーレ
Posso fumare? Allora, mi passi il portacenere, per favore.

煙草を吸ってもいいですか?
それじゃ、私に灰皿を取っていただけませんか?

※注意

tu に対する命令法 ➡ 代名詞は動詞の後ろに結合
○ alzati 「起きろ」　　× ti alza

敬称の Lei に対する命令法 ➡ 代名詞は動詞の前に置く
○ si alzi 「起きてください」　　× alzisi

245頁参照

あと注意が必要なのが、不規則の命令法で tu に対する活用がアポストロフィを用いた短縮形のものがあったよね (va', fa', sta', da', di')。
当然 tu に対する命令なので、代名詞と一緒に使われる場合は、代名詞が動詞の後ろに結合することになるんだけど、その場合アポストロフィが消える代わりに、代名詞の最初の子音が二重になるんだ。

ポッソ キエーデルティ ウン ファヴォーレ　　ディンミ
Posso chiederti un favore? - Dimmi. (di'+ mi)

君に1つ頼みごとをしていいかな？　ー僕に言ってみなよ。

デーヴィ ファーレ クエル ラヴォーロ エントロ ド マー ニ　アッローラ　ファッロ スー ビト
Devi fare quel lavoro entro domani? Allora, fallo subito.

(fa'+ lo)

君はその仕事を明日までにしなければいけないの？
それじゃ、すぐにそれをしなさい。

ウ ル ティ モ
ultimo
形「最後の」

ア ッ コ モ ダ ル ス ィ
accomodarsi
再
「くつろぐ、楽にする」

ファルスィ マー レ
farsi male
熟「怪我をする」

バ ッ サ ー レ
passare
動「手渡す、渡す」

ポ ル タ チ ェ ー ネ レ
portacenere
名男「灰皿」

命令法

251

それじゃ、命令法と代名詞との組み合わせの練習問題をしてみよう。次の（　　）の再帰動詞、または命令法＋代名詞を適切な形で活用させてみてね。

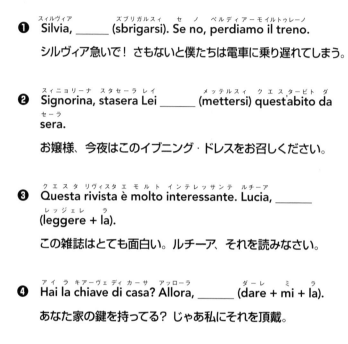

❶ Silvia, ＿＿＿＿ (sbrigarsi). Se no, perdiamo il treno.

シルヴィア急いで！　さもないと僕たちは電車に乗り遅れてしまう。

❷ Signorina, stasera Lei ＿＿＿＿ (mettersi) quest'abito da sera.

お嬢様、今夜はこのイブニング・ドレスをお召しください。

❸ Questa rivista è molto interessante. Lucia, ＿＿＿＿ (leggere + la).

この雑誌はとても面白い。ルチーア、それを読みなさい。

❹ Hai la chiave di casa? Allora, ＿＿＿＿ (dare + mi + la).

あなた家の鍵を持ってる？　じゃあ私にそれを頂戴。

答え ① sbrigati ② si metta ③ leggila ④ dammela

できたかな？　❶は tu に対する命令だから、再帰動詞の再帰代名詞は動詞の活用の後ろに結合するよ。❷は敬称の Lei に対する命令だから、代名詞は動詞の前に置く。❸❹は命令法と目的語代名詞との組み合わせだけど、とくに❹は気をつけて。tu に対する命令だから、動詞の後ろに結合することになるけど、直接目的語も間接目的語も全部くっついた形で結合するんだ。Dare の tu に対する命令は da' だから、アポストロフィが消えて次の子音 m が二重になるよ。

sbrigarsi
ズブリガルスィ
（再）
「急ぐ、急いで～する」

se no
セ　ノ
（熟）
「さもなければ」

命令法

マルコから感謝の気持ちと贈る言葉

　さあ、これで今回のレッスンはおしまいだよ。

　来週君がイタリアに出発するから、しばらくはお休みだね。2か月くらいイタリアにいるんだっけ? Divertiti!（楽しんで）そして Stammi bene.（元気でね）両方とも今やった命令法だよ。

　ぼくの授業はどうだった?

　できるだけやさしく教えたつもりだけれど、初心者のキミには難しいところもたくさんあったよね。でも、「覚えられない。」「間違ったらどうしよう。」と臆病になって欲しくないな。外国語の習得は難しい、だけれど外国語の習得ほど面白いものはないんだ。

　知らない土地でその国のことばで意思を伝え合う。大切なのは正しいかどうかより、何をキミが伝えるかだよ。間違いを恐れずいっぱい話してみてごらん。

　それはともかく、これまでのレッスンで、君はイタリア語の初級文法をバッチリ学んだよ。あとは使いながら定着させていけばいい。この2か月はイタリアの街で出会うすべての人や出来事が君の先生になるはずだ。帰ってきたら、いろいろなことを僕に話してほしいな。

それじゃ、また近いうちに。Ciao.

付録

【助動詞 2】

		直説法 現在	近過去	半過去	大過去	未来	条件法 現在
ESSERE	io	sono	sono stato/a	ero	ero stato/a	sarò	sarei
～である	tu	sei	sei stato/a	eri	eri stato/a	sarai	saresti
	lui / lei	è	è stato/a	era	era stato/a	sarà	sarebbe
	noi	siamo	siamo stati/e	eravamo	eravamo stati/e	saremo	saremmo
	voi	siete	siete stati/e	eravate	eravate stati/e	sarete	sareste
	loro	sono	sono stati/e	erano	erano stati/e	saranno	sarebbero
AVERE	io	ho	ho avuto	avevo	avevo avuto	avrò	avrei
～がある・～を持つ	tu	hai	hai avuto	avevi	avevi avuto	avrai	avresti
	lui / lei	ha	ha avuto	aveva	aveva avuto	avrà	avrebbe
	noi	abbiamo	abbiamo avuto	avevamo	avevamo avuto	avremo	avremmo
	voi	avete	avete avuto	avevate	avevate avuto	avrete	avreste
	loro	hanno	hanno avuto	avevano	avevano avuto	avranno	avrebbero

【規則動詞 4】

		直説法 現在	近過去	半過去	大過去	未来	条件法 現在
AMARE	io	amo	ho amato	amavo	avevo amato	amerò	amerei
愛する	tu	ami	hai amato	amavi	avevi amato	amerai	ameresti
	lui / lei	ama	ha amato	amava	aveva amato	amerà	amerebbe
	noi	amiamo	abbiamo amato	amavamo	avevamo amato	ameremo	ameremmo
	voi	amate	avete amato	amavate	avevate amato	amerete	amereste
	loro	amano	hanno amato	amavano	avevano amato	ameranno	amerebbero
CREDERE	io	credo	ho creduto	credevo	avevo creduto	crederò	crederei
信じる	tu	credi	hai creduto	credevi	avevi creduto	crederai	crederesti
	lui / lei	crede	ha creduto	credeva	aveva creduto	crederà	crederebbe
	noi	crediamo	abbiamo creduto	credevamo	avevamo creduto	crederemo	crederemmo
	voi	credete	avete creduto	credevate	avevate creduto	crederete	credereste
	loro	credono	hanno creduto	credevano	avevano creduto	crederanno	crederebbero
SENTIRE	io	sento	ho sentito	sentivo	avevo sentito	sentirò	sentirei
聞く	tu	senti	hai sentito	sentivi	avevi sentito	sentirai	sentiresti
	lui / lei	sente	ha sentito	sentiva	aveva sentito	sentirà	sentirebbe
	noi	sentiamo	abbiamo sentito	sentivamo	avevamo sentito	sentiremo	sentiremmo
	voi	sentite	avete sentito	sentivate	avevate sentito	sentirete	sentireste
	loro	sentono	hanno sentito	sentivano	avevano sentito	sentiranno	sentirebbero
CAPIRE	io	capisco	ho capito	capivo	avevo capito	capirò	capirei
理解する	tu	capisci	hai capito	capivi	avevi capito	capirai	capiresti
	lui / lei	capisce	ha capito	capiva	aveva capito	capirà	capirebbe
	noi	capiamo	abbiamo capito	capivamo	avevamo capito	capiremo	capiremmo
	voi	capite	avete capito	capivate	avevate capito	capirete	capireste
	loro	capiscono	hanno capito	capivano	avevano capito	capiranno	capirebbero

| 条件法 | 命令法 | 接続法 | | | | 過去分詞 |
過去	現在	現在	過去	半過去	大過去	
sarei stato/a	—	sia	sia stato/a	fossi	fossi stato/a	stato
saresti stato/a	sii	sia	sia stato/a	fossi	fossi stato/a	
sarebbe stato/a	sia	sia	sia stato/a	fosse	fosse stato/a	
saremmo stati/e	siamo	siamo	siamo stati/e	fossimo	fossimo stati/e	
sareste stati/e	siate	siate	siate stati/e	foste	foste stati/e	
sarebbero sta-ti/e	siano	siano	siano stati/e	fossero	fossero stati/e	
avrei avuto	—	abbia	abbia avuto	avessi	avessi avuto	avuto
avresti avuto	abbi	abbia	abbia avuto	avessi	avessi avuto	
avrebbe avuto	abbia	abbia	abbia avuto	avesse	avesse avuto	
avremmo avuto	abbiamo	abbiamo	abbiamo avuto	avessimo	avessimo avuto	
avreste avuto	abbiate	abbiate	abbiate avuto	aveste	aveste avuto	
avrebbero avu-to	abbiano	abbiano	abbiano avuto	avessero	avessero avuto	

| 条件法 | 命令法 | 接続法 | | | | 過去分詞 |
過去	現在	現在	過去	半過去	大過去	
avrei amato	—	ami	abbia amato	amassi	avessi amato	amato
avresti amato	ama	ami	abbia amato	amassi	avessi amato	
avrebbe amato	ami	ami	abbia amato	amasse	avesse amato	
avremmo ama-to	amiamo	amiamo	abbiamo amato	amassimo	avessimo ama-to	
avreste amato	amate	amiate	abbiate amato	amaste	aveste amato	
avrebbero ama-to	amino	amino	abbiano amato	amassero	avessero ama-to	
avrei creduto	—	creda	abbia creduto	credessi	avessi creduto	creduto
avresti creduto	credi	creda	abbia creduto	credessi	avessi creduto	
avrebbe credu-to	creda	creda	abbia creduto	credesse	avesse creduto	
avremmo cre-duto	crediamo	crediamo	abbiamo credu-to	credessimo	avessimo cre-duto	
avreste credu-to	credete	crediate	abbiate credu-to	credeste	aveste creduto	
avrebbero cre-duto	credano	credano	abbiano credu-to	credessero	avessero cre-duto	
avrei sentito	—	senta	abbia sentito	sentissi	avessi sentito	sentito
avresti sentito	senti	senta	abbia sentito	sentissi	avessi sentito	
avrebbe sentito	senta	senta	abbia sentito	sentisse	avesse sentito	
avremmo senti-to	sentiamo	sentiamo	abbiamo senti-to	sentissimo	avessimo senti-to	
avreste sentito	sentite	sentiate	abbiate sentito	sentiste	aveste sentito	
avrebbero sen-tito	sentano	sentano	abbiano sentito	sentissero	avessero senti-to	
avrei capito	—	capisca	abbia capito	capissi	avessi capito	capito
avresti capito	capisci	capisca	abbia capito	capissi	avessi capito	
avrebbe capito	capisca	capisca	abbia capito	capisse	avesse capito	
avremmo capi-to	capiamo	capiamo	abbiamo capito	capissimo	avessimo capi-to	
avreste capito	capite	capiate	abbiate capito	capiste	aveste capito	
avrebbero capi-to	capiscano	capiscano	abbiano capito	capissero	avessero capito	

【不規則動詞 80】

		直説法					条件法
		現在	近過去	半過去	大過去	未来	現在
ACCENDE-RE	io	accendo	ho acceso	accendevo	avevo acceso	accenderò	accenderei
点火する	tu	accendi	hai acceso	accendevi	avevi acceso	accenderai	accenderesti
スイッチを入れる	lui / lei	accende	ha acceso	accendeva	aveva acceso	accenderà	accenderebbe
	noi	accendiamo	abbiamo acceso	accendevamo	avevamo acceso	accenderemo	accenderemmo
	voi	accendete	avete acceso	accendevate	avevate acceso	accenderete	accendereste
	loro	accendono	hanno acceso	accendevano	avevano acceso	accenderanno	accenderebbero
ANDARE	io	vado	sono andato/a	andavo	ero andato/a	andrò	andrei
行く	tu	vai	sei andato/a	andavi	eri andato/a	andrai	andresti
	lui / lei	va	è andato/a	andava	era andato/a	andrà	andrebbe
	noi	andiamo	siamo andati/e	andavamo	eravamo andati/e	andremo	andremmo
	voi	andate	siete andati/e	andavate	eravate andati/e	andrete	andreste
	loro	vanno	sono andati/e	andavano	erano andati/e	andranno	andrebbero
APRIRE	io	apro	ho aperto	aprivo	avevo aperto	aprirò	aprirei
開く	tu	apri	hai aperto	aprivi	avevi aperto	aprirai	apriresti
	lui / lei	apre	ha aperto	apriva	aveva aperto	aprirà	aprirebbe
	noi	apriamo	abbiamo aperto	aprivamo	avevamo aperto	apriremo	apriremmo
	voi	aprite	avete aperto	aprivate	avevate aperto	aprirete	aprireste
	loro	aprono	hanno aperto	aprivano	avevano aperto	apriranno	aprirebbero
ASSISTERE	io	assisto	ho assistito	assistevo	avevo assistito	assisterò	assisterei
出席する	tu	assisti	hai assistito	assistevi	avevi assistito	assisterai	assisteresti
補佐する	lui / lei	assiste	ha assistito	assisteva	aveva assistito	assisterà	assisterebbe
	noi	assistiamo	abbiamo assistito	assistevamo	avevamo assistito	assisteremo	assisteremmo
	voi	assistete	avete assistito	assistevate	avevate assistito	assisterete	assistereste
	loro	assistono	hanno assistito	assistevano	avevano assistito	assisteranno	assisterebbero
ASSUMERE	io	assumo	ho assunto	assumevo	avevo assunto	assumerò	assumerei
引き受ける	tu	assumi	hai assunto	assumevi	avevi assunto	assumerai	assumeresti
採用する	lui / lei	assume	ha assunto	assumeva	aveva assunto	assumerà	assumerebbe
	noi	assumiamo	abbiamo assunto	assumevamo	avevamo assunto	assumeremo	assumeremmo
	voi	assumete	avete assunto	assumevate	avevate assunto	assumerete	assumereste
	loro	assumono	hanno assunto	assumevano	avevano assunto	assumeranno	assumerebbero
AVVENIRE	io	avvengo	sono avvenuto/a	avvenivo	ero avvenuto/a	avverrò	avverrei
起こる	tu	avvieni	sei avvenuto/a	avvenivi	eri avvenuto/a	avverrai	avverresti
行われる	lui / lei	avviene	è avvenuto/a	avveniva	era avvenuto/a	avverrà	avverrebbe
	noi	avveniamo	siamo avvenuti/e	avvenivamo	eravamo avvenuti/e	avverremo	avverremmo
	voi	avvenite	siete avvenuti/e	avvenivate	eravate avvenuti/e	avverrete	avverreste
	loro	avvengono	sono avvenuti/e	avvenivano	erano avvenuti/e	avverranno	avverrebbero

| 条件法 | 命令法 | 接続法 | | | | 過去分詞 |
過去	現在	現在	過去	半過去	大過去	
avrei acceso	—	accenda	abbia acceso	accendessi	avessi acceso	acceso
avresti acceso	accendi	accenda	abbia acceso	accendessi	avessi acceso	
avrebbe acceso	accenda	accenda	abbia acceso	accendesse	avesse acceso	
avremmo acceso	accendiamo	accendiamo	abbiamo acceso	accendessimo	avessimo acceso	
avreste acceso	accendete	accendiate	abbiate acceso	accendeste	aveste acceso	
avrebbero acceso	accendano	accendano	abbiano acceso	accendessero	avessero acceso	
sarei andato/a	—	vada	sia andato/a	andassi	fossi andato/a	andato
saresti andato/a	va', vai	vada	sia andato/a	andassi	fossi andato/a	
sarebbe andato/a	vada	vada	sia andato/a	andasse	fosse andato/a	
saremmo andati/e	andiamo	andiamo	siamo andati/e	andassimo	fossimo andati/e	
sareste andati/e	andate	andiate	siate andati/e	andaste	foste andati/e	
sarebbero andati/e	vadano	vadano	siano andati/e	andassero	fossero andati/e	
avrei aperto	—	apra	abbia aperto	aprissi	avessi aperto	aperto
avresti aperto	apri	apra	abbia aperto	aprissi	avessi aperto	
avrebbe aperto	apra	apra	abbia aperto	aprisse	avesse aperto	
avremmo aperto	apriamo	apriamo	abbiamo aperto	aprissimo	avessimo aperto	
avreste aperto	aprite	apriate	abbiate aperto	apriste	aveste aperto	
avrebbero aperto	aprano	aprano	abbiano aperto	aprissero	avessero aperto	
avrei assistito	—	assista	abbia assistito	assistessi	avessi assistito	assistito
avresti assistito	assisti	assista	abbia assistito	assistessi	avessi assistito	
avrebbe assistito	assista	assista	abbia assistito	assistesse	avesse assistito	
avremmo assistito	assistiamo	assistiamo	abbiamo assistito	assistessimo	avessimo assistito	
avreste assistito	assistete	assistiate	abbiate assistito	assisteste	aveste assistito	
avrebbero assistito	assistano	assistano	abbiano assistito	assistessero	avessero assistito	
avrei assunto	—	assuma	abbia assunto	assumessi	avessi assunto	assunto
avresti assunto	assumi	assuma	abbia assunto	assumessi	avessi assunto	
avrebbe assunto	assuma	assuma	abbia assunto	assumesse	avesse assunto	
avremmo assunto	assumiamo	assumiamo	abbiamo assunto	assumessimo	avessimo assunto	
avreste assunto	assumete	assumiate	abbiate assunto	assumeste	aveste assunto	
avrebbero assunto	assumano	assumano	abbiano assunto	assumessero	avessero assunto	
sarei avvenuto/a	—	avvenga	sia avvenuto/a	avvenissi	fossi avvenuto/a	avvenuto
saresti avvenuto/a	avvieni	avvenga	sia avvenuto/a	avvenissi	fossi avvenuto/a	
sarebbe avvenuto/a	avvenga	avvenga	sia avvenuto/a	avvenisse	fosse avvenuto/a	
saremmo avvenuti/e	avveniamo	avveniamo	siamo avvenuti/e	avvenissimo	fossimo avvenuti/e	
sareste avvenuti/e	avvenite	avveniate	siate avvenuti/e	avveniste	foste avvenuti/e	
sarebbero avvenuti/e	avvengano	avvengano	siano avvenuti/e	avvenissero	fossero avvenuti/e	

		直説法					条件法
		現在	近過去	半過去	大過去	未来	現在
BERE	io	bevo	ho bevuto	bevevo	avevo bevuto	berrò	berrei
飲む	tu	bevi	hai bevuto	bevevi	avevi bevuto	berrai	berresti
	lui / lei	beve	ha bevuto	beveva	aveva bevuto	berrà	berrebbe
	noi	beviamo	abbiamo be-vuto	bevevamo	avevamo be-vuto	berremo	berremmo
	voi	bevete	avete bevuto	bevevate	avevate bevu-to	berrete	berreste
	loro	bevono	hanno bevuto	bevevano	avevano be-vuto	berranno	berrebbero
CHIEDERE	io	chiedo	ho chiesto	chiedevo	avevo chiesto	chiederò	chiederei
質問する	tu	chiedi	hai chiesto	chiedevi	avevi chiesto	chiederai	chiederesti
	lui / lei	chiede	ha chiesto	chiedeva	aveva chiesto	chiederà	chiederebbe
	noi	chiediamo	abbiamo chie-sto	chiedevate	avevamo chie-sto	chiederemo	chiederemmo
	voi	chiedete	avete chiesto	chiedevamo	avevate chie-sto	chiederete	chiedereste
	loro	chiedono	hanno chiesto	chiedevano	avevano chie-sto	chiederanno	chiederebbe-ro
CHIUDERE	io	chiudo	ho chiuso	chiudevo	avevo chiuso	chiuderò	chiuderei
閉める・閉ま る	tu	chiudi	hai chiuso	chiudevi	avevi chiuso	chiuderai	chiuderesti
	lui / lei	chiude	ha chiuso	chiudeva	aveva chiuso	chiuderà	chiuderebbe
	noi	chiudiamo	abbiamo chiu-so	chiudevamo	avevamo chiu-so	chiuderemo	chiuderemmo
	voi	chiudete	avete chiuso	chiudevate	avevate chiu-so	chiuderete	chiudereste
	loro	chiudono	hanno chiuso	chiudevano	avevano chiu-so	chiuderanno	chiuderebbe-ro
CONCEDE-RE	io	concedo	ho concesso	concedevo	avevo conces-so	concederò	concederei
譲る	tu	concedi	hai concesso	concedevi	avevi conces-so	concederai	concederesti
	lui / lei	concede	ha concesso	concedeva	aveva conces-so	concederà	concedereb-be
	noi	concediamo	abbiamo con-cesso	concedevamo	avevamo con-cesso	concederemo	concederem-mo
	voi	concedete	avete conces-so	concedevate	avevate con-cesso	concederete	concedereste
	loro	concedono	hanno con-cesso	concedevano	avevano con-cesso	concederanno	concedereb-bero
CONDURRE	io	conduco	ho condotto	conducevo	avevo condot-to	condurrò	condurrei
導く	tu	conduci	hai condotto	conducevi	avevi condot-to	condurrai	condurresti
指揮する	lui / lei	conduce	ha condotto	conduceva	aveva condot-to	condurrà	condurrebbe
	noi	conduciamo	abbiamo con-dotto	conducevamo	avevamo con-dotto	condurremo	condurrem-mo
	voi	conducete	avete condot-to	conducevate	avevate con-dotto	condurrete	condurreste
	loro	conducono	hanno con-dotto	conducevano	avevano con-dotto	condurranno	condurrebbe-ro
CONOSCE-RE	io	conosco	ho conosciuto	conoscevo	avevo cono-sciuto	conoscerò	conoscerei
知る	tu	conosci	hai conosciu-to	conoscevi	avevi cono-sciuto	conoscerai	conosceresti
	lui / lei	conosce	ha conosciuto	conosceva	aveva cono-sciuto	conoscerà	conoscereb-be
	noi	conosciamo	abbiamo co-nosciuto	conoscevamo	avevamo co-nosciuto	conosceremo	conoscerem-mo
	voi	conoscete	avete cono-sciuto	conoscevate	avevate cono-sciuto	conoscerete	conoscereste
	loro	conoscono	hanno cono-sciuto	conoscevano	avevano co-nosciuto	conosceranno	conoscereb-bero

条件法	命令法	接続法				過去分詞
過去	現在	現在	過去	半過去	大過去	
avrei bevuto	—	beva	abbia bevuto	bevessi	avessi bevuto	bevuto
avresti bevuto	bevi	beva	abbia bevuto	bevessi	avessi bevuto	
avrebbe bevuto	beva	beva	abbia bevuto	bevesse	avesse bevuto	
avremmo bevuto	beviamo	beviamo	abbiamo bevuto	bevessimo	avessimo bevuto	
avreste bevuto	bevete	beviate	abbiate bevuto	beveste	aveste bevuto	
avrebbero bevuto	bevano	bevano	abbiano bevuto	bevessero	avessero bevuto	
avrei chiesto	—	chieda	abbia chiesto	chiedessi	avessi chiesto	chiesto
avresti chiesto	chiedi	chieda	abbia chiesto	chiedessi	avessi chiesto	
avrebbe chiesto	chieda	chieda	abbia chiesto	chiedesse	avesse chiesto	
avremmo chiesto	chiediamo	chiediamo	abbiamo chiesto	chiedessimo	avessimo chiesto	
avreste chiesto	chiedete	chiediate	abbiate chiesto	chiedeste	aveste chiesto	
avrebbero chiesto	chiedano	chiedano	abbiano chiesto	chiedessero	avessero chiesto	
avrei chiuso	—	chiuda	abbia chiuso	chiudessi	avessi chiuso	chiuso
avresti chiuso	chiudi	chiuda	abbia chiuso	chiudessi	avessi chiuso	
avrebbe chiuso	chiuda	chiuda	abbia chiuso	chiudesse	avesse chiuso	
avremmo chiuso	chiudiamo	chiudiamo	abbiamo chiuso	chiudessimo	avessimo chiuso	
avreste chiuso	chiudete	chiudiate	abbiate chiuso	chiudeste	aveste chiuso	
avrebbero chiuso	chiudano	chiudano	abbiano chiuso	chiudessero	avessero chiuso	
avrei concesso	—	conceda	abbia concesso	concedessi	avessi concesso	concesso
avresti concesso	concedi	conceda	abbia concesso	concedessi	avessi concesso	
avrebbe concesso	conceda	conceda	abbia concesso	concedesse	avesse concesso	
avremmo concesso	concediamo	concediamo	abbiamo concesso	concedessimo	avessimo concesso	
avreste concesso	concedete	concediate	abbiate concesso	concedeste	aveste concesso	
avrebbero concesso	concedano	concedano	abbiano concesso	concedessero	avessero concesso	
avrei condotto	—	conduca	abbia condotto	conducessi	avessi condotto	condotto
avresti condotto	conduci	conduca	abbia condotto	conducessi	avessi condotto	
avrebbe condotto	conduca	conduca	abbia condotto	conducesse	avesse condotto	
avremmo condotto	conduciamo	conduciamo	abbiamo condotto	conducessimo	avessimo condotto	
avreste condotto	conducete	conduciate	abbiate condotto	conduceste	aveste condotto	
avrebbero condotto	conducano	conducano	abbiano condotto	conducessero	avessero condotto	
avrei conosciuto	—	conosca	abbia conosciuto	conoscessi	avessi conosciuto	conosciuto
avresti conosciuto	conosci	conosca	abbia conosciuto	conoscessi	avessi conosciuto	
avrebbe conosciuto	conosca	conosca	abbia conosciuto	conoscesse	avesse conosciuto	
avremmo conosciuto	conosciamo	conosciamo	abbiamo conosciuto	conoscessimo	avessimo conosciuto	
avreste conosciuto	conoscete	conosciate	abbiate conosciuto	conosceste	aveste conosciuto	
avrebbero conosciuto	conoscano	conoscano	abbiano conosciuto	conoscessero	avessero conosciuto	

		直説法					条件法
		現在	近過去	半過去	大過去	未来	現在
CORRERE	io	corro	ho corso	correvo	avevo corso	correrò	correrei
走る	tu	corri	hai corso	correvi	avevi corso	correrai	correresti
	lui / lei	corre	ha corso	correva	aveva corso	correrà	correrebbe
	noi	corriamo	abbiamo corso	correvamo	avevamo corso	correremo	correremmo
	voi	correte	avete corso	correvate	avevate corso	correrete	correreste
	loro	corrono	hanno corso	correvano	avevano corso	correranno	correrebbero
CRESCERE	io	cresco	sono cresciuto/a	crescevo	ero cresciuto/a	crescerò	crescerei
成長する	tu	cresci	sei cresciuto/a	crescevi	eri cresciuto/a	crescerai	cresceresti
	lui / lei	cresce	è cresciuto/a	cresceva	era cresciuto/a	crescerà	crescerebbe
	noi	cresciamo	siamo cresciuti/e	crescevamo	eravamo cresciuti/e	cresceremo	cresceremmo
	voi	crescete	siete cresciuti/e	crescevate	eravate cresciuti/e	crescerete	crescereste
	loro	crescono	sono cresciuti/e	crescevano	erano cresciuti/e	cresceranno	crescerebbero
CUOCERE	io	cuocio	ho cotto	c(u)ocevo	avevo cotto	c(u)ocerò	c(u)ocerei
料理する	tu	cuoci	hai cotto	c(u)ocevi	avevi cotto	c(u)ocerai	c(u)oceresti
	lui / lei	cuoce	ha cotto	c(u)oceva	aveva cotto	c(u)ocerà	c(u)ocerebbe
	noi	c(u)ociamo	abbiamo cotto	c(u)ocevamo	avevamo cotto	c(u)oceremo	c(u)oceremmo
	voi	c(u)ocete	avete cotto	c(u)ocevate	avevate cotto	c(u)ocerete	c(u)ocereste
	loro	cuociono	hanno cotto	c(u)ocevano	avevano cotto	c(u)oceranno	c(u)ocerebbero
DARE	io	do	ho dato	davo	avevo dato	darò	darei
与える	tu	dai	hai dato	davi	avevi dato	darai	daresti
	lui / lei	dà	ha dato	dava	aveva dato	darà	darebbe
	noi	diamo	abbiamo dato	davamo	avevamo dato	daremo	daremmo
	voi	date	avete dato	davate	avevate dato	darete	dareste
	loro	danno	hanno dato	davano	avevano dato	daranno	darebbero
DECIDERE	io	decido	ho deciso	decidevo	avevo deciso	deciderò	deciderei
決定する	tu	decidi	hai deciso	decidevi	avevi deciso	deciderai	decideresti
	lui / lei	decide	ha deciso	decideva	aveva deciso	deciderà	deciderebbe
	noi	decidiamo	abbiamo deciso	decidevamo	avevamo deciso	decideremo	decideremmo
	voi	decidete	avete deciso	decidevate	avevate deciso	deciderete	decidereste
	loro	decidono	hanno deciso	decidevano	avevano deciso	decideranno	deciderebbero
DIFENDERE	io	difendo	ho difeso	difendevo	avevo difeso	difenderò	difenderei
守る	tu	difendi	hai difeso	difendevi	avevi difeso	difenderai	difenderesti
	lui / lei	difende	ha difeso	difendeva	aveva difeso	difenderà	difenderebbe
	noi	difendiamo	abbiamo difeso	difendevamo	avevamo difeso	difenderemo	difenderemmo
	voi	difendete	avete difeso	difendevate	avevate difeso	difenderete	difendereste
	loro	difendono	hanno difeso	difendevano	avevano difeso	difenderanno	difenderebbero
DIRE	io	dico	ho detto	dicevo	avevo detto	dirò	direi
言う	tu	dici	hai detto	dicevi	avevi detto	dirai	diresti
	lui / lei	dice	ha detto	diceva	aveva detto	dirà	direbbe
	noi	diciamo	abbiamo detto	dicevamo	avevamo detto	diremo	diremmo
	voi	dite	avete detto	dicevate	avevate detto	direte	direste
	loro	dicono	hanno detto	dicevano	avevano detto	diranno	direbbero

262

条件法	命令法	接続法				過去分詞
過去	現在	現在	過去	半過去	大過去	
avrei corso	—	corra	abbia corso	corressi	avessi corso	corso
avresti corso	corri	corra	abbia corso	corressi	avessi corso	
avrebbe corso	corra	corra	abbia corso	corresse	avesse corso	
avremmo corso	corriamo	corriamo	abbiamo corso	corressimo	avessimo corso	
avreste corso	correte	corriate	abbiate corso	correste	aveste corso	
avrebbero cor-so	corrano	corrano	abbiano corso	corressero	avessero corso	
sarei cresciuto/a	—	cresca	sia cresciuto/a	crescessi	fossi cresciuto/a	cresciuto
saresti cresciu-to/a	cresci	cresca	sia cresciuto/a	crescessi	fossi cresciuto/a	
sarebbe cre-sciuto/a	cresca	cresca	sia cresciuto/a	crescesse	fosse cresciu-to/a	
saremmo cre-sciuti/e	cresciamo	cresciamo	siamo cresciu-ti/e	crescessimo	fossimo cre-sciuti/e	
sareste cre-sciuti/e	crescete	cresciate	siate cresciuti/e	cresceste	foste cresciuti/e	
sarebbero cre-sciuti/e	crescano	crescano	siano cresciuti/e	crescessero	fossero cre-sciuti/e	
avrei cotto	—	cuocia	abbia cotto	c(u)ocessi	avessi cotto	cotto
avresti cotto	cuoci	cuocia	abbia cotto	c(u)ocessi	avessi cotto	
avrebbe cotto	cuocia	cuocia	abbia cotto	c(u)ocesse	avesse cotto	
avremmo cotto	c(u)ociamo	c(u)ociamo	abbiamo cotto	c(u)ocessimo	avessimo cotto	
avreste cotto	c(u)ocete	c(u)ociate	abbiate cotto	c(u)oceste	aveste cotto	
avrebbero cot-to	cuociano	cuociano	abbiano cotto	c(u)ocessero	avessero cotto	
avrei dato	—	dia	abbia dato	dessi	avessi dato	dato
avresti dato	da', dai	dia	abbia dato	dessi	avessi dato	
avrebbe dato	dia	dia	abbia dato	desse	avesse dato	
avremmo dato	diamo	diamo	abbiamo dato	dessimo	avessimo dato	
avreste dato	date	diate	abbiate dato	deste	aveste dato	
avrebbero dato	diano	diano	abbiano dato	dessero	avessero dato	
avrei deciso	—	decida	abbia deciso	decidessi	avessi deciso	deciso
avresti deciso	decidi	decida	abbia deciso	decidessi	avessi deciso	
avrebbe deciso	decida	decida	abbia deciso	decidesse	avesse deciso	
avremmo deci-so	decidiamo	decidiamo	abbiamo deciso	decidessimo	avessimo deci-so	
avreste deciso	decidete	decidiate	abbiate deciso	decideste	aveste deciso	
avrebbero deci-so	decidano	decidano	abbiano deciso	decidessero	avessero deci-so	
avrei difeso	—	difenda	abbia difeso	difendessi	avessi difeso	difeso
avresti difeso	difendi	difenda	abbia difeso	difendessi	avessi difeso	
avrebbe difeso	difenda	difenda	abbia difeso	difendesse	avesse difeso	
avremmo dife-so	difendiamo	difendiamo	abbiamo difeso	difendessimo	avessimo dife-so	
avreste difeso	difendete	difendiate	abbiate difeso	difendeste	aveste difeso	
avrebbero dife-so	difendano	difendano	abbiano difeso	difendessero	avessero difeso	
avrei detto	—	dica	abbia detto	dicessi	avessi detto	detto
avresti detto	dì, di'	dica	abbia detto	dicessi	avessi detto	
avrebbe detto	dica	dica	abbia detto	dicesse	avesse detto	
avremmo detto	diciamo	diciamo	abbiamo detto	dicessimo	avessimo detto	
avreste detto	dite	diciate	abbiate detto	diceste	aveste detto	
avrebbero det-to	dicano	dicano	abbiano detto	dicessero	avessero detto	

		直説法					条件法
		現在	近過去	半過去	大過去	未来	現在
DIRIGERE	io	dirigo	ho diretto	dirigevo	avevo diretto	dirigerò	dirigerei
指揮する	tu	dirigi	hai diretto	dirigevi	avevi diretto	dirigerai	dirigeresti
向ける	lui / lei	dirige	ha diretto	dirigeva	aveva diretto	dirigerà	dirigerebbe
	noi	dirigiamo	abbiamo diretto	dirigevamo	avevamo diretto	dirigeremo	dirigeremmo
	voi	dirigete	avete diretto	dirigevate	avevate diretto	dirigerete	dirigereste
	loro	dirigono	hanno diretto	dirigevano	avevano diretto	dirigeranno	dirigerebbero
DISCUTERE	io	discuto	ho discusso	discutevo	avevo discusso	discuterò	discuterei
討議する	tu	discuti	hai discusso	discutevi	avevi discusso	discuterai	discuteresti
	lui / lei	discute	ha discusso	discuteva	aveva discusso	discuterà	discuterebbe
	noi	discutiamo	abbiamo discusso	discutevamo	avevamo discusso	discuteremo	discuteremmo
	voi	discutete	avete discusso	discutevate	avevate discusso	discuterete	discutereste
	loro	discutono	hanno discusso	discutevano	avevano discusso	discuteranno	discuterebbero
DISPIACE-RE	io	dispiaccio	sono dispiaciuto/a	dispiacevo	ero dispiaciuto/a	dispiacerò	dispiacerei
残念である	tu	dispiaci	sei dispiaciuto/a	dispiacevi	eri dispiaciuto/a	dispiacerai	dispiaceresti
	lui / lei	dispiace	è dispiaciuto/a	dispiaceva	era dispiaciuto/a	dispiacerà	dispiacerebbe
	noi	dispiacciamo	siamo dispiaciuti/e	dispiacevamo	eravamo dispiaciuti/e	dispiaceremo	dispiaceremmo
	voi	dispiacete	siete dispiaciuti/e	dispiacevate	eravate dispiaciuti/e	dispiacerete	dispiacereste
	loro	dispiacciono	sono dispiaciuti/e	dispiacevano	erano dispiaciuti/e	dispiaceranno	dispiacerebbero
DISTINGUE-RE	io	distinguo	ho distinto	distinguevo	avevo distinto	distinguerò	distinguerei
区別する	tu	distingui	hai distinto	distinguevi	avevi distinto	distinguerai	distingueresti
	lui / lei	distingue	ha distinto	distingueva	aveva distinto	distinguerà	distinguerebbe
	noi	distinguiamo	abbiamo distinto	distinguevamo	avevamo distinto	distingueremo	distingueremmo
	voi	distinguete	avete distinto	distinguevate	avevate distinto	distinguerete	distinguereste
	loro	distinguono	hanno distinto	distinguevano	avevano distinto	distingueranno	distinguerebbero
DIVIDERE	io	divido	ho diviso	dividevo	avevo diviso	dividerò	dividerei
分割する	tu	dividi	hai diviso	dividevi	avevi diviso	dividerai	divideresti
	lui / lei	divide	ha diviso	divideva	aveva diviso	dividerà	dividerebbe
	noi	dividiamo	abbiamo diviso	dividevamo	avevamo diviso	divideremo	divideremmo
	voi	dividete	avete diviso	dividevate	avevate diviso	dividerete	dividereste
	loro	dividono	hanno diviso	dividevano	avevano diviso	divideranno	dividerebbero
DOVERE	io	devo	ho dovuto	dovevo	avevo dovuto	dovrò	dovrei
～しなければならない	tu	devi	hai dovuto	dovevi	avevi dovuto	dovrai	dovresti
	lui / lei	deve	ha dovuto	doveva	aveva dovuto	dovrà	dovrebbe
	noi	dobbiamo	abbiamo dovuto	dovevamo	avevamo dovuto	dovremo	dovremmo
	voi	dovete	avete dovuto	dovevate	avevate dovuto	dovrete	dovreste
	loro	devono	hanno dovuto	dovevano	avevano dovuto	dovranno	dovrebbero

264

条件法 過去	命令法 現在	接続法 現在	過去	半過去	大過去	過去分詞
avrei diretto	—	diriga	abbia diretto	dirigessi	avessi diretto	diretto
avresti diretto	dirigi	diriga	abbia diretto	dirigessi	avessi diretto	
avrebbe diretto	diriga	diriga	abbia diretto	dirigesse	avesse diretto	
avremmo diretto	dirigiamo	dirigiamo	abbiamo diretto	dirigessimo	avessimo diretto	
avreste diretto	dirigete	dirigiate	abbiate diretto	dirigeste	aveste diretto	
avrebbero diretto	dirigano	dirigano	abbiano diretto	dirigessero	avessero diretto	
avrei discusso	—	discuta	abbia discusso	discutessi	avessi discusso	discusso
avresti discusso	discuti	discuta	abbia discusso	discutessi	avessi discusso	
avrebbe discusso	discuta	discuta	abbia discusso	discutesse	avesse discusso	
avremmo discusso	discutiamo	discutiamo	abbiamo discusso	discutessimo	avessimo discusso	
avreste discusso	discutete	discutiate	abbiate discusso	discuteste	aveste discusso	
avrebbero discusso	discutano	discutano	abbiano discusso	discutessero	avessero discusso	
sarei dispiaciuto/a	—	dispiaccia	sia dispiaciuto/a	dispiacessi	fossi dispiaciuto/a	dispiaciuto
saresti dispiaciuto/a	dispiaci	dispiaccia	sia dispiaciuto/a	dispiacessi	fossi dispiaciuto/a	
sarebbe dispiaciuto/a	dispiaccia	dispiaccia	sia dispiaciuto/a	dispiacesse	fosse dispiaciuto/a	
saremmo dispiaciuti/e	dispiacciamo	dispiacciamo	siamo dispiaciuti/e	dispiacessimo	fossimo dispiaciuti/e	
sareste dispiaciuti/e	dispiacete	dispiacciate	siate dispiaciuti/e	dispiaceste	foste dispiaciuti/e	
sarebbero dispiaciuti/e	dispiacciano	dispiacciano	siano dispiaciuti/e	dispiacessero	fossero dispiaciuti/e	
avrei distinto	—	distingua	abbia distinto	distinguessi	avessi distinto	distinto
avresti distinto	distingui	distingua	abbia distinto	distinguessi	avessi distinto	
avrebbe distinto	distingua	distingua	abbia distinto	distinguesse	avesse distinto	
avremmo distinto	distinguiamo	distinguiamo	abbiamo distinto	distinguessimo	avessimo distinto	
avreste distinto	distinguete	distinguiate	abbiate distinto	distingueste	aveste distinto	
avrebbero distinto	distinguano	distinguano	abbiano distinto	distinguessero	avessero distinto	
avrei diviso	—	divida	abbia diviso	dividessi	avessi diviso	diviso
avresti diviso	dividi	divida	abbia diviso	dividessi	avessi diviso	
avrebbe diviso	divida	divida	abbia diviso	dividesse	avesse diviso	
avremmo diviso	dividiamo	dividiamo	abbiamo diviso	dividessimo	avessimo diviso	
avreste diviso	dividete	dividiate	abbiate diviso	divideste	aveste diviso	
avrebbero diviso	dividano	dividano	abbiano diviso	dividessero	avessero diviso	
avrei dovuto	—	deva	abbia dovuto	dovessi	avessi dovuto	dovuto
avresti dovuto	—	deva	abbia dovuto	dovessi	avessi dovuto	
avrebbe dovuto	—	deva	abbia dovuto	dovesse	avesse dovuto	
avremmo dovuto	—	dobbiamo	abbiamo dovuto	dovessimo	avessimo dovuto	
avreste dovuto	—	dobbiate	abbiate dovuto	doveste	aveste dovuto	
avrebbero dovuto	—	devano	abbiano dovuto	dovessero	avessero dovuto	

		直説法					条件法
		現在	近過去	半過去	大過去	未来	現在
EMERGERE	io	emergo	sono emerso/a	emergevo	ero emerso/a	emergerò	emergerei
出現する	tu	emergi	sei emerso/a	emergevi	eri emerso/a	emergerai	emergeresti
	lui / lei	emerge	è emerso/a	emergeva	era emerso/a	emergerà	emergerebbe
	noi	emergiamo	siamo emersi/e	emergevamo	eravamo emersi/e	emergeremo	emergeremmo
	voi	emergete	siete emersi/e	emergevate	eravate emersi/e	emergerete	emergereste
	loro	emergono	sono emersi/e	emergevano	erano emersi/e	emergeranno	emergerebbero
ESIGERE	io	esigo	ho esatto	esigevo	avevo esatto	esigerò	esigerei
強要する	tu	esigi	hai esatto	esigevi	avevi esatto	esigerai	esigeresti
	lui / lei	esige	ha esatto	esigeva	aveva esatto	esigerà	esigerebbe
	noi	esigiamo	abbiamo esatto	esigevamo	avevamo esatto	esigeremo	esigeremmo
	voi	esigete	avete esatto	esigevate	avevate esatto	esigerete	esigereste
	loro	esigono	hanno esatto	esigevano	avevano esatto	esigeranno	esigerebbero
FARE	io	faccio	ho fatto	facevo	avevo fatto	farò	farei
～する・作る	tu	fai	hai fatto	facevi	avevi fatto	farai	faresti
	lui / lei	fa	ha fatto	faceva	aveva fatto	farà	farebbe
	noi	facciamo	abbiamo fatto	facevamo	avevamo fatto	faremo	faremmo
	voi	fate	avete fatto	facevate	avevate fatto	farete	fareste
	loro	fanno	hanno fatto	facevano	avevano fatto	faranno	farebbero
FINGERE	io	fingo	ho finto	fingevo	avevo finto	fingerò	fingerei
～のふりをする	tu	fingi	hai finto	fingevi	avevi finto	fingerai	fingeresti
	lui / lei	finge	ha finto	fingeva	aveva finto	fingerà	fingerebbe
	noi	fingiamo	abbiamo finto	fingevamo	avevamo finto	fingeremo	ingeremmo
	voi	fingete	avete finto	fingevate	avevate finto	fingerete	fingereste
	loro	fingono	hanno finto	fingevano	avevano finto	fingeranno	fingerebbero
GIUNGERE	io	giungo	sono giunto/a	giungevo	ero giunto/a	giungerò	giungerei
到達する	tu	giungi	sei giunto/a	giungevi	eri giunto/a	giungerai	giungeresti
	lui / lei	giunge	è giunto/a	giungeva	era giunto/a	giungerà	giungerebbe
	noi	giungiamo	siamo giunti/e	giungevamo	eravamo giunti/e	giungeremo	giungeremmo
	voi	giungete	siete giunti/e	giungevate	eravate giunti/e	giungerete	giungereste
	loro	giungono	sono giunti/e	giungevano	erano giunti/e	giungeranno	giungerebbero
LEGGERE	io	leggo	ho letto	leggevo	avevo letto	leggerò	leggerei
読む	tu	leggi	hai letto	leggevi	avevi letto	leggerai	leggeresti
	lui / lei	legge	ha letto	leggeva	aveva letto	leggerà	leggerebbe
	noi	leggiamo	abbiamo letto	leggevamo	avevamo letto	leggeremo	leggeremmo
	voi	leggete	avete letto	leggevate	avevate letto	leggerete	leggereste
	loro	leggono	hanno letto	leggevano	avevano letto	leggeranno	leggerebbero
METTERE	io	metto	ho messo	mettevo	avevo messo	metterò	metterei
置く・入れる	tu	metti	hai messo	mettevi	avevi messo	metterai	metteresti
身に着ける	lui / lei	mette	ha messo	metteva	aveva messo	metterà	metterebbe
	noi	mettiamo	abbiamo messo	mettevamo	avevamo messo	metteremo	metteremmo
	voi	mettete	avete messo	mettevate	avevate messo	metterete	mettereste
	loro	mettono	hanno messo	mettevano	avevano messo	metteranno	metterebbero

条件法	命令法	接続法				過去分詞
過去	現在	現在	過去	半過去	大過去	
sarei emerso/a	—	emerga	sia emerso/a	emergessi	fossi emerso/a	emerso
saresti emerso/a	emergi	emerga	sia emerso/a	emergessi	fossi emerso/a	
sarebbe emerso/a	emerga	emerga	sia emerso/a	emergesse	fosse emerso/a	
saremmo emersi/e	emergiamo	emergiamo	siamo emersi/e	emergessimo	fossimo emersi/e	
sareste emersi/e	emergete	emergiate	siate emersi/e	emergeste	foste emersi/e	
sarebbero emersi/e	emergano	emergano	siano emersi/e	emergessero	fossero emersi/e	
avrei esatto	—	esiga	abbia esatto	esigessi	avessi esatto	esatto
avresti esatto	esigi	esiga	abbia esatto	esigessi	avessi esatto	
avrebbe esatto	esiga	esiga	abbia esatto	esigesse	avesse esatto	
avremmo esatto	esigiamo	esigiamo	abbiamo esatto	esigessimo	avessimo esatto	
avreste esatto	esigete	esigiate	abbiate esatto	esigeste	aveste esatto	
avrebbero esatto	esigano	esigano	abbiano esatto	esigessero	avessero esatto	
avrei fatto	—	faccia	abbia fatto	facessi	avessi fatto	fatto
avresti fatto	fa',fai	faccia	abbia fatto	facessi	avessi fatto	
avrebbe fatto	faccia	faccia	abbia fatto	facesse	avesse fatto	
avremmo fatto	facciamo	facciamo	abbiamo fatto	facessimo	avessimo fatto	
avreste fatto	fate	facciate	abbiate fatto	faceste	aveste fatto	
avrebbero fatto	facciano	facciano	abbiano fatto	facessero	avessero fatto	
avrei finto	—	finga	abbia finto	fingessi	avessi finto	finto
avresti finto	fingi	finga	abbia finto	fingesse	avesse finto	
avrebbe finto	finga	finga	abbia finto	fingesse	avesse finto	
avremmo finto	fingiamo	fingiamo	abbiamo finto	fingessimo	avessimo finto	
avreste finto	fingete	fingiate	abbiate finto	fingeste	aveste finto	
avrebbero finto	fingano	fingano	abbiano finto	fingessero	avessero finto	
sarei giunto/a	—	giunga	sia giunto/a	giungessi	fossi giunto/a	giunto
saresti giunto/a	giungi	giunga	sia giunto/a	giungessi	fossi giunto/a	
sarebbe giunto/a	giunga	giunga	sia giunto/a	giungesse	fosse giunto/a	
saremmo giunti/e	giungiamo	giungiamo	siamo giunti/e	giungessimo	fossimo giunti/e	
sareste giunti/e	giungete	giungiate	siate giunti/e	giungeste	foste giunti/e	
sarebbero giunti/e	giungano	giungano	siano giunti/e	giungessero	fossero giunti/e	
avrei letto	—	legga	abbia letto	leggessi	avessi letto	letto
avresti letto	leggi	legga	abbia letto	leggessi	avessi letto	
avrebbe letto	legga	legga	abbia letto	leggesse	avesse letto	
avremmo letto	leggiamo	leggiamo	abbiamo letto	leggessimo	avessimo letto	
avreste letto	leggete	leggiate	abbiate letto	leggeste	aveste letto	
avrebbero letto	leggano	leggano	abbiano letto	leggessero	avessero letto	
avrei messo	—	metta	abbia messo	mettessi	avessi messo	messo
avresti messo	metti	metta	abbia messo	mettessi	avessi messo	
avrebbe messo	metta	metta	abbia messo	mettesse	avesse messo	
avremmo messo	mettiamo	mettiamo	abbiamo messo	mettessimo	avessimo messo	
avreste messo	mettete	mettiate	abbiate messo	metteste	aveste messo	
avrebbero messo	mettano	mettano	abbiano messo	mettessero	avessero messo	

		直説法					条件法
		現在	近過去	半過去	大過去	未来	現在
MORIRE	io	muoio	sono morto/a	morivo	ero morto/a	morirò, morrò	morirei, morrei
死ぬ	tu	muori	sei morto/a	morivi	eri morto/a	morirai, morrai	moriresti, morresti
	lui / lei	muore	è morto/a	moriva	era morto/a	morirà, morrà	morirebbe, morrebbe
	noi	moriamo	siamo morti/e	morivamo	eravamo morti/e	moriremo, morremo	moriremmo, morremmo
	voi	morite	siete morti/e	morivate	eravate morti/e	morirete, morrete	morireste, morreste
	loro	muoiono	sono morti/e	morivano	erano morti/e	moriranno, morranno	morirebbero, morrebbero
MUOVERE	io	muovo	ho mosso	m(u)ovevo	avevo mosso	m(u)overò	m(u)overei
動かす	tu	muovi	hai mosso	m(u)ovevi	avevi mosso	m(u)overai	m(u)overesti
	lui / lei	muove	ha mosso	m(u)oveva	aveva mosso	m(u)overà	m(u)overebbe
	noi	m(u)oviamo	abbiamo mosso	m(u)ovevamo	avevamo mosso	m(u)overemo	m(u)overemmo
	voi	m(u)ovete	avete mosso	m(u)ovevate	avevate mosso	m(u)overete	m(u)overeste
	loro	muovono	hanno mosso	m(u)ovevano	avevano mosso	m(u)overanno	m(u)overebbero
NASCERE	io	nasco	sono nato/a	nascevo	ero nato/a	nascerò	nascerei
生まれる	tu	nasci	sei nato/a	nascevi	eri nato/a	nascerai	nasceresti
	lui / lei	nasce	è nato/a	nasceva	era nato/a	nascerà	nascerebbe
	noi	nasciamo	siamo nati/e	nascevamo	eravamo nati/e	nasceremo	nasceremmo
	voi	nascete	siete nati/e	nascevate	eravate nati/e	nascerete	nascereste
	loro	nascono	sono nati/e	nascevano	erano nati/e	nasceranno	nascerebbero
NASCONDERE	io	nascondo	ho nascosto	nascondevo	avevo nascosto	nasconderò	nasconderei
隠す	tu	nascondi	hai nascosto	nascondevi	avevi nascosto	nasconderai	nasconderesti
	lui / lei	nasconde	ha nascosto	nascondeva	aveva nascosto	nasconderà	nasconderebbe
	noi	nascondiamo	abbiamo nascosto	nascondevamo	avevamo nascosto	nasconderemo	nasconderemmo
	voi	nascondete	avete nascosto	nascondevate	avevate nascosto	nasconderete	nascondereste
	loro	nascondono	hanno nascosto	nascondevano	avevano nascosto	nasconderanno	nasconderebbero
OFFRIRE	io	offro	ho offerto	offrivo	avevo offerto	offrirò	offrirei
提供する	tu	offri	hai offerto	offrivi	avevi offerto	offrirai	offriresti
	lui / lei	offre	ha offerto	offriva	aveva offerto	offrirà	offrirebbe
	noi	offriamo	abbiamo offerto	offrivamo	avevamo offerto	offriremo	offriremmo
	voi	offrite	avete offerto	offrivate	avevate offerto	offrirete	offrireste
	loro	offrono	hanno offerto	offrivano	avevano offerto	offriranno	offrirebbero
PARERE	io	paio	sono parso/a	parevo	ero parso/a	parrò	parrei
〜と思われる	tu	pari	sei parso/a	parevi	eri parso/a	parrai	parresti
	lui / lei	pare	è parso/a	pareva	era parso/a	parrà	parrebbe
	noi	paiamo	siamo parsi/e	parevamo	eravamo parsi/e	parremo	parremmo
	voi	parete	siete parsi/e	parevate	eravate parsi/e	parrete	parreste
	loro	paiono	sono parsi/e	parevano	erano parsi/e	parranno	parrebbero

| 条件法 | 命令法 | 接続法 | | | | 過去分詞 |
過去	現在	現在	過去	半過去	大過去	
sarei morto/a	—	muoia	sia morto/a	morissi	fossi morto/a	morto
saresti morto/a	muori	muoia	sia morto/a	morissi	fossi morto/a	
sarebbe morto/a	muoia	muoia	sia morto/a	morisse	fosse morto/a	
saremmo morti/e	moriamo	moriamo	siamo morti/e	morissimo	fossimo morti/e	
sareste morti/e	morite	moriate	siate morti/e	moriste	foste morti/e	
sarebbero morti/e	muoiano	muoiano	siano morti/e	morissero	fossero morti/e	
avrei mosso	—	muova	abbia mosso	m(u)ovessi	avessi mosso	mosso
avresti mosso	muovi	muova	abbia mosso	m(u)ovessi	avessi mosso	
avrebbe mosso	muova	muova	abbia mosso	m(u)ovesse	avesse mosso	
avremmo mosso	m(u)oviamo	m(u)oviamo	abbiamo mosso	m(u)ovessimo	avessimo mosso	
avreste mosso	m(u)ovete	m(u)oviate	abbiate mosso	m(u)oveste	aveste mosso	
avrebbero mosso	muovano	muovano	abbiano mosso	m(u)ovessero	avessero mosso	
sarei nato/a	—	nasca	sia nato/a	nascessi	fossi nato/a	nato
saresti nato/a	nasci	nasca	sia nato/a	nascessi	fossi nato/a	
sarebbe nato/a	nasca	nasca	sia nato/a	nascesse	fosse nato/a	
saremmo nati/e	nasciamo	nasciamo	siamo nati/e	nascessimo	fossimo nati/e	
sareste nati/e	nascete	nasciate	siate nati/e	nasceste	foste nati/e	
sarebbero nati/e	nascano	nascano	siano nati/e	nascessero	fossero nati/e	
avrei nascosto	—	nasconda	abbia nascosto	nascondessi	avessi nascosto	nascosto
avresti nascosto	nascondi	nasconda	abbia nascosto	nascondessi	avessi nascosto	
avrebbe nascosto	nasconda	nasconda	abbia nascosto	nascondesse	avesse nascosto	
avremmo nascosto	nascondiamo	nascondiamo	abbiamo nascosto	nascondessimo	avessimo nascosto	
avreste nascosto	nascondete	nascondiate	abbiate nascosto	nascondeste	aveste nascosto	
avrebbero nascosto	nascondano	nascondano	abbiano nascosto	nascondessero	avessero nascosto	
avrei offerto	—	offra	abbia offerto	offrissi	avessi offerto	offerto
avresti offerto	offri	offra	abbia offerto	offrissi	avessi offerto	
avrebbe offerto	offra	offra	abbia offerto	offrisse	avesse offerto	
avremmo offerto	offriamo	offriamo	abbiamo offerto	offrissimo	avessimo offerto	
avreste offerto	offrite	offriate	abbiate offerto	offriste	aveste offerto	
avrebbero offerto	offrano	offrano	abbiano offerto	offrissero	avessero offerto	
sarei parso/a	—	paia	sia parso/a	paressi	fossi parso/a	parso
saresti parso/a	—	paia	sia parso/a	paressi	fossi parso/a	
sarebbe parso/a	—	paia	sia parso/a	paresse	fosse parso/a	
saremmo parsi/e	—	paiamo	siamo parsi/e	paressimo	fossimo parsi/e	
sareste parsi/e	—	paiate	siate parsi/e	pareste	foste parsi/e	
sarebbero parsi/e	—	paiano	siano parsi/e	paressero	fossero parsi/e	

		直説法					条件法
		現在	近過去	半過去	大過去	未来	現在
PERDERE	io	perdo	ho perso, per-duto	perdevo	avevo perso, perduto	perderò	perderei
失う	tu	perdi	hai perso, per-duto	perdevi	avevi perso, perduto	perderai	perderesti
乗り損ねる	lui / lei	perde	ha perso, per-duto	perdeva	aveva perso, perduto	perderà	perderebbe
	noi	perdiamo	abbiamo per-so, perduto	perdevamo	avevamo per-so, perduto	perderemo	perderemmo
	voi	perdete	avete perso, perduto	perdevate	avevate per-so, perduto	perderete	perdereste
	loro	perdono	hanno perso, perduto	perdevano	avevano per-so, perduto	perderanno	perderebbero
PERSUA-DERE	io	persuado	ho persuaso	persuadevo	avevo persua-so	persuaderò	persuaderei
説得する	tu	persuadi	hai persuaso	persuadevi	avevi persua-so	persuaderai	persuaderesti
	lui / lei	persuade	ha persuaso	persuadeva	aveva persua-so	persuaderà	persuadereb-be
	noi	persuadiamo	abbiamo per-suaso	persuadeva-mo	avevamo per-suaso	persuadere-mo	persuaderem-mo
	voi	persuadete	avete persua-so	persuadevate	avevate per-suaso	persuaderete	persuadere-ste
	loro	persuadono	hanno persua-so	persuadevano	avevano per-suaso	persuaderan-no	persuadereb-bero
PIACERE	io	piaccio	sono piaciuto/a	piacevo	ero piaciuto/a	piacerò	piacerei
好む	tu	piaci	sei piaciuto/a	piacevi	eri piaciuto/a	piacerai	piaceresti
	lui / lei	piace	è piaciuto/a	piaceva	era piaciuto/a	piacerà	piacerebbe
	noi	piacciamo	siamo piaciu-ti/e	piacevamo	eravamo pia-ciuti/e	piaceremo	piaceremmo
	voi	piacete	siete piaciuti/e	piacevate	eravate pia-ciuti/e	piacerete	piacereste
	loro	piacciono	sono piaciuti/e	piacevano	erano piaciu-ti/e	piaceranno	piacerebbero
PIANGERE	io	piango	ho pianto	piangevo	avevo pianto	piangerò	piangerei
泣く	tu	piangi	hai pianto	piangevi	avevi pianto	piangerai	piangeresti
	lui / lei	piange	ha pianto	piangeva	aveva pianto	piangerà	piangerebbe
	noi	piangiamo	abbiamo pian-to	piangevamo	avevamo pian-to	piangeremo	piangeremmo
	voi	piangete	avete pianto	piangevate	avevate pian-to	piangerete	piangereste
	loro	piangono	hanno pianto	piangevano	avevano pian-to	piangeranno	piangerebbe-ro
PIOVERE	io	—	—	—	—	—	—
雨が降る	tu	—	—	—	—	—	—
（非人称動詞）	lui / lei	piove	ha piovuto	pioveva	aveva piovuto	pioverà	pioverebbe
	noi	—	—	—	—	—	—
	voi	—	—	—	—	—	—
	loro	piovono	hanno piovuto	piovevano	avevano pio-vuto	pioveranno	pioverebbero
PORRE	io	pongo	ho posto	ponevo	avevo posto	porrò	porrei
置く	tu	poni	hai posto	ponevi	avevi posto	porrai	porresti
	lui / lei	pone	ha posto	poneva	aveva posto	porrà	porrebbe
	noi	poniamo	abbiamo po-sto	ponevamo	avevamo po-sto	porremo	porremmo
	voi	ponete	avete posto	ponevate	avevate posto	porrete	porreste
	loro	pongono	hanno posto	ponevano	avevano po-sto	porranno	porrebbero

条件法	命令法	接続法				過去分詞
過去	現在	現在	過去	半過去	大過去	
avrei perso, perduto	—	perda	abbia perso, perduto	perdessi	avessi perso, perduto	perso, perduto
avresti perso, perduto	perdi	perda	abbia perso, perduto	perdessi	avessi perso, perduto	
avrebbe perso, perduto	perda	perda	abbia perso, perduto	perdesse	avesse perso, perduto	
avremmo perso, perduto	perdiamo	perdiamo	abbiamo perso, perduto	perdessimo	avessimo perso, perduto	
avreste perso, perduto	perdete	perdiate	abbiate perso, perduto	perdeste	aveste perso, perduto	
avrebbero perso, perduto	perdano	perdano	abbiano perso, perduto	perdessero	avessero perso, perduto	
avrei persuaso	—	persuada	abbia persuaso	persuadessi	avessi persuaso	persuaso
avresti persuaso	persuadi	persuada	abbia persuaso	persuadessi	avessi persuaso	
avrebbe persuaso	persuada	persuada	abbia persuaso	persuadesse	avesse persuaso	
avremmo persuaso	persuadiamo	persuadiamo	abbiamo persuaso	persuadessimo	avessimo persuaso	
avreste persuaso	persuadete	persuadiate	abbiate persuaso	persuadeste	aveste persuaso	
avrebbero persuaso	persuadano	persuadano	abbiano persuaso	persuadessero	avessero persuaso	
sarei piaciuto/a	—	piaccia	sia piaciuto/a	piacessi	fossi piaciuto/a	piaciuto
saresti piaciuto/a	piaci	piaccia	sia piaciuto/a	piacessi	fossi piaciuto/a	
sarebbe piaciuto/a	piaccia	piaccia	sia piaciuto/a	piacesse	fosse piaciuto/a	
saremmo piaciuti/e	piacciamo	piacciamo	siamo piaciuti/e	piacessimo	fossimo piaciuti/e	
sareste piaciuti/e	piacete	piacciate	siate piaciuti/e	piaceste	foste piaciuti/e	
sarebbero piaciuti/e	piacciano	piacciano	siano piaciuti/e	piacessero	fossero piaciuti/e	
avrei pianto	—	pianga	abbia pianto	piangessi	avessi pianto	pianto
avresti pianto	piangi	pianga	abbia pianto	piangessi	avessi pianto	
avrebbe pianto	pianga	pianga	abbia pianto	piangesse	avesse pianto	
avremmo pianto	piangiamo	piangiamo	abbiamo pianto	piangessimo	avessimo pianto	
avreste pianto	piangete	piangiate	abbiate pianto	piangeste	aveste pianto	
avrebbero pianto	piangano	piangano	abbiano pianto	piangessero	avessero pianto	
—	—	—	—	—	—	piovuto
—	—	—	—	—	—	
avrebbe piovuto	piova	piova	abbia piovuto	piovesse	avesse piovuto	
—	—	—	—	—	—	
—	—	—	—	—	—	
avrebbero piovuto	piovano	piovano	abbiano piovuto	piovessero	avessero piovuto	
avrei posto	—	ponga	abbia posto	ponessi	avessi posto	posto
avresti posto	poni	ponga	abbia posto	ponessi	avessi posto	
avrebbe posto	ponga	ponga	abbia posto	ponesse	avesse posto	
avremmo posto	poniamo	poniamo	abbiamo posto	ponessimo	avessimo posto	
avreste posto	ponete	poniate	abbiate posto	poneste	aveste posto	
avrebbero posto	pongano	pongano	abbiano posto	ponessero	avessero posto	

		直説法					条件法
		現在	近過去	半過去	大過去	未来	現在
POTERE	io	posso	ho potuto	potevo	avevo potuto	potrò	potrei
～できる	tu	puoi	hai potuto	potevi	avevi potuto	potrai	potresti
	lui / lei	può	ha potuto	poteva	aveva potuto	potrà	potrebbe
	noi	possiamo	abbiamo po-tuto	potevamo	avevamo po-tuto	potremo	potremmo
	voi	potete	avete potuto	potevate	avevate potu-to	potrete	potreste
	loro	possono	hanno potuto	potevano	avevano potu-to	potranno	potrebbero
PRENDERE	io	prendo	ho preso	prendevo	avevo preso	prenderò	prenderei
取る・食べる	tu	prendi	hai preso	prendevi	avevi preso	prenderai	prenderesti
	lui / lei	prende	ha preso	prendeva	aveva preso	prenderà	prenderebbe
	noi	prendiamo	abbiamo pre-so	prendevamo	avevamo pre-so	prenderemo	prenderem-mo
	voi	prendete	avete preso	prendevate	avevate preso	prenderete	prendereste
	loro	prendono	hanno preso	prendevano	avevano pre-so	prenderanno	prenderebbe-ro
PROTEG-GERE	io	proteggo	ho protetto	proteggevo	avevo protet-to	proteggerò	proteggerei
保護する	tu	proteggi	hai protetto	proteggevi	avevi protetto	proteggerai	proteggeresti
	lui / lei	protegge	ha protetto	proteggeva	aveva protet-to	proteggerà	proteggereb-be
	noi	proteggiamo	abbiamo pro-tetto	proteggeva-mo	avevamo pro-tetto	proteggere-mo	proteggerem-mo
	voi	proteggete	avete protetto	proteggevate	avevate pro-tetto	proteggerete	proteggere-ste
	loro	proteggono	hanno protet-to	proteggevano	avevano pro-tetto	proteggeran-no	proteggereb-bero
REGGERE	io	reggo	ho retto	reggevo	avevo retto	reggerò	reggerei
支える	tu	reggi	hai retto	reggevi	avevi retto	reggerai	reggeresti
	lui / lei	regge	ha retto	reggeva	aveva retto	reggerà	reggerebbe
	noi	reggiamo	abbiamo retto	reggevamo	avevamo ret-to	reggeremo	reggeremmo
	voi	reggete	avete retto	reggevate	avevate retto	reggerete	reggereste
	loro	reggono	hanno retto	reggevano	avevano retto	reggeranno	reggerebbero
RENDERE	io	rendo	ho reso	rendevo	avevo reso	renderò	renderei
返す	tu	rendi	hai reso	rendevi	avevi reso	renderai	renderesti
	lui / lei	rende	ha reso	rendeva	aveva reso	renderà	renderebbe
	noi	rendiamo	abbiamo reso	rendevamo	avevamo reso	renderemo	renderemmo
	voi	rendete	avete reso	rendevate	avevate reso	renderete	rendereste
	loro	rendono	hanno reso	rendevano	avevano reso	renderanno	renderebbero
RIDERE	io	rido	ho riso	ridevo	avevo riso	riderò	riderei
笑う	tu	ridi	hai riso	ridevi	avevi riso	riderai	rideresti
	lui / lei	ride	ha riso	rideva	aveva riso	riderà	riderebbe
	noi	ridiamo	abbiamo riso	ridevamo	avevamo riso	rideremo	rideremmo
	voi	ridete	avete riso	ridevate	avevate riso	riderete	ridereste
	loro	ridono	hanno riso	ridevano	avevano riso	rideranno	riderebbero
RIFLETTE-RE	io	rifletto	ho riflesso	riflettevo	avevo riflesso	rifletterò	rifletterei
反射する	tu	rifletti	hai riflesso	riflettevi	avevi riflesso	rifletterai	rifletteresti
	lui / lei	riflette	ha riflesso	rifletteva	aveva riflesso	rifletterà	rifletterebbe
	noi	riflettiamo	abbiamo ri-flesso	riflettevamo	avevamo ri-flesso	rifletteremo	rifletteremmo
	voi	riflettete	avete riflesso	riflettevate	avevate rifles-so	rifletterete	riflettereste
	loro	riflettono	hanno riflesso	riflettevano	avevano ri-flesso	rifletteranno	rifletterebbe-ro

条件法	命令法	接続法				過去分詞
過去	現在	現在	過去	半過去	大過去	
avrei potuto	—	possa	abbia potuto	potessi	avessi potuto	potuto
avresti potuto	—	possa	abbia potuto	potessi	avessi potuto	
avrebbe potuto	—	possa	abbia potuto	potesse	avesse potuto	
avremmo potuto	—	possiamo	abbiamo potuto	potessimo	avessimo potuto	
avreste potuto	—	possiate	abbiate potuto	poteste	aveste potuto	
avrebbero potuto	—	possano	abbiano potuto	potessero	avessero potuto	
avrei preso	—	prenda	abbia preso	prendessi	avessi preso	preso
avresti preso	prendi	prenda	abbia preso	prendessi	avessi preso	
avrebbe preso	prenda	prenda	abbia preso	prendesse	avesse preso	
avremmo preso	prendiamo	prendiamo	abbiamo preso	prendessimo	avessimo preso	
avreste preso	prendete	prendiate	abbiate preso	prendeste	aveste preso	
avrebbero preso	prendano	prendano	abbiano preso	prendessero	avessero preso	
avrei protetto	—	protegga	abbia protetto	proteggessi	avessi protetto	protetto
avresti protetto	proteggi	protegga	abbia protetto	proteggessi	avessi protetto	
avrebbe protetto	protegga	protegga	abbia protetto	proteggesse	avesse protetto	
avremmo protetto	proteggiamo	proteggiamo	abbiamo protetto	proteggessimo	avessimo protetto	
avreste protetto	proteggete	proteggiate	abbiate protetto	proteggeste	aveste protetto	
avrebbero protetto	proteggano	proteggano	abbiano protetto	proteggessero	avessero protetto	
avrei retto	—	regga	abbia retto	reggessi	avessi retto	retto
avresti retto	reggi	regga	abbia retto	reggessi	avessi retto	
avrebbe retto	regga	regga	abbia retto	reggesse	avesse retto	
avremmo retto	reggiamo	reggiamo	abbiamo retto	reggessimo	avessimo retto	
avreste retto	reggete	reggiate	abbiate retto	reggeste	aveste retto	
avrebbero retto	reggano	reggano	abbiano retto	reggessero	avessero retto	
avrei reso	—	renda	abbia reso	rendessi	avessi reso	reso
avresti reso	rendi	renda	abbia reso	rendessi	avessi reso	
avrebbe reso	renda	renda	abbia reso	rendesse	avesse reso	
avremmo reso	rendiamo	rendiamo	abbiamo reso	rendessimo	avessimo reso	
avreste reso	rendete	rendiate	abbiate reso	rendeste	aveste reso	
avrebbero reso	rendano	rendano	abbiano reso	rendessero	avessero reso	
avrei riso	—	rida	abbia riso	ridessi	avessi riso	riso
avresti riso	ridi	rida	abbia riso	ridessi	avessi riso	
avrebbe riso	rida	rida	abbia riso	ridesse	avesse riso	
avremmo riso	ridiamo	ridiamo	abbiamo riso	ridessimo	avessimo riso	
avreste riso	ridete	ridiate	abbiate riso	rideste	aveste riso	
avrebbero riso	ridano	ridano	abbiano riso	ridessero	avessero riso	
avrei riflesso	—	rifletta	abbia riflesso	riflettessi	avessi riflesso	riflesso
avresti riflesso	rifletti	rifletta	abbia riflesso	riflettessi	avessi riflesso	
avrebbe riflesso	rifletta	rifletta	abbia riflesso	riflettesse	avesse riflesso	
avremmo riflesso	riflettiamo	riflettiamo	abbiamo riflesso	riflettessimo	avessimo riflesso	
avreste riflesso	riflettete	riflettiate	abbiate riflesso	rifletteste	aveste riflesso	
avrebbero riflesso	riflettano	riflettano	abbiano riflesso	riflettessero	avessero riflesso	

		直説法					条件法
		現在	近過去	半過去	大過去	未来	現在
RIMANERE	io	rimango	sono rimasto/a	rimanevo	ero rimasto/a	rimarrò	rimarrei
残る	tu	rimani	sei rimasto/a	rimanevi	eri rimasto/a	rimarrai	rimarresti
	lui / lei	rimane	è rimasto/a	rimaneva	era rimasto/a	rimarrà	rimarrebbe
	noi	rimaniamo	siamo rimasti/e	rimanevamo	eravamo rimasti/e	rimarremo	rimarremmo
	voi	rimanete	siete rimasti/e	rimanevate	eravate rimasti/e	rimarrete	rimarreste
	loro	rimangono	sono rimasti/e	rimanevano	erano rimasti/e	rimarranno	rimarrebbero
RISPONDERE	io	rispondo	ho risposto	rispondevo	avevo risposto	risponderò	risponderei
答える	tu	rispondi	hai risposto	rispondevi	avevi risposto	risponderai	risponderesti
	lui / lei	risponde	ha risposto	rispondeva	aveva risposto	risponderà	risponderebbe
	noi	rispondiamo	abbiamo risposto	rispondevamo	avevamo risposto	risponderemo	risponderemmo
	voi	rispondete	avete risposto	rispondevate	avevate risposto	risponderete	rispondereste
	loro	rispondono	hanno risposto	rispondevano	avevano risposto	risponderanno	risponderebbero
ROMPERE	io	rompo	ho rotto	rompevo	avevo rotto	romperò	romperei
壊す・割る	tu	rompi	hai rotto	rompevi	avevi rotto	romperai	romperesti
	lui / lei	rompe	ha rotto	rompeva	aveva rotto	romperà	romperebbe
	noi	rompiamo	abbiamo rotto	rompevamo	avevamo rotto	romperemo	romperemmo
	voi	rompete	avete rotto	rompevate	avevate rotto	romperete	rompereste
	loro	rompono	hanno rotto	rompevano	avevano rotto	romperanno	romperebbero
SALIRE	io	salgo	sono salito/a	salivo	ero salito/a	salirò	salirei
上がる・乗る	tu	sali	sei salito/a	salivi	eri salito/a	salirai	saliresti
	lui / lei	sale	è salito/a	saliva	era salito/a	salirà	salirebbe
	noi	saliamo	siamo saliti/e	salivamo	eravamo saliti/e	saliremo	saliremmo
	voi	salite	siete saliti/e	salivate	eravate saliti/e	salirete	salireste
	loro	salgono	sono saliti/e	salivano	erano saliti/e	saliranno	salirebbero
SAPERE	io	so	ho saputo	sapevo	avevo saputo	saprò	saprei
知る・〜できる	tu	sai	hai saputo	sapevi	avevi saputo	saprai	sapresti
	lui / lei	sa	ha saputo	sapeva	aveva saputo	saprà	saprebbe
	noi	sappiamo	abbiamo saputo	sapevamo	avevamo saputo	sapremo	sapremmo
	voi	sapete	avete saputo	sapevate	avevate saputo	saprete	sapreste
	loro	sanno	hanno saputo	sapevano	avevano saputo	sapranno	saprebbero
SCEGLIERE	io	scelgo	ho scelto	sceglievo	avevo scelto	sceglierò	sceglierei
選ぶ	tu	scegli	hai scelto	sceglievi	avevi scelto	sceglierai	sceglieresti
	lui / lei	sceglie	ha scelto	sceglieva	aveva scelto	sceglierà	sceglierebbe
	noi	scegliamo	abbiamo scelto	sceglievamo	avevamo scelto	sceglieremo	sceglieremmo
	voi	scegliete	avete scelto	sceglievate	avevate scelto	sceglierete	scegliereste
	loro	scelgono	hanno scelto	sceglievano	avevano scelto	sceglieranno	sceglierebbero

条件法 過去	命令法 現在	接続法 現在	過去	半過去	大過去	過去分詞
sarei rimasto/a	—	rimanga	sia rimasto/a	rimanessi	fossi rimasto/a	rimasto
saresti rimasto/a	rimani	rimanga	sia rimasto/a	rimanessi	fossi rimasto/a	
sarebbe rimasto/a	rimanga	rimanga	sia rimasto/a	rimanesse	fosse rimasto/a	
saremmo rimasti/e	rimaniamo	rimaniamo	siamo rimasti/e	rimanessimo	fossimo rimasti/e	
sareste rimasti/e	rimanete	rimaniate	siate rimasti/e	rimaneste	foste rimasti/e	
sarebbero rimasti/e	rimangano	rimangano	siano rimasti/e	rimanessero	fossero rimasti/e	
avrei risposto	—	risponda	abbia risposto	rispondessi	avessi risposto	risposto
avresti risposto	rispondi	risponda	abbia risposto	rispondessi	avessi risposto	
avrebbe risposto	risponda	risponda	abbia risposto	rispondesse	avesse risposto	
avremmo risposto	rispondiamo	rispondiamo	abbiamo risposto	rispondessimo	avessimo risposto	
avreste risposto	rispondete	rispondiate	abbiate risposto	rispondeste	aveste risposto	
avrebbero risposto	rispondano	rispondano	abbiano risposto	rispondessero	avessero risposto	
avrei rotto	—	rompa	abbia rotto	rompessi	avessi rotto	rotto
avresti rotto	rompi	rompa	abbia rotto	rompessi	avessi rotto	
avrebbe rotto	rompa	rompa	abbia rotto	rompesse	avesse rotto	
avremmo rotto	rompiamo	rompiamo	abbiamo rotto	rompessimo	avessimo rotto	
avreste rotto	rompete	rompiate	abbiate rotto	rompeste	aveste rotto	
avrebbero rotto	rompano	rompano	abbiano rotto	rompessero	avessero rotto	
sarei salito/a	—	salga	sia salito/a	salissi	fossi salito/a	salito
saresti salito/a	sali	salga	sia salito/a	salissi	fossi salito/a	
sarebbe salito/a	salga	salga	sia salito/a	salisse	fosse salito/a	
saremmo saliti/e	saliamo	saliamo	siamo saliti/e	salissimo	fossimo saliti/e	
sareste saliti/e	salite	saliate	siate saliti/e	saliste	foste saliti/e	
sarebbero saliti/e	salgano	salgano	siano saliti/e	salissero	fossero saliti/e	
avrei saputo	—	sappia	abbia saputo	sapessi	avessi saputo	saputo
avresti saputo	sappi	sappia	abbia saputo	sapessi	avessi saputo	
avrebbe saputo	sappia	sappia	abbia saputo	sapesse	avesse saputo	
avremmo saputo	sappiamo	sappiamo	abbiamo saputo	sapessimo	avessimo saputo	
avreste saputo	sappiate	sappiate	abbiate saputo	sapeste	aveste saputo	
avrebbero saputo	sappiano	sappiano	abbiano saputo	sapessero	avessero saputo	
avrei scelto	—	scelga	abbia scelto	scegliessi	avessi scelto	scelto
avresti scelto	scegli	scelga	abbia scelto	scegliessi	avessi scelto	
avrebbe scelto	scelga	scelga	abbia scelto	scegliesse	avesse scelto	
avremmo scelto	scegliamo	scegliamo	abbiamo scelto	scegliessimo	avessimo scelto	
avreste scelto	scegliete	scegliate	abbiate scelto	sceglieste	aveste scelto	
avrebbero scelto	scelgano	scelgano	abbiano scelto	scegliessero	avessero scelto	

275

		直説法					条件法
		現在	近過去	半過去	大過去	未来	現在
SCENDERE	io	scendo	sono sceso/a	scendevo	ero sceso/a	scenderò	scenderei
降りる	tu	scendi	sei sceso/a	scendevi	eri sceso/a	scenderai	scenderesti
	lui / lei	scende	è sceso/a	scendeva	era sceso/a	scenderà	scenderebbe
	noi	scendiamo	siamo scesi/e	scendevamo	eravamo scesi/e	scenderemo	scenderemmo
	voi	scendete	siete scesi/e	scendevate	eravate scesi/e	scenderete	scendereste
	loro	scendono	sono scesi/e	scendevano	erano scesi/e	scenderanno	scenderebbero
SCRIVERE	io	scrivo	ho scritto	scrivevo	avevo scritto	scriverò	scriverei
書く	tu	scrivi	hai scritto	scrivevi	avevi scritto	scriverai	scriveresti
	lui / lei	scrive	ha scritto	scriveva	aveva scritto	scriverà	scriverebbe
	noi	scriviamo	abbiamo scritto	scrivevamo	avevamo scritto	scriveremo	scriveremmo
	voi	scrivete	avete scritto	scrivevate	avevate scritto	scriverete	scrivereste
	loro	scrivono	hanno scritto	scrivevano	avevano scritto	scriveranno	scriverebbero
SEDERE	io	siedo	sono seduto/a	sedevo	ero seduto/a	sederò, siederò	sederei, siederei
座る	tu	siedi	sei seduto/a	sedevi	eri seduto/a	sederai, siederai	sederesti, siederesti
	lui / lei	siede	è seduto/a	sedeva	era seduto/a	sederà, siederà	sederebbe, siederebbe
	noi	sediamo	siamo seduti/e	sedevamo	eravamo seduti/e	sederemo, siederemo	sederemmo, siederemmo
	voi	sedete	siete seduti/e	sedevate	eravate seduti/e	sederete, siederete	sedereste, siedereste
	loro	siedono	sono seduti/e	sedevano	erano seduti/e	sederanno, siederanno	sederebbero, siederebbero
SODDISFA-RE	io	soddisfaccio	ho soddisfatto	soddisfacevo	avevo soddisfatto	soddisfarò	soddisfarei
満足させる	tu	soddisfai	hai soddisfatto	soddisfacevi	avevi soddisfatto	soddisfarai	soddisfaresti
果たす	lui / lei	soddisfa	ha soddisfatto	soddisfaceva	aveva soddisfatto	soddisfarà	soddisfarebbe
	noi	soddisfacciamo	abbiamo soddisfatto	soddisfacevamo	avevamo soddisfatto	soddisfaremo	soddisfaremmo
	voi	soddisfate	avete soddisfatto	soddisfacevate	avevate soddisfatto	soddisfarete	soddisfareste
	loro	soddisfanno	hanno soddisfatto	soddisfacevano	avevano soddisfatto	soddisfaranno	soddisfarebbero
SORGERE	io	sorgo	sono sorto/a	sorgevo	ero sorto/a	sorgerò	sorgerei
（太陽や月が）	tu	sorgi	sei sorto/a	sorgevi	eri sorto/a	sorgerai	sorgeresti
上る・昇る	lui / lei	sorge	è sorto/a	sorgeva	era sorto/a	sorgerà	sorgerebbe
	noi	sorgiamo	siamo sorti/e	sorgevamo	eravamo sorti/e	sorgeremo	sorgeremmo
	voi	sorgete	siete sorti/e	sorgevate	eravate sorti/e	sorgerete	sorgereste
	loro	sorgono	sono sorti/e	sorgevano	erano sorti/e	sorgeranno	sorgerebbero
SPEGNERE	io	spengo	ho spento	spegnevo	avevo spento	spegnerò	spegnerei
消す	tu	spegni	hai spento	spegnevi	avevi spento	spegnerai	spegneresti
	lui / lei	spegne	ha spento	spegneva	aveva spento	spegnerà	spegnerebbe
	noi	spegniamo	abbiamo spento	spegnevamo	avevamo spento	spegneremo	spegneremmo
	voi	spegnete	avete spento	spegnevate	avevate spento	spegnerete	spegnereste
	loro	spengono	hanno spento	spegnevano	avevano spento	spegneranno	spegnerebbero

条件法	命令法	接続法				過去分詞
過去	現在	現在	過去	半過去	大過去	
sarei sceso/a	—	scenda	sia sceso/a	scendessi	fossi sceso/a	sceso
saresti sceso/a	scendi	scenda	sia sceso/a	scendessi	fossi sceso/a	
sarebbe sceso/a	scenda	scenda	sia sceso/a	scendesse	fosse sceso/a	
saremmo scesi/e	scendiamo	scendiamo	siamo scesi/e	scendessimo	fossimo scesi/e	
sareste scesi/e	scendete	scendiate	siate scesi/e	scendeste	foste scesi/e	
sarebbero scesi/e	scendano	scendano	siano scesi/e	scendessero	fossero scesi/e	
avrei scritto	—	scriva	abbia scritto	scrivessi	avessi scritto	scritto
avresti scritto	scrivi	scriva	abbia scritto	scrivessi	avessi scritto	
avrebbe scritto	scriva	scriva	abbia scritto	scrivesse	avesse scritto	
avremmo scritto	scriviamo	scriviamo	abbiamo scritto	scrivessimo	avessimo scritto	
avreste scritto	scrivete	scriviate	abbiate scritto	scriveste	aveste scritto	
avrebbero scritto	scrivano	scrivano	abbiano scritto	scrivessero	avessero scritto	
sarei seduto/a	—	sieda	sia seduto/a	sedessi	fossi seduto/a	seduto
saresti seduto/a	siedi	sieda	sia seduto/a	sedessi	fossi seduto/a	
sarebbe seduto/a	sieda	sieda	sia seduto/a	sedesse	fosse seduto/a	
saremmo seduti/e	sediamo	sediamo	siamo seduti/e	sedessimo	fossimo seduti/e	
sareste seduti/e	sedete	sediate	siate seduti/e	sedeste	foste seduti/e	
sarebbero seduti/e	siedano	siedano	siano seduti/e	sedessero	fossero seduti/e	
avrei soddisfatto	—	soddisfaccia	abbia soddisfatto	soddisfacessi	avessi soddisfatto	soddisfatto
avresti soddisfatto	soddisfa	soddisfaccia	abbia soddisfatto	soddisfacessi	avessi soddisfatto	
avrebbe soddisfatto	soddisfaccia	soddisfaccia	abbia soddisfatto	soddisfacesse	avesse soddisfatto	
avremmo soddisfatto	soddisfacciamo	soddisfacciamo	abbiamo soddisfatto	soddisfacessimo	avessimo soddisfatto	
avreste soddisfatto	soddisfate	soddisfacciate	abbiate soddisfatto	soddisfaceste	aveste soddisfatto	
avrebbero soddisfatto	soddisfacciano	soddisfacciano	abbiano soddisfatto	soddisfacessero	avessero soddisfatto	
sarei sorto/a	—	sorga	sia sorto/a	sorgessi	fossi sorto/a	sorto
saresti sorto/a	sorgi	sorga	sia sorto/a	sorgessi	fossi sorto/a	
sarebbe sorto/a	sorga	sorga	sia sorto/a	sorgesse	fosse sorto/a	
saremmo sorti/e	sorgiamo	sorgiamo	siamo sorti/e	sorgessimo	fossimo sorti/e	
sareste sorti/e	sorgete	sorgiate	siate sorti/e	sorgeste	foste sorti/e	
sarebbero sorti/e	sorgano	sorgano	siano sorti/e	sorgessero	fossero sorti/e	
avrei spento	—	spenga	abbia spento	spegnessi	avessi spento	spento
avresti spento	spegni	spenga	abbia spento	spegnessi	avessi spento	
avrebbe spento	spenga	spenga	abbia spento	spegnesse	avesse spento	
avremmo spento	spegniamo	spegniamo	abbiamo spento	spegnessimo	avessimo spento	
avreste spento	spegnete	spegniate	abbiate spento	spegneste	aveste spento	
avrebbero spento	spengano	spengano	abbiano spento	spegnessero	avessero spento	

		直説法					条件法
		現在	近過去	半過去	大過去	未来	現在
SPENDERE	io	spendo	ho speso	spendevo	avevo speso	spenderò	spenderei
お金を使う	tu	spendi	hai speso	spendevi	avevi speso	spenderai	spenderesti
	lui / lei	spende	ha speso	spendeva	aveva speso	spenderà	spenderebbe
	noi	spendiamo	abbiamo speso	spendevamo	avevamo speso	spenderemo	spenderemmo
	voi	spendete	avete speso	spendevate	avevate speso	spenderete	spendereste
	loro	spendono	hanno speso	spendevano	avevano speso	spenderanno	spenderebbero
SPINGERE	io	spingo	ho spinto	spingevo	avevo spinto	spingerò	spingerei
押す	tu	spingi	hai spinto	spingevi	avevi spinto	spingerai	spingeresti
	lui / lei	spinge	ha spinto	spingeva	aveva spinto	spingerà	spingerebbe
	noi	spingiamo	abbiamo spinto	spingevamo	avevamo spinto	spingeremo	spingeremmo
	voi	spingete	avete spinto	spingevate	avevate spinto	spingerete	spingereste
	loro	spingono	hanno spinto	spingevano	avevano spinto	spingeranno	spingerebbero
STARE	io	sto	sono stato/a	stavo	ero stato/a	starò	starei
いる・ある	tu	stai	sei stato/a	stavi	eri stato/a	starai	staresti
	lui / lei	sta	è stato/a	stava	era stato/a	starà	starebbe
	noi	stiamo	siamo stati/e	stavamo	eravamo stati/e	staremo	staremmo
	voi	state	siete stati/e	stavate	eravate stati/e	starete	stareste
	loro	stanno	sono stati/e	stavano	erano stati/e	staranno	starebbero
TACERE	io	taccio	ho taciuto	tacevo	avevo taciuto	tacerò	tacerei
沈黙する	tu	taci	hai taciuto	tacevi	avevi taciuto	tacerai	taceresti
	lui / lei	tace	ha taciuto	taceva	aveva taciuto	tacerà	tacerebbe
	noi	tacciamo	abbiamo taciuto	tacevamo	avevamo taciuto	taceremo	taceremmo
	voi	tacete	avete taciuto	tacevate	avevate taciuto	tacerete	tacereste
	loro	tacciono	hanno taciuto	tacevano	avevano taciuto	taceranno	tacerebbero
TENDERE	io	tendo	ho teso	tendevo	avevo teso	tenderò	tenderei
広げる	tu	tendi	hai teso	tendevi	avevi teso	tenderai	tenderesti
差し出す	lui / lei	tende	ha teso	tendeva	aveva teso	tenderà	tenderebbe
	noi	tendiamo	abbiamo teso	tendevamo	avevamo teso	tenderemo	tenderemmo
	voi	tendete	avete teso	tendevate	avevate teso	tenderete	tendereste
	loro	tendono	hanno teso	tendevano	avevano teso	tenderanno	tenderebbero
TENERE	io	tengo	ho tenuto	tenevo	avevo tenuto	terrò	terrei
持つ	tu	tieni	hai tenuto	tenevi	avevi tenuto	terrai	terresti
	lui / lei	tiene	ha tenuto	teneva	aveva tenuto	terrà	terrebbe
	noi	teniamo	abbiamo tenuto	tenevamo	avevamo tenuto	terremo	terremmo
	voi	tenete	avete tenuto	tenevate	avevate tenuto	terrete	terreste
	loro	tengono	hanno tenuto	tenevano	avevano tenuto	terranno	terrebbero
TOGLIERE	io	tolgo	ho tolto	toglievo	avevo tolto	toglierò	toglierei
取り除く	tu	togli	hai tolto	toglievi	avevi tolto	toglierai	toglieresti
脱ぐ	lui / lei	toglie	ha tolto	toglieva	aveva tolto	toglierà	toglierebbe
	noi	togliamo	abbiamo tolto	toglievamo	avevamo tolto	toglieremo	toglieremmo
	voi	togliete	avete tolto	toglievate	avevate tolto	toglierete	togliereste
	loro	tolgono	hanno tolto	toglievano	avevano tolto	toglieranno	toglierebbero

条件法 過去	命令法 現在	接続法 現在	過去	半過去	大過去	過去分詞
avrei speso	—	spenda	abbia speso	spendessi	avessi speso	speso
avresti speso	spendi	spenda	abbia speso	spendessi	avessi speso	
avrebbe speso	spenda	spenda	abbia speso	spendesse	avesse speso	
avremmo spe-so	spendiamo	spendiamo	abbiamo speso	spendessimo	avessimo spe-so	
avreste speso	spendete	spendiate	abbiate speso	spendeste	aveste speso	
avrebbero spe-so	spendano	spendano	abbiano speso	spendessero	avessero speso	
avrei spinto	—	spinga	abbia spinto	spingessi	avessi spinto	spinto
avresti spinto	spingi	spinga	abbia spinto	spingessi	avessi spinto	
avrebbe spinto	spinga	spinga	abbia spinto	spingesse	avesse spinto	
avremmo spin-to	spingiamo	spingiamo	abbiamo spinto	spingessimo	avessimo spin-to	
avreste spinto	spingete	spingiate	abbiate spinto	spingeste	aveste spinto	
avrebbero spin-to	spingano	spingano	abbiano spinto	spingessero	avessero spinto	
sarei stato/a	—	stia	sia stato/a	stessi	fossi stato/a	stato
saresti stato/a	sta', stai	stia	sia stato/a	stessi	fossi stato/a	
sarebbe stato/a	stia	stia	sia stato/a	stesse	fosse stato/a	
saremmo stati/e	stiamo	stiamo	siamo stati/e	stessimo	fossimo stati/e	
sareste stati/e	state	stiate	siate stati/e	steste	foste stati/e	
sarebbero sta-ti/e	stiano	stiano	siano stati/e	stessero	fossero stati/e	
avrei taciuto	—	taccia	abbia taciuto	tacessi	avessi taciuto	taciuto
avresti taciuto	taci	taccia	abbia taciuto	tacessi	avessi taciuto	
avrebbe taciuto	taccia	taccia	abbia taciuto	tacesse	avesse taciuto	
avremmo taciu-to	tacciamo	tacciamo	abbiamo taciu-to	tacessimo	avessimo taciu-to	
avreste taciuto	tacete	tacciate	abbiate taciuto	taceste	aveste taciuto	
avrebbero ta-ciuto	tacciano	tacciano	abbiano taciuto	tacessero	avessero taciu-to	
avrei teso	—	tenda	abbia teso	tendessi	avessi teso	teso
avresti teso	tendi	tenda	abbia teso	tendessi	avessi teso	
avrebbe teso	tenda	tenda	abbia teso	tendesse	avesse teso	
avremmo teso	tendiamo	tendiamo	abbiamo teso	tendessimo	avessimo teso	
avreste teso	tendete	tendiate	abbiate teso	tendeste	aveste teso	
avrebbero teso	tendano	tendano	abbiano teso	tendessero	avessero teso	
avrei tenuto	—	tenga	abbia tenuto	tenessi	avessi tenuto	tenuto
avresti tenuto	tieni	tenga	abbia tenuto	tenessi	avessi tenuto	
avrebbe tenuto	tenga	tenga	abbia tenuto	tenesse	avesse tenuto	
avremmo tenu-to	teniamo	teniamo	abbiamo tenuto	tenessimo	avessimo tenu-to	
avreste tenuto	tenete	teniate	abbiate tenuto	teneste	aveste tenuto	
avrebbero te-nuto	tengano	tengano	abbiano tenuto	tenessero	avessero tenu-to	
avrei tolto	—	tolga	abbia tolto	togliessi	avessi tolto	tolto
avresti tolto	togli	tolga	abbia tolto	togliessi	avessi tolto	
avrebbe tolto	tolga	tolga	abbia tolto	togliesse	avesse tolto	
avremmo tolto	togliamo	togliamo	abbiamo tolto	togliessimo	avessimo tolto	
avreste tolto	togliete	togliate	abbiate tolto	toglieste	aveste tolto	
avrebbero tolto	tolgano	tolgano	abbiano tolto	togliessero	avessero tolto	

		直説法					条件法
		現在	近過去	半過去	大過去	未来	現在
TRARRE	io	traggo	ho tratto	traevo	avevo tratto	trarrò	trarrei
引く・引き出す	tu	trai	hai tratto	traevi	avevi tratto	trarrai	trarresti
	lui / lei	trae	ha tratto	traeva	aveva tratto	trarrà	trarrebbe
	noi	traiamo	abbiamo tratto	traevamo	avevamo tratto	trarremo	trarremmo
	voi	traete	avete tratto	traevate	avevate tratto	trarrete	trarreste
	loro	traggono	hanno tratto	traevano	avevano tratto	trarranno	trarrebbero
UCCIDERE	io	uccido	ho ucciso	uccidevo	avevo ucciso	ucciderò	ucciderei
殺す	tu	uccidi	hai ucciso	uccidevi	avevi ucciso	ucciderai	uccideresti
	lui / lei	uccide	ha ucciso	uccideva	aveva ucciso	ucciderà	ucciderebbe
	noi	uccidiamo	abbiamo ucciso	uccidevamo	avevamo ucciso	uccideremo	uccideremmo
	voi	uccidete	avete ucciso	uccidevate	avevate ucciso	ucciderete	uccidereste
	loro	uccidono	hanno ucciso	uccidevano	avevano ucciso	uccideranno	ucciderebbero
USCIRE	io	esco	sono uscito/a	uscivo	ero uscito/a	uscirò	uscirei
外出する	tu	esci	sei uscito/a	uscivi	eri uscito/a	uscirai	usciresti
	lui / lei	esce	è uscito/a	usciva	era uscito/a	uscirà	uscirebbe
	noi	usciamo	siamo usciti/e	uscivamo	eravamo usciti/e	usciremo	usciremmo
	voi	uscite	siete usciti/e	uscivate	eravate usciti/e	uscirete	uscireste
	loro	escono	sono usciti/e	uscivano	erano usciti/e	usciranno	uscirebbero
VALERE	io	valgo	ho valso	valevo	avevo valso	varrò	varrei
価値がある	tu	vali	hai valso	valevi	avevi valso	varrai	varresti
	lui / lei	vale	ha valso	valeva	aveva valso	varrà	varrebbe
	noi	valiamo	abbiamo valso	valevamo	avevamo valso	varremo	varremmo
	voi	valete	avete valso	valevate	avevate valso	varrete	varreste
	loro	valgono	hanno valso	valevano	avevano valso	varranno	varrebbero
VEDERE	io	vedo	ho visto	vedevo	avevo visto	vedrò	vedrei
見る	tu	vedi	hai visto	vedevi	avevi visto	vedrai	vedresti
	lui / lei	vede	ha visto	vedeva	aveva visto	vedrà	vedrebbe
	noi	vediamo	abbiamo visto	vedevamo	avevamo visto	vedremo	vedremmo
	voi	vedete	avete visto	vedevate	avevate visto	vedrete	vedreste
	loro	vedono	hanno visto	vedevano	avevano visto	vedranno	vedrebbero
VENIRE	io	vengo	sono venuto/a	venivo	ero venuto/a	verrò	verrei
来る	tu	vieni	sei venuto/a	venivi	eri venuto/a	verrai	verresti
	lui / lei	viene	è venuto/a	veniva	era venuto/a	verrà	verrebbe
	noi	veniamo	siamo venuti/e	venivamo	eravamo venuti/e	verremo	verremmo
	voi	venite	siete venuti/e	venivate	eravate venuti/e	verrete	verreste
	loro	vengono	sono venuti/e	venivano	erano venuti/e	verranno	verrebbero

条件法 過去	命令法 現在	接続法 現在	接続法 過去	接続法 半過去	接続法 大過去	過去分詞
avrei tratto	—	tragga	abbia tratto	traessi	avessi tratto	tratto
avresti tratto	trai	tragga	abbia tratto	traessi	avessi tratto	
avrebbe tratto	tragga	tragga	abbia tratto	traesse	avesse tratto	
avremmo tratto	traiamo	traiamo	abbiamo tratto	traessimo	avessimo tratto	
avreste tratto	traete	traiate	abbiate tratto	traeste	aveste tratto	
avrebbero trat-to	traggano	traggano	abbiano tratto	traessero	avessero tratto	
avrei ucciso	—	uccida	abbia ucciso	uccidessi	avessi ucciso	ucciso
avresti ucciso	uccidi	uccida	abbia ucciso	uccidessi	avessi ucciso	
avrebbe ucciso	uccida	uccida	abbia ucciso	uccidesse	avesse ucciso	
avremmo ucci-so	uccidiamo	uccidiamo	abbiamo ucciso	uccidessimo	avessimo ucci-so	
avreste ucciso	uccidete	uccidiate	abbiate ucciso	uccideste	aveste ucciso	
avrebbero ucci-so	uccidano	uccidano	abbiano ucciso	uccidessero	avessero ucci-so	
sarei uscito/a	—	esca	sia uscito/a	uscissi	fossi uscito/a	uscito
saresti uscito/a	esci	esca	sia uscito/a	uscissi	fossi uscito/a	
sarebbe uscito/a	esca	esca	sia uscito/a	uscisse	fosse uscito/a	
saremmo usci-ti/e	usciamo	usciamo	siamo usciti/e	uscissimo	fossimo usciti/e	
sareste usciti/e	uscite	usciate	siate usciti/e	usciste	foste usciti/e	
sarebbero usci-ti/e	escano	escano	siano usciti/e	uscissero	fossero usciti/e	
avrei valso	—	valga	abbia valso	valessi	avessi valso	valso
avresti valso	vali	valga	abbia valso	valessi	avessi valso	
avrebbe valso	valga	valga	abbia valso	valesse	avesse valso	
avremmo valso	valiamo	valiamo	abbiamo valso	valessimo	avessimo valso	
avreste valso	valete	valiate	abbiate valso	valeste	aveste valso	
avrebbero val-so	valgano	valgano	abbiano valso	valessero	avessero valso	
avrei visto	—	veda	abbia visto	vedessi	avessi visto	visto
avresti visto	vedi	veda	abbia visto	vedessi	avessi visto	
avrebbe visto	veda	veda	abbia visto	vedesse	avesse visto	
avremmo visto	vediamo	vediamo	abbiamo visto	vedessimo	avessimo visto	
avreste visto	vedete	vediate	abbiate visto	vedeste	aveste visto	
avrebbero visto	vedano	vedano	abbiano visto	vedessero	avessero visto	
sarei venuto/a	—	venga	sia venuto/a	venissi	fossi venuto/a	venuto
saresti venuto/a	vieni	venga	sia venuto/a	venissi	fossi venuto/a	
sarebbe venu-to/a	venga	venga	sia venuto/a	venisse	fosse venuto/a	
saremmo venu-ti/e	veniamo	veniamo	siamo venuti/e	venissimo	fossimo venuti/e	
sareste venuti/e	venite	veniate	siate venuti/e	veniste	foste venuti/e	
sarebbero ve-nuti/e	vengano	vengano	siano venuti/e	venissero	fossero venuti/e	

| | | 直説法 | | | | | 条件法 |
		現在	近過去	半過去	大過去	未来	現在
VINCERE	io	vinco	ho vinto	vincevo	avevo vinto	vincerò	vincerei
勝つ	tu	vinci	hai vinto	vincevi	avevi vinto	vincerai	vinceresti
	lui / lei	vince	ha vinto	vinceva	aveva vinto	vincerà	vincerebbe
	noi	vinciamo	abbiamo vinto	vincevamo	avevamo vinto	vinceremo	vinceremmo
	voi	vincete	avete vinto	vincevate	avevate vinto	vincerete	vincereste
	loro	vincono	hanno vinto	vincevano	avevano vinto	vinceranno	vincerebbero
VIVERE	io	vivo	sono vissuto/a	vivevo	ero vissuto/a	vivrò	vivrei
生きる	tu	vivi	sei vissuto/a	vivevi	eri vissuto/a	vivrai	vivresti
	lui / lei	vive	è vissuto/a	viveva	era vissuto/a	vivrà	vivrebbe
	noi	viviamo	siamo vissuti/e	vivevamo	eravamo vissuti/e	vivremo	vivremmo
	voi	vivete	siete vissuti/e	vivevate	eravate vissuti/e	vivrete	vivreste
	loro	vivono	sono vissuti/e	vivevano	erano vissuti/e	vivranno	vivrebbero
VOLERE	io	voglio	ho voluto	volevo	avevo voluto	vorrò	vorrei
欲する	tu	vuoi	hai voluto	volevi	avevi voluto	vorrai	vorresti
	lui / lei	vuole	ha voluto	voleva	aveva voluto	vorrà	vorrebbe
	noi	vogliamo	abbiamo voluto	volevamo	avevamo voluto	vorremo	vorremmo
	voi	volete	avete voluto	volevate	avevate voluto	vorrete	vorreste
	loro	vogliono	hanno voluto	volevano	avevano voluto	vorranno	vorrebbero
VOLGERE	io	volgo	ho volto	volgevo	avevo volto	volgerò	volgerei
向ける・回す	tu	volgi	hai volto	volgevi	avevi volto	volgerai	volgeresti
	lui / lei	volge	ha volto	volgeva	aveva volto	volgerà	volgerebbe
	noi	volgiamo	abbiamo volto	volgevamo	avevamo volto	volgeremo	volgeremmo
	voi	volgete	avete volto	volgevate	avevate volto	volgerete	volgereste
	loro	volgono	hanno volto	volgevano	avevano volto	volgeranno	volgerebbero

条件法	命令法	接続法				過去分詞
過去	現在	現在	過去	半過去	大過去	
avrei vinto	—	vinca	abbia vinto	vincessi	avessi vinto	vinto
avresti vinto	vinci	vinca	abbia vinto	vincessi	avessi vinto	
avrebbe vinto	vinca	vinca	abbia vinto	vincesse	avesse vinto	
avremmo vinto	vinciamo	vinciamo	abbiamo vinto	vincessimo	avessimo vinto	
avreste vinto	vincete	vinciate	abbiate vinto	vinceste	aveste vinto	
avrebbero vinto	vincano	vincano	abbiano vinto	vincessero	avessero vinto	
sarei vissuto/a	—	viva	sia vissuto/a	vivessi	fossi vissuto/a	vissuto
saresti vissuto/a	vivi	viva	sia vissuto/a	vivessi	fossi vissuto/a	
sarebbe vissuto/a	viva	viva	sia vissuto/a	vivesse	fosse vissuto/a	
saremmo vissuti/e	viviamo	viviamo	siamo vissuti/e	vivessimo	fossimo vissuti/e	
sareste vissuti/e	vivete	viviate	siate vissuti/e	viveste	foste vissuti/e	
sarebbero vissuti/e	vivano	vivano	siano vissuti/e	vivessero	fossero vissuti/e	
avrei voluto	—	voglia	abbia voluto	volessi	avessi voluto	voluto
avresti voluto	vuoi	voglia	abbia voluto	volessi	avessi voluto	
avrebbe voluto	voglia	voglia	abbia voluto	volesse	avesse voluto	
avremmo voluto	vogliamo	vogliamo	abbiamo voluto	volessimo	avessimo voluto	
avreste voluto	volete	vogliate	abbiate voluto	voleste	aveste voluto	
avrebbero voluto	vogliano	vogliano	abbiano voluto	volessero	avessero voluto	
avrei volto	—	volga	abbia volto	volgessi	avessi volto	volto
avresti volto	volgi	volga	abbia volto	volgessi	avessi volto	
avrebbe volto	volga	volga	abbia volto	volgesse	avesse volto	
avremmo volto	volgiamo	volgiamo	abbiamo volto	volgessimo	avessimo volto	
avreste volto	volgete	volgiate	abbiate volto	volgeste	aveste volto	
avrebbero volto	volgano	volgano	abbiano volto	volgessero	avessero volto	

著者略歴

菊池正和（きくち・まさかず）

1973年　鹿児島県生まれ。
京都大学文学部卒業。同大学大学院文学研究科博士課程修了。
1998－2000年　ボローニャ大学留学（イタリア政府奨学生）
現在、大阪大学大学院言語文化研究科准教授。
専攻はイタリア演劇とシチリア文学。

著書『イタリア語のきほんドリル』国際語学社

イラストレーション／門川洋子
編集制作DTP＆本文design／小田実紀
音声吹込／日本語：彼方悠璃
　　　　　イタリア語：Michele Camandona

【新版】あなただけのイタリア語家庭教師

初版1刷発行 ●2018年3月20日
新版1刷発行 ●2020年2月20日

著者
きくち　まさかず
菊池 正和

発行者
小田 実紀

発行所
株式会社Clover出版
〒162-0843 東京都新宿区市谷田町3-6 THE GATE ICHIGAYA 10階　Tel.03(6279)1912　Fax.03(6279)1913
http://cloverpub.jp

印刷所
倉敷印刷株式会社
©Masakazu Kikuchi 2020, Printed in Japan
ISBN 978-4-908033-60-5　C0087

本書の内容に関するお問い合わせは、info@cloverpub.jp宛にメールでお願い申し上げます

※本書は、2018年3月刊行『【新版】あなただけのイタリア語家庭教師』(弊社刊・産学社発売)の復刻・再刊行版です。

abitare 「住む」……… 92

abito 「衣服」……… 181

acciuga 「アンチョビー」…… 43

accomodarsi 「くつろぐ、楽にする」……… 251

accompagnare 「同伴する、見送る」……… 147

addormentarsi 「就寝する、寝つく」……… 183

adesso 「今」……… 135

aereo 「飛行機」……… 97

aiutare 「助ける、手伝う」 151

aiuto 「助け、手伝い」…… 213

albergo 「ホテル」……… 39

allora 「それでは」……… 143

alto 「高い」……… 57

alzarsi 「起きる」……… 179

amare 「愛する」……… 89

amaro 「苦い」……… 65

amarsi 「愛し合う」……… 183

America 「アメリカ合衆国」… 95

americano 「アメリカ（人）の」 58

amica 「女友達」……… 35

amico 「男友達」……… 32

anche 「～もまた」……… 143

ancora 「まだ」……… 169

andare 「行く」……… 95

anno 「年」……… 71

antico 「古風な」……… 59

antipatico 「感じの悪い」…… 57

aperto 「戸外、屋外」…… 175

appartamento 「アパート」… 74

aprile 「4月」……… 95

aprire 「開ける、開く」……113

arancia 「オレンジ」……… 39

armadio 「戸棚、タンス」…… 99

arrivare 「到着する」……… 92

articolo 「記事、論文」……… 231

ascoltare 「聴く」……… 92

asparago 「アスパラガス」… 40

aspettare 「待つ」……… 93

assolutamente 「絶対に、どうしても」……… 161

attore 「俳優」……… 71

attrice 「女優」……… 71

aula 「教室」……… 39

autobus 「バス」……… 40

autunno 「秋」……… 125

avere 「持つ、所有する」…… 81

avere da + 不定詞 「～するべきことがある」……… 83

avere mal di + 体の部位 「～が痛い」……… 82

avere ragione 「正しい」… 227

avvocato 「弁護士」……… 131

azzurro 「青い」……… 56

bacio 「キス」……… 43

bagno 「浴室、トイレ」……… 81

bambino 「赤ん坊、子ども」… 153

banca 「銀行」……… 43

bar 「バール」……… 40

barba 「ひげ」……… 183

basso 「低い」……… 57

bello 「美しい」……… 65

bere 「飲む」……… 139

bianco 「白い」……… 56

biglietto 「切符」……… 32

biondo 「金髪の」……… 95

birra 「ビール」……… 31

bolognese 「ボローニャ（人）の」58

borsa 「カバン」……… 32

bosco 「森」……… 40

bottega 「工房」……… 43

bravo 「優秀な」……… 61

bucato 「洗濯」……… 131

bugia 「うそ」……… 43

buono 「美味しい」……… 56

caffè 「コーヒー」……… 32

calcio 「サッカー」……… 32

caldo 「暑さ」……… 82

cambiare 「変える、交換する」 227

camera 「部屋」……… 47

cane 「犬」……… 81

cantare 「歌う」……… 89

canzone 「歌」……… 47

capello 「髪の毛」……… 95

capire 「理解する、わかる」……111

cappello 「帽子」……… 77

cappuccino 「カプチーノ」… 31

caramella 「キャンディ、あめ」 153

carino 「かわいらしい」……… 75

carne 「肉」……… 33

carta 「カード」……… 93

cartolina 「はがき」……… 171

cattivo 「まずい」……… 56

celeste 「水色の」……… 56

cena 「夕食」……… 191

centrale 「中央の」……119

centro 「中心街」……… 133

cercare 「探す」……… 92

certo 「もちろん」……… 161

che 「～ということを」……… 221

che cosa 「何」……… 93

chiacchierare 「おしゃべりする」193

chiamarsi 「名前は～である」 183

chiave 「鍵」……… 33

chiedere 「求める、尋ねる」……211

chiesa 「教会」……… 72

chitarra 「ギター」……… 141

chiudere 「閉める、閉まる」… 109

cioccolata 「ココア」……… 31

città 「街」……… 40

classe 「階級、（乗り物の）等級、クラス」……… 103

colazione 「朝食」……… 131

come 「どんなふうに」……… 75

cominciare 「始まる、始める」… 95

comodo 「快適な」……… 59

compito 「宿題」……… 169

compleanno 「誕生日」……117

comprare 「買う」……… 95

comune 「役所、地方自治体」… 97

concerto 「コンサート」……… 113

concorso 「コンクール」…… 103

condizione 「条件」……… 213

condurre 「導く」……… 139

conoscere 「知る、知っている」109

conoscersi 「知り合いである」 181

consiglio 「助言、忠告」… 233

cornetto 「クロワッサン」…… 31

corto 「短い」……… 57

cosa 「何を」……… 82

授業で使った単語（A〜C）

cosa 「こと、物事」 ……… 213
costare 「費用がかかる」 ……117
costume 「衣類、水着」 … 137
cravatta 「ネクタイ」……… 121
credere 「信じる」………… 227
credito 「クレジット、信用貸し」… 93
cucina 「料理」…………… 58
cugino 「いとこ」………… 77
cultura 「文化」……………117
dare 「与える」………… 129
davanti 「〜の前で」……… 171
dente 「歯」………………… 83
dentista 「歯医者」……… 131
desiderare 「欲する、望む」… 121
di 「〜の」………………… 73
di più 「もっと」…………… 239
di solito 「いつもは、普通」 … 183
difficile 「難しい」……… 65
diligente 「勤勉な」……… 63
dimenticare 「忘れる」…… 247
dire 「言う」……………… 141
dispiacere 「残念である」 227
diventare 「〜になる」…… 213
divertirsi 「楽しむ」…… 179
dolce 「甘い」…………… 56
domani 「明日」…………… 121
domenica 「日曜日」…… 93
dormire 「眠る」…………111
dove 「どこに、どこへ」……… 79
dovere 「〜しなければならない」135
duomo 「大聖堂」………… 121
economico 「経済的な」…… 59
elegante 「エレガントな」…… 59
entrare 「入る」………… 135
entro 「〜以内に」………… 137
esame 「試験」…………… 47
essere 「ある、いる、〜です」 59
estate 「夏」……………… 125
estivo 「夏の」…………… 175
fame 「空腹」…………… 82
famiglia 「家族」………… 45
famoso 「有名な」………… 59
fare 「〜する」………… 129
farmacia 「薬局」………… 43

farsi 「自分自身を〜する、（ひげを）そる」…………… 183
farsi male 「怪我をする」… 251
favore 「好意」………… 135
fazzoletto 「ハンカチ」…… 101
febbre 「熱」…………… 82
felice 「幸せな」………… 63
fermarsi 「留まる、滞在する」 185
festa 「パーティー、祭り」 … 99
figlia 「娘」……………… 75
figlio 「息子」…………… 77
film 「映画」…………… 37
finestra 「窓」……………113
finire 「終わる、終える」……111
fiore 「花」……………… 33
fiorentino 「フィレンツェ（人）の」58
fontana 「泉、噴水」……… 73
francese 「フランス（人）の」… 57
franco 「率直な」………… 53
fratello 「兄弟」………… 31
freddo 「寒さ」…………… 82
fretta 「急ぐこと」………… 82
frigo 「冷蔵庫」………… 99
frutta 「果物」…………… 31
fuggire 「逃げる」………113
fumare 「喫煙する」……… 141
fumetto 「漫画」………… 109
fungo 「キノコ」………… 40
fuori 「外で」…………… 131
futuro 「未来、将来」…… 207
gatto 「猫」……………… 32
gelateria 「アイスクリーム屋」 131
gelato 「アイスクリーム」…… 31
genitori 「両親」………… 77
genovese 「ジェノヴァ（人）の」 59
gentile 「親切な」………… 57
giacca 「ジャケット」……… 77
giallo 「黄色い」………… 56
Giappone 「日本」……… 95
giapponese 「日本（人）の」… 51
giocare 「遊ぶ、スポーツをする」92
giovane 「若い」………… 57
gola 「のど」……………… 83
gonna 「スカート」……… 53

gotico 「ゴシック様式の」…… 72
grande 「大きい」………… 56
grasso 「太った」………… 57
grigio 「灰色の」………… 55
guardare 「見る」………… 92
guardarsi 「見つめ合う」 … 181
guarire 「病気が治る、回復する」227
guidare 「運転する」……… 137
li 「彼らを」…………… 121
immaginare 「想像する」… 231
impiegato 「サラリーマン」 131
importante 「重要な」…… 217
in piedi 「起立して」（熟語）133
in tempo 「時間内に」…… 217
incidente 「事故」……… 237
incontrare 「出会う」…… 129
indirizzo 「住所」……… 137
inglese 「イギリス（人）の」… 58
inglese 「英語」………… 95
insegnante 「教師、先生」 239
insieme 「一緒に」……… 193
intelligente 「聡明な」… 57
interessante 「面白い」… 59
inverno 「冬」…………… 125
invitare 「招待する」………115
iscriversi 「入学する、登録する」185
isola 「島」……………… 35
italiano 「イタリア（人）の」… 51
italiano 「イタリア語」…… 91
largo 「幅広い」………… 57
lasagna 「ラザーニャ」…… 169
lasciare 「残す、後にする」 … 239
latino 「ラテン語」……… 133
laurea 「卒業、学位」…… 171
lavarsi 「自分自身を洗う」… 183
lavorare 「働く」………… 91
lavoro 「労働、仕事」…… 97
leggere 「読む」………… 107
leggero 「軽い」………… 56
lettera 「手紙、文字」…… 95
lezione 「レッスン、授業」 …113
libero 「あいた、自由な」… 81
libro 「本」……………… 35
lieto 「嬉しい」…………… 65

Londra 「ロンドン」 ……… 229
loro 「彼らの、彼女らの」…… 74
lungo 「長い」……………… 53
madre 「母親」……………… 31
magro 「痩せた」…………… 57
mangiare 「食べる」……… 83
mano 「手」………………… 131
mare 「海」………………… 33
marito 「夫」……………… 65
mattina 「朝」……………… 131
medicina 「薬」…………… 247
medico 「医者」…………… 40
meglio 「よりよい」……… 227
mela 「リンゴ」…………… 32
mentre 「〜する間」……… 193
mese 「月」………………… 125
mettere 「置く」………… 109
mettersi 「身に着ける」… 179
mezzanotte 「真夜中の零時」 123
mezzo 「半分の、中間の」 123
mezzogiorno 「正午」…… 95
mi 「私を、私に」………… 131
mio 「私の」……………… 65
moderno 「近代的な」…… 59
moglie 「妻」……………… 79
molto 「とても」………… 61
montagna 「山」………… 32
museo 「美術館」………… 63
musica 「音楽」…………… 32
napoletano 「ナポリ(人)の」… 58
nascere 「生まれる」…… 165
Natale 「クリスマス」…… 171
nato nascere「生まれる」の過
　去分詞…………………… 125
nave 「船」………………… 33
necessario 「必要な」…… 231
negozio 「店」…………… 109
nero 「黒い」……………… 56
nessuno 「なんの…もない」 97
noioso 「退屈な」………… 59
non ... per niente 「全然〜ない」231
nonno 「祖父」…………… 79
nostro 「私たちの」……… 74
notte 「夜」………………… 33

numero 「数字」………… 131
nuotare 「泳ぐ」………… 137
nuovo 「新しい」………… 56
o 「あるいは、または」………113
occhiali 複「眼鏡」……… 99
occhio 「目」……………… 47
offrire 「おごる、提供する」…113
oggi 「今日」……………… 113
ogni 「どの〜も、すべての」… 92
ombrello 「傘」…………… 75
opera 「作品、オペラ」…… 71
ora 「時間」……………… 97
orologio 「時計」………… 39
ospedale 「病院」………… 39
pacco 「小包」…………… 157
padre 「父親」…………… 31
paese 「国、村」…………… 71
pagare 「支払う」………… 92
pancia 「おなか」………… 83
pane 「パン」……………… 95
panino 「サンドイッチ」… 31
pantalone 「ズボン」…… 57
parco 「公園」…………… 40
parente 「親戚」………… 97
Parigi 「パリ」…………… 97
parlare 「話す」………… 91
partire 「出発する」………111
passare 「過ごす、通り過ぎる」 95
passare 「手渡す、渡す」… 251
passare 「合格する」…… 231
passeggiata 「散歩」…… 131
pasto 「食事」…………… 231
paura 「恐れ、心配」……… 231
pazienza 「忍耐、辛抱」… 247
penna 「ペン」…………… 35
pensare 「思う、考える」…… 221
per 「〜行きの」………… 73
per favore 「お願いします」(熟
　語) ……………………… 135
perdere 「失う、乗り損ねる」 239
persona 「人」…………… 57
pesante 「重い」………… 56
pesce 「魚」………………… 33
piacere 「気にいる」…… 139

piangere 「泣く」………… 109
piatto 「皿、料理」………117
piccolo 「小さい」……… 56
piede 「足」……………… 133
pigro 「怠け者の」……… 63
pioggia 「雨」…………… 43
più 「〜以上の」………… 205
pizza 「ピッツァ」……… 31
pizzeria 「ピザ屋」……… 131
pomodoro 「トマト」…… 99
ponte 「橋」……………… 47
porta 「ドア」…………… 47
portacenere 「灰皿」…… 251
portare 「運ぶ、連れて行く」… 99
possibile 「可能な、ありうる」 227
posto 「立場、席」………211
potere 「〜できる」……… 135
pranzo 「昼食」………… 157
preferire 「(〜の方を) 好む、選
ぶ」 ……………………… 113
prendere 「(飲食物を) 注文する、
(乗り物に) 乗る」……… 109
prenotare 「予約する」… 97
preparare 「準備する」… 191
presentare 「紹介する」… 153
prestare 「貸す」………… 161
presto 「早く」…………… 205
prima 「それ以前に」…… 197
primavera 「春」………… 119
problema 「問題」……… 97
professore 「先生、教授」 193
pronto 「準備のできた」… 63
prossimo 「次の〜、今度の〜」 143
pulire 「清掃する」……… 113
quaderno 「ノート」…… 72
qualche 「いくつかの、何らかの」233
qualcosa 不定/「何か、ある物」91
qualsiasi 「どんな〜でも」 213
quando 「いつ」………… 92
quanto 「いくつの」…… 82
quello 「あの、その」…… 69
questo 「この」…………… 69
qui 「ここに」…………… 63
raffreddore 「風邪」…… 82

ragazza 「少女」‥‥‥‥‥ 35
ragazzo 「少年」‥‥‥‥‥ 35
ragione 「理性、道理」‥‥‥ 227
regalare 「プレゼントする」‥‥ 93
regalo 「プレゼント」‥‥‥‥ 39
ricevere 「受け取る」‥‥‥‥ 171
rimanere 「とどまる」‥‥‥ 139
risotto 「リゾット」‥‥‥‥‥ 169
ristorante 「レストラン」‥‥ 207
ritardo 「遅れ、遅延」‥‥‥ 173
ritratto 「肖像画」‥‥‥‥‥ 103
riuscire 「〜に成功する、〜がうまくいく」‥‥‥‥‥‥‥ 213
rivista 「雑誌」‥‥‥‥‥‥‥ 69
robusto 「丈夫な」‥‥‥‥‥ 56
romano 「ローマ（人）の」‥‥ 58
rosso 「赤い」‥‥‥‥‥‥‥ 56
salire 「上がる」‥‥‥‥‥ 141
sapere 「知る、〜できる」 135
sbrigarsi 「急ぐ、急いで〜する」253
scaffale 「本棚」‥‥‥‥‥‥ 47
scarpe 複「靴」‥‥‥‥‥‥ 65
schiena 「背中、腰」‥‥‥‥ 83
sciarpa 「スカーフ」‥‥‥‥ 39
scorciatoia 「近道」‥‥‥‥ 97
scorso 「すぐ前の〜、先〜、昨〜」 119
scrivere 「書く」‥‥‥‥‥ 107
scuola 「学校」‥‥‥‥‥‥ 191
scusa 「許し」‥‥‥‥‥‥‥211
scusare 「許す」‥‥‥‥‥ 249
se 「〜どうか」‥‥‥‥‥‥ 223
se no 「さもなければ」‥‥‥ 253
secondo 「〜によれば、〜の意見では」‥‥‥‥‥‥‥‥‥ 205
sembrare 「〜のように見える、思われる」‥‥‥‥‥‥ 239
sempre 「いつも」‥‥‥‥ 133
sentire 「聞く、感じる」‥‥113
sentirsi 「気分が〜である」 183
serio 「まじめな」‥‥‥‥‥ 55
sete 「のどの渇き」‥‥‥‥ 82
settimana 「週」‥‥‥‥‥ 109
signora 「婦人」‥‥‥‥‥‥ 57
simpatico 「感じのいい」‥‥ 53

singolo 「個人用の、シングルの」97
smettere 「やめる、中止する」 247
soldo 「お金」‥‥‥‥‥‥‥ 83
sonno 「眠り、眠気」‥‥‥‥ 82
sorella 「姉妹」‥‥‥‥‥‥ 31
sotto 「〜の下で」‥‥‥‥ 213
spagnolo 「スペイン（人）の」‥ 58
specchio 「鏡」‥‥‥‥‥‥ 181
spedire 「郵送する」‥‥‥113
sperare 「望む、願う」‥‥‥ 227
spesa 「買い物」‥‥‥‥‥ 131
spettacolo 「ショー」‥‥‥ 71
sposarsi 「結婚する」‥‥‥ 185
stadio 「スタジアム」‥‥‥‥ 35
stagione 「季節」‥‥‥‥‥117
stamattina 「今朝」‥‥‥‥ 197
stanco 「疲れている」‥‥‥ 197
stare 「（ある場所・状況に）いる、ある」‥‥‥‥‥‥‥‥‥ 75
stasera 「今晩」‥‥‥‥‥‥ 95
stazione 「駅」‥‥‥‥‥‥ 33
stomaco 「胃」‥‥‥‥‥‥ 83
strada 「道路、道」‥‥‥‥ 239
straniero 「外国の」‥‥‥‥ 73
stretto 「狭い」‥‥‥‥‥‥ 57
studente 「（男子）学生」‥‥‥ 33
studiare 「勉強する」‥‥‥ 91
subito 「すぐに」‥‥‥‥‥ 137
suo 「彼の、彼女の、あなたの」 74
suonare 「演奏する」‥‥‥ 141
superare 「合格する」‥‥‥ 197
supermercato 「スーパーマーケット」37
svegliarsi 「目覚める」‥‥‥ 185
tanto 「多くの」‥‥‥‥‥‥ 63
tasca 「ポケット」‥‥‥‥‥ 101
tavola 「テーブル」‥‥‥‥‥ 39
tavolo 「机」‥‥‥‥‥‥‥ 97
taxi 「タクシー」‥‥‥‥‥ 109
tedesco 「ドイツ（人）の」‥‥ 57
telefonare 「電話をかける」‥‥ 93
telefonino 「携帯電話」‥‥ 97
temere 「恐れる」‥‥‥‥ 227
tempo 「時間」‥‥‥‥‥‥ 83
teologo 「神学者」‥‥‥‥‥ 40

tesi 「論文」‥‥‥‥‥‥‥ 171
testa 「頭」‥‥‥‥‥‥‥‥ 83
ti 「君を、君に」‥‥‥‥‥ 143
tornare 「帰る」‥‥‥‥‥‥ 91
torta 「ケーキ」‥‥‥‥‥‥ 31
toscano 「トスカーナ地方の」‥ 72
tosse 「咳」‥‥‥‥‥‥‥‥ 82
treno 「電車」‥‥‥‥‥‥‥ 35
triste 「悲しい」‥‥‥‥‥‥ 63
trovarsi 「居心地が〜である、〜がある、いる」‥‥‥‥‥ 185
tuo 「君の」‥‥‥‥‥‥‥‥ 74
tutto 「すべての」‥‥‥‥‥ 93
ufficio 「オフィス、事務所」 191
ultimo 「最後の」‥‥‥‥‥ 251
un po'di = un poco di 「少しの」83
università 「大学」‥‥‥‥‥ 35
uscire 「外出する」‥‥‥‥ 141
vacanza 「休暇」‥‥‥‥‥‥ 95
vecchio 「古い」‥‥‥‥‥‥ 56
vedere 「見る、会う」‥‥‥ 109
vedersi 「会う」‥‥‥‥‥‥ 183
veloce 「速い」‥‥‥‥‥‥ 65
vendere 「売る」‥‥‥‥‥ 109
veneziano 「ヴェネツィア（人）の」58
venire 「来る」‥‥‥‥‥‥‥ 99
verde 「緑の」‥‥‥‥‥‥‥ 56
verdura 「野菜」‥‥‥‥‥ 245
verità 「真実」‥‥‥‥‥‥ 247
vestito 「衣服」‥‥‥‥‥‥ 53
viaggiare 「旅行する」‥‥‥ 93
vicino 「近くに」‥‥‥‥‥‥ 63
villa 「別荘」‥‥‥‥‥‥‥ 81
vino 「ワイン」‥‥‥‥‥‥ 31
visitare 「訪れる」‥‥‥‥ 171
vivere 「暮らす、生活する、生きる」109
volentieri 「快く、みずから進んで」151
volere 「〜したい」‥‥‥‥ 135
vostro 「君たちの」‥‥‥‥ 74
zaino 「リュック」‥‥‥‥‥ 35
zio 「おじ」‥‥‥‥‥‥‥‥ 35
zucchero 「砂糖」‥‥‥‥‥ 39

授業で使った単語（R〜Z）